Mythes politiques
modernes

Pour Mircea Eliade

ce livre qui s'appuie sur
son oeuvre,

avec ses pensées cordiales
André Reszler

OUVRAGE PUBLIÉ
SOUS LA DIRECTION DE
FRANÇOIS AZOUVI
ET GUY SAMAMA

ANDRÉ RESZLER

PROFESSEUR A L'INSTITUT
UNIVERSITAIRE D'ÉTUDES
EUROPÉENNES DE GENÈVE

Mythes politiques modernes

presses universitaires de france

POUR ANTOINE

ISBN 2 13 036596 5

1re édition : 1er trimestre 1981
© Presses Universitaires de France, 1981
108, Bd Saint-Germain, 75006 Paris

« *Les mythes modernes sont encore moins compris que les mythes anciens, quoique nous soyons dévorés par les mythes. Les mythes nous pressent de toutes parts, ils servent à tout, ils expliquent tout.* »

BALZAC, La vieille fille.

« *Toute la Révolution est une vraie mythologie, où hommes et choses semblent plus grands que nature parce que rien n'est vrai. Les historiens artistes contribuent à l'illusion.* »

PROUDHON, Carnets.

« *Il s'agit de savoir quels mythes ont, aux diverses époques, poussé au renversement des situations existantes ; les idéologies n'ont été que des traductions de ces mythes sous des formes abstraites.* »

SOREL, Matériaux pour une
théorie du prolétariat.

« *Lors même qu'il s'éloigne de la religion, l'homme y demeure assujetti ; s'épuisant à forger des simulacres de dieux, il les adopte ensuite fiévreusement : son besoin de fiction, de mythologie, triomphe de l'évidence et du ridicule.* »

CIORAN, Précis de décomposition.

« *Tout livre est une citation... et tout homme est une citation tirée de tous ses ancêtres.* »

EMERSON, Les hommes représentatifs.

avant-propos

L'idée d'écrire un essai sur les mythes qui président à l'élaboration de la pensée politique moderne m'est venue il y a quatre ans environ, en lisant, pour mon séminaire sur les idéologies politiques des xixe et xxe siècles, les textes fondateurs des disciples de Saint-Simon qu'Enfantin et Saint-Amand Bazard ont réunis en « Eglise » après la mort du maître. En me familiarisant avec l'histoire de ces précurseurs mystiques de la société industrielle et de l'Europe des technocrates, je me suis convaincu qu'on n'y comprend rien sans remonter aux sources mythiques qui en constituent les matériaux et qui en forment peut-être l'horizon affectif. De quels mythes s'agit-il ? Des mythes de la révolution, de la société nouvelle — l'âge d'Or —, du savant défini comme le Sauveur de l'époque moderne, et, en partant de la philosophie saint-simonienne de l'histoire, des trois âges... Doués d'un pouvoir d'adaptation, de dissimulation extraordinaire, ces mythes nous parlent de l'origine de nos institutions, de la naissance du pouvoir, des lois qui règlent les rapports entre les hommes (domination, soumission, égalité) et de leur avenir. Le fait que le discours du mythe s'intègre, dans les textes dont il est question, dans un contexte idéologique, théorique et abstrait aux prétentions scientifiques, rend leur lecture mythologique plus difficile, certes, sans diminuer toutefois le plaisir intellectuel né de leur découverte. La surprise devant les constructions mi-scientifiques, mi-mythologiques de la « religion » saint-simonienne ne m'a pas quitté pendant les quatre ans qui se sont écoulés depuis mes premières lectures, et aujourd'hui c'est la réaction à la mythologie saint-simonienne qui me permet encore d'éclairer la structure essentielle — son découpage en itinéraires — de cette étude que je livre au lecteur.

Figure par excellence moderne, Saint-Simon est un de premiers créateurs de système à formuler, avec Hegel, Com Fourier, Marx, etc., les lois d'évolution de l'histoire et de société en partant de la systématisation des connaissances scientifiques, philosophiques et esthétiques de l'Europe postrévolutionnaire. Grâce à l'ampleur de la synthèse qu'il élabore — et aussi en raison de la ferveur messianique avec laquelle ses disciples ont transformé son enseignement en dogme —, il nous apparaît comme le fondateur d'une nouvelle religion « industrielle ». Les saint-simoniens, anciens élèves, quant à la majorité, de l'Ecole Polytechnique et exerçant la profession d'ingénieurs, d'administrateurs et de banquiers, jouent un rôle de premier plan dans la transformation de la France en un pays industriel moderne. Fournel et Enfantin élaborent les premiers projets du canal de Suez, que réalisera plus tard l'ancien saint-simonien qu'est Ferdinand de Lesseps; les frères Pereire organisent le crédit immobilier; Michel Chevalier est l'un des conseillers économiques les plus écoutés de Napoléon III; d'autres initient la construction des premiers chemins de fer, etc. Malgré le pragmatisme qui caractérise leurs travaux — et la nature essentiellement constructiviste de leurs écrits théoriques —, les saint-simoniens n'hésitent pas à inscrire en tête de leur premier journal officiel, *Le Producteur*, cette phrase tirée des *Opinions littéraires et philosophiques de Saint-Simon* : « L'âge d'Or, qu'une aveugle tradition a placé jusqu'ici dans le passé, est devant nous. » Dans leur esprit, les acquis successifs du progrès scientifique et technologique doivent aboutir à la réalisation de fait des visions édéniques d'autrefois qu'il importe maintenant de transformer en programme d'action pratique. « Faire de la terre un paradis », voici la mission que confie aux savants le héros-fondateur de l'Evangile industrielle qu'est Saint-Simon. Aussi ses écrits deviennent-ils les actes fondateurs d'une nouvelle mythologie en voie de création.

Depuis la fin de l'époque romantique, les hommes politiques et les intellectuels ont tendance à ignorer le mythe en tant qu'élément constitutif de la théorie et de la pratique du pouvoir.

S'il leur arrive néanmoins de prononcer le vocable du mythe, c'est pour dénoncer un parti politique ou un régime politique en isolant un aspect « archaïque » ou « réactionnaire » de leur programme. Le chef charismatique qui fonde l'empire de mille ans de bonheur et d'harmonie ou proclame l'an I de sa révolution fait figure d'exception. Dans ces circonstances, le recours au mythe et à ses figures est souvent inconscient. Tel homme d'Etat africain, par exemple, qui inscrit la création d'un nouveau type d'homme, « l'homme nouveau », dans son programme électoral ignore la référence mythique dont il fait imprudemment usage. Le système saint-simonien qui proclame ouvertement les notions jumelles de l'ancien et du nouveau dont il se nourrit nous offre l'avantage de la transparence...

Pour indiquer les orientations majeures de cet ouvrage, examinons brièvement la mythologie saint-simonienne.

> « *Terre, réjouis-toi, Saint-Simon a paru.* »

Lorsqu'ils s'initient, sous la conduite des « Pères » Enfantin et Bazard, à la vie exemplaire des « prolétaires »[1], les disciples de Saint-Simon réactualisent d'un commun accord la vie des premiers chrétiens. Cédant à l'irrésistible vocation de l'apostolat, ils se considèrent comme les successeurs des « pauvres pêcheurs, des apôtres et des esclaves » (Enfantin) qui ont su unir, dix-huit siècles plus tôt, tous les hommes dans la même croyance. La Communauté qu'ils fondent à Ménilmontant pour transformer leur projet de renouveau en expérience vécue se présente comme la « Nouvelle Jérusalem », la re-création de la première cité idéale. Le *Livre nouveau* qui résume la doctrine de la *renovatio* saint-simonienne est le livre saint d'un *Nouveau Christianisme* messianique. La régénération universelle qu'ils appellent de leurs vœux a pour fondement la doctrine élaborée par le maître, et pour guides une nouvelle élite composée de savants, d'industriels et d'artistes au service du message « industriel »

---

1. « Nous nous inoculons la nature prolétaire », s'exclament avec la naïveté du néophyte les membres de la « famille » ; l'idéologie des « mains calleuses » les séduit irrésistiblement.

qu'il a délivré. Ainsi, à l' « époque critique » inaugurée par Luther et définitivement close au lendemain de la Révolution française, succédera une nouvelle époque « organique », la troisième et ultime synthèse de l'histoire humaine »[1].

Le mythe des trois âges qui se dissimule derrière la représentation historiciste des époques critiques et organiques de l'humanité est le triomphe tardif des prophéties millénaristes de Giacchino da Fiore. Fiore est peut-être le premier futurologue de l'Europe qui redécouvre avec lui la promesse de mille ans de bonheur et d'harmonie[2]. La structure d'anticipation de ses prophéties est le modèle lointain des philosophies unilinéaires de l'histoire et des représentations scientistes de l'idée du Progrès[3]. C'est Lessing qui, dans un essai brillant, *L'éducation du genre humain* (1780), le premier, le remet à l'ordre du jour. Et c'est un saint-simonien qui, en traduisant le texte de Lessing, introduit la notion d'un troisième âge à venir dans le socialisme libertaire et marxiste. L'idée de la réconciliation universelle des hommes, le principe d'unité triomphant des structures sociales parcellaires dans lesquelles ils ont vécu jusqu'ici — « familles, castes, cités, nations » — réactualise le vieux mythe de la société universelle. « Nous touchons à une époque où l'unité, l'harmonie vont s'établir entre toutes les tendances de l'homme et où, par conséquent, il n'y aura plus qu'une société et qu'un pouvoir... la loi de César est arrivée à son terme. »

« Qui de nous, qui de nous va devenir un Dieu ? », s'interrogent les « apôtres » à la recherche d'un chef providentiel. Prêtre et chef charismatique, Enfantin va devenir pour un temps l' « Homme-Dieu » tant attendu. « Son sourire délivre de la détresse et rend joyeux », écrit à son sujet *Le Globe*. Et

---

1. Voir pp. 48-49. Selon le mythe-doctrine des trois âges, l'histoire de l'humanité se compose de trois âges, l'homme actuel se situant au terme du deuxième âge parvenu à son terme. C'est une longue période d'anarchie, d'événements cataclysmiques qui servira de prélude au troisième âge, marqué par l'harmonie sociale.

2. C'est à l'*Histoire du saint-simonisme* de Sébastien CHARLÉTY, Paris, Paul Hartmann, 1931, que j'emprunte la plupart des citations. L'auteur s'amuse à réunir les fragments essentiels de la mythologie saint-simonienne, sans les examiner à la lumière du mythe.

3. *Ibid.*

Gustave d'Eichthal de s'exclamer : Jésus vit en Enfantin ! C'est ce dernier qui annonce, dès 1829, la venue de la Femme — de la « Femme-Messie » — véritable « sibylle de l'avenir ». « C'est par les mains d'une femme que le nouvel Adam régénéré par Saint-Simon recevra le fruit de l'arbre de toute science, c'est par elle qu'il sera conduit vers Dieu, comme les chrétiens croyaient qu'elle l'en avait éloigné »[1]. Trois ans plus tard, un fauteuil vide placé à côté de la chaise du Père sur l'estrade évoquera, aux réunions solennelles de la Famille, l'absence de la Femme[2]. Son invocation fait partie des rites saint-simoniens : « Je crois à une régénération sociale fondée sur l'égalité de l'homme et de la femme, et j'attends la Femme qui l'opérera. » N'est-ce pas d'ailleurs la Femme qui va réunir les deux grands fragments de l'empire d'Alexandre, l'Orient et l'Occident ? « Tu peux m'annoncer à l'Orient et y appeler la Mère », écrit Enfantin à Barrault (qui se désigne comme le « saint Pierre de la Femme-Messie »). Et Barrault de répondre : « Père ! Vous ne m'envoyez pas en Orient, la Femme m'y attire. »

Le thème Occident-Orient continue à irriguer le débat qui précède le voyage oriental de la secte. Une nouvelle organisation voit le jour : les « Compagnons de la Femme ». L'Occident a donné le Père au monde, s'acquittant de bonne foi de la part qui lui échoit dans la grande œuvre de la régénération universelle. « C'est assez pour toi... A toi l'Orient, l'enfantement glorieux de la Mère... » L'identité de la Femme à venir est à l'origine d'une interrogation sans fin : « De quel point de l'horizon et par quels chemins viendra-t-elle ? Habite-t-elle un palais ? Fille de rois, doit-elle, par ses bienfaits inattendus, réconcilier avec le trône les masses populaires qui grondent ?... Surgira-t-elle de la poudre des champs ou de la fange des villes ? »

1. Il continue ainsi : « Marie est déjà venue consoler les femmes en donnant aux hommes un Sauveur ; elle a vengé Eve des mépris que sa désobéissance à la loi de crainte lui avait attirés ; seule avec Dieu, elle a conçu la loi d'amour, mystérieuse prophétie de l'ordre futur. »

2. Le jour anniversaire du Père, le 8 février 1833, les saint-simoniens résument en ces termes leur *Credo* :

« Je crois en Dieu, le Père et la Mère de tous et de toutes éternellement bon et bonne...

« Je crois que Dieu a suscité Saint-Simon pour enseigner le Père par Rodrigues ;

« Je crois que Dieu a suscité le Père pour appeler la Femme-Messie qui consacrera l'union par égalité de l'homme et de la femme, de l'humanité et du monde. »

Le délire s'amplifie de jour en jour. Si le Père est né à Paris, la Mère, elle, viendra de Constantinople. « Paris ! Constantinople ! Dieu, sur le vaste clavier du Monde, a touché deux notes, et un accord sublime en jaillira. »

En 1833, les Compagnons de la Femme se rendent à Constantinople donc pour y accueillir la Femme. Une fois de plus, elle n'est pas au rendez-vous. Peut-être les attend-elle en Inde ? se demandent les Compagnons abasourdis. La quête saint-simonienne de la Femme-Messie[1] dont nous devons interrompre ici le récit est d'une importance capitale pour l'histoire du mouvement. Non seulement elle forge l'identité d'un groupe hétéroclite d'apôtres autour d'un projet unificateur, mais elle aura comme résultat — imprévu — la percée du canal de Suez, suivie par celle du canal de Panama et l'établissement des voies de la navigation maritime moderne.

Le mythe personnel de Saint-Simon mérite, lui aussi, d'être évoqué brièvement ici, ne serait-ce que pour annoncer l'étude du mythe personnel de Bakounine, de Marx ou de Gobineau. Intoxiqué par l'avenir, à la recherche des lois dont l'application permettrait à l'Europe de surmonter l'anarchie dans laquelle les années révolutionnaires l'ont plongée, cet ancien officier qui a participé à la guerre d'indépendance américaine aux côtés des insurgés rêve de devenir le héros-fondateur d'une nouvelle ère industrielle. L'ère des Alexandre est définitivement close, mais l'époque qui commence verra la suprématie du héros exemplaire de la culture, Archimède ! La mission à laquelle il consacrera la deuxième moitié de sa vie a ses origines dans la vision qu'il a eue dans la prison où il attendait, pendant la Terreur, son exécution. Dans cette vision, Charlemagne, qu'une tradition familiale a représenté comme

1. Entre 1772 et 1792, pas moins de quatre Femmes-Messie annoncent dans le Nouveau Monde la seconde venue du Christ, dont la célèbre Mère Ann Lee, le messie-fondateur de la communauté des Shakers et Jemima Williamson, la prophétesse de New Jerusalem dans l'Etat de New York. Le Père J. E., traducteur américain du *Nouveau Christianisme* de Saint-Simon, n'hésite pas à parler de « l'Age de la Fiancée » devant la prolifération extraordinaire des Femmes-Messie aux pouvoirs charismatiques.

l'ancêtre lointain de la lignée des Saint-Simon, se serait adressé à lui dans les termes suivants : « Depuis que le monde existe, aucune famille n'a joui de l'honneur de produire un héros et un philosophe de première ligne. Cet honneur était réservé à ma maison. Mon fils, tes succès, comme philosophe, égaleront ceux que j'ai obtenus comme militaire et comme politique »[1]. S'il devient le réformateur, le « Sauveur » d'une civilisation à peine sortie d'une longue période de déclin, c'est en fidélité à l'archétype du fondateur d'empire qu'est son aïeul lointain, Charlemagne.

« Souvenez-vous, Monsieur le Comte, lui dit chaque matin le valet en le réveillant, que vous avez de grandes choses à faire. » Selon une tradition saint-simonienne bien connue, il se serait précipité à Coppet en apprenant la mort de M. de Staël. Le premier homme du monde ne pouvait avoir que la première femme comme épouse. Mais la nouvelle Eve pressentie n'a pas partagé son projet de renouveau. La femme devait être fatale aux projets de Saint-Simon et de ses disciples. A-t-il vraiment proposé à l'auteur de *Corinne* de passer leur nuit de noces dans une mongolfière comme l'affirment quelques-uns de ses proches ? Nous ne le saurons jamais.

Le mythe de la révolution, de la société nouvelle (l'âge d'Or industriel), des trois âges, du Sauveur individuel (le Charlemagne d'une Europe scientifique et chrétienne) et collectif (les quarante « apôtres » formant une nouvelle élite d'éducateurs et d'hommes d'action), voici les mythes qui opèrent la fusion créatrice, au sein des doctrines saint-simoniennes, de deux visions de l'avenir, l'une mythique, l'autre scientifique. Ils contribuent très largement à la créativité foisonnante de l'époque romantique en matière d'idées et d'aspirations et qui voit un Proudhon, esprit scientifique par excellence, invoquer la figure de Satan — le Satan justicier de George Sand — pour enraciner son fédéralisme libertaire dans le sol fécond du mythe.

---

1. Cité par Sébastien CHARLÉTY, *op. cit.*, p. 4.

Une période fondamentalement nouvelle commence avec les tendances constructivistes du socialisme dit « scientifique ». On sait que, malgré sa connaissance du rôle historique du mythe, Marx bannit toute référence aux mythes éternels de la subversion de son vocabulaire. Son *18 Brumaire* s'ouvre sur une théorie cohérente et bien documentée du mythe politique[1]. Peut-il aborder le problème de la société future — et la vision historique qui sert de structure à son œuvre d'anticipation — sans s'appuyer sur les données de *toute* conjecture relative au futur ? La lecture de ses ouvrages témoigne du contraire. Le lecteur ne doit pas aborder l'étude des structures mythiques du marxisme en partant de sa propre connaissance des mythes révolutionnaires judéo-chrétiens et, en ce qui concerne la configuration de la phase ultime du socialisme — à partir de la thématique du paradis terrestre établie une fois pour toutes par Hésiode. Il nous importe peu si Marx présente le socialisme comme le retour imminent de l'âge d'Or. L'essentiel, c'est d'identifier les motifs du mythe au moment où il donne sa version de l'ordre social de l'avenir : la disparition de l'Etat, des classes sociales, de la propriété privée; la fin des dichotomies propres aux sociétés historiques (ville/campagne; travail manuel/travail intellectuel); l'abondance générale; l'apparition d'un nouveau type d'homme. Le projet de société qu'il esquisse englobe les traits traditionnels des visions édéniques et des utopies, même si leur actualisation implique la sauvegarde de maints éléments empruntés à l'organisation de la société industrielle. En fin de compte, le mythe joue un rôle formateur de premier plan dans toutes les approches idéologiques et « scientifiques » de l'avenir, même si la difficulté de les identifier — de les dissocier des données cognitives ou prescriptives hétérogènes — augmente au fur et à mesure où nous nous approchons de ce dernier tiers du xxe siècle, exception faite des constructions idéologiques — des programmes d'action et des *Weltanschauungen* — fondées sur l'empire visible à l'œil nu du mythe (l'idéologie hitlérienne; l'empire mythologique de Mussolini).

1. Voir pp. 93-95.

Dans les pages qui suivent, nous examinerons la mythologie politique des deux derniers siècles en partant des mythes
dominants que nous venons d'identifier dans l'imaginaire saint-
simonien. Si le livre se divise en Livres, c'est que chacun d'eux
est un livre en soi, mais maintenu dans les limites d'un ou de
plusieurs chapitres somme toute assez brefs. Chaque Livre
représente en quelque sorte un nouveau départ — et suit un
itinéraire particulier à travers les domaines contigus des
mythologies modernes — l'ensemble des départs et des itinéraires seul permettant d'esquisser les traits essentiels de la
géographie mythique de la modernité politique et idéologique.
(Le lecteur cherchera donc en vain des chapitres consacrés
à des thèmes tels que les mythes du socialisme, le mythe
dans l'Allemagne hitlérienne ou l'Italie mussolinienne. Ce
type de traitement, entièrement justifié d'ailleurs par l'importance des problèmes qu'il soulève, aura sa place dans un autre
livre.)

Dans le Livre I, nous examinons les mythes de l'anarchie
en partant de leur interaction vivante et de leur intégration au
sein d'un « discours » idéologique parfaitement unifié. Le sous-
titre, « Mythe et idéologie », indique qu'il s'agit de l'étude systématique des mécanismes mythico-scientifiques d'une idéologie
entrevue dans sa totalité intellectuelle et affective.

Dans les autres Livres, nous procédons par la voie des
thèmes isolés, chaque thème, chaque mythe étant étudié à
travers ses actualisations successives, en toute indépendance
des orientations idéologiques des gauches et des droites européennes. Ces thèmes sont, dans l'ordre, « Mythe et philosophies
de l'histoire » (Livre II), « Les mythes de la société nouvelle »
(Livre III), « L'homme nouveau et sa variante tardive, le mythe
de la mort de l'homme », faisant partie d'un livre à part
(Livre IV). Le Livre V a trait à la figure du Sauveur moderne,
qu'il soit individuel ou collectif : l'élite, le prolétariat, le
« peuple » et la race.

Ce n'est que dans le chapitre des Conclusions (« Vers une
théorie du mythe politique ») que nous entreprenons la tâche
plus délicate qui consiste à formuler une théorie cohérente du
mythe politique. Un exposé relatif au rôle que joue le mythe
en matière de philosophie politique placé en début de volume

aurait inévitablement un caractère abstrait et priverait le lecteur
du contact immédiat de ces matériaux « pragmatiques », de
cette infrastructure de « faits » qui seuls lui permettent d'en
évaluer la valeur en connaissance de cause. Comme dans tout
vrai livre, l'accent est mis ici aussi bien sur les parties que sur
l'ensemble : ces parties essentielles qui ont trait aux grands
mythes de la révolte, du déclin, de l'homme nouveau...

Quelques remarques encore sur les sources. Au-delà des
textes dont la lecture s'est imposée d'emblée en raison de
leur caractère politique et idéologique indiscutable — utopies,
projets de constitution de communauté expérimentale, programmes politiques, pamphlets, traités de philosophie politique
ou économique, etc. — nous avons consulté un grand nombre
de documents « littéraires ». Pour éclairer les prophéties relatives
au retour imminent de l'âge d'Or, l'essai de Novalis sur
L'Europe ou la chrétienté nous intéresse au même titre, par
exemple, que les considérations d'un Saint-Simon ou d'un
Fourier. Entre les textes fondateurs de la modernité politique,
sociale ou économique et les réflexions théoriques ou critiques
qui éclairent la culture artistique moderne, il existe une zone
intermédiaire où la créativité d'une civilisation en déclin et
l'anticipation d'un ordre politique nouveau s'interpénètrent
et se fécondent. La connaissance de cette zone nous a paru
particulièrement importante dès que nous étions décidés à
placer les idées politiques des XIXe et XXe siècles dans le contexte
plus large d'une communauté intellectuelle qui embrasse tous
les aspects de la modernité dans une même synthèse politique
et esthétique. C'est l'existence de rapports prolongés et agissant
en profondeur entre les grands mythes de l'art et de la littérature modernes et les mythes politiques de l'époque présente
qui nous a incité à consacrer un chapitre à part (le chapitre III
du Livre III) à l'art moderne en tant que préfiguration d'un
avenir encore inconnu.

LIVRE I

mythe et idéologie :
les mythes anarchistes

> « *Voilà ma confession, Annenkov ; il y a là bien
> du mysticisme, direz-vous, mais qui donc n'est pas mys-
> tique ? Peut-il y avoir une gouttelette de vie sans mysti-
> cisme ? La vie est seulement là où il y a un vaste horizon,
> un horizon infini, et par conséquent un peu vague égale-
> ment, et mystique. A vrai dire, nous tous ne connaissons
> quasiment rien ; nous vivons dans une sphère vivante,
> entourée de merveilles, des forces de la vie ; et chacun de
> nos pas peut les faire surgir à notre insu et souvent même
> indépendamment de notre volonté.* »

Lettre de Bakounine à Pavel Annenkov
du 28 décembre 1847[1].

UN SOCIALISME ANTI-INTELLECTUALISTE

Développé à partir d'une sensibilité particulière, celle de
la victime, du vaincu, l'anarchisme se ramifie en branches
individualistes ou collectivistes (communistes), « scientifiques »/athées ou chrétiennes, au gré des théoriciens qui au
XIXᵉ siècle adaptent ses aspirations aux nécessités d'un langage
politique moderne se présentant comme un ensemble de négations fondé sur le rejet du phénomène d'autorité (de son
principe et de ses institutions). Il vise à réconcilier l'idéal

---

1. Voir Arthur LEHNING, *Bakounine et les autres, esquisses et portraits contemporains d'un révolutionnaire*, Paris, Union générale d'Editions, 1976, pp. 117-118.

égalitaire du socialisme avec la réalité pluraliste, fondamentalement diverse, de l'homme — de sa culture, de ses traditions et de ses aspirations. Ses haines l'aliènent de l'histoire et des civilisations dont il instruit inlassablement le procès. En prenant le contre-pied de l'ordre et de la création, il s'appuie sur leurs ennemis « naturels », le marginal, le réprouvé, le bandit, le *Lumpenprolétaire*, le criminel ou tout simplement le paysan, le moujik qui a su maintenir à l'écart de la civilisation sa simplicité et ses valeurs ancestrales.

Véritable théologie de la libération, l'anarchisme se veut l'héritier des hérésies gnostiques du Moyen Age et des mouvements millénaristes qui ont tenté de réaliser, à l'époque de la Réforme, le rêve d'un nouveau commencement social par une action violente immédiate. Mais c'est la Révolution française qui lui fournit les pièces essentielles de sa mythologie et les précurseurs dont il veut prolonger l'action exemplaire : Babeuf, Buonarroti et les « enragés ».

Contemporain du socialisme « scientifique » et « autoritaire » (c'est-à-dire marxiste), l'anarchisme se veut moderne, parfaitement adapté au siècle, sans reprendre à son compte le déterminisme rigide de la démarche marxienne. Ce n'est pas par hasard donc qu'un des écrits les plus importants de Kropotkine s'intitule *La science moderne et l'anarchie*. Donner aux doctrines philosophiques de l'anarchisme des fondements scientifiques sûrs en empruntant aux sciences naturelles leurs outils d'analyse, voici l'ambition du « prince » de l'anarchie qui place d'ailleurs la science sous le double signe de l'aventure et de la création.

En se modernisant, l'anarchisme s'imprègne inévitablement de l'esprit idéologique du siècle. Le contenu mythologique qu'il charrie s'intègre dans un nouveau type de « discours » totalisant. S'il échappe à la logique abstraite des grands systèmes d'interprétation élaborés par Saint-Simon, Comte ou Marx, il se croit obligé de fournir, à leur manière, une réponse globale à toutes les questions de l'époque (contrairement aux époques préidéologiques où dans l'absence d'une source de connaissance unique, l'homme s'était adressé alternativement au théologien, au philosophe, au poète ou à l'homme de science).

Pour déterminer la structure mythique de la pensée libertaire, et pour inventorier les thèmes d'une nouvelle mythologie politique, examinons d'abord l'idéologie anarchiste telle qu'elle s'élabore, en partant des *formules* qui ont permis à Proudhon, à Bakounine ou à Sorel[1] de résumer les points essentiels de leur *credo*.

En effet, le théoricien anarchiste possède au plus haut degré l'art d'exprimer en une seule phrase une position doctrinale dont l'exposé nécessiterait chez le penseur systémique de longs développements théoriques. « Ni Dieu ni maître »; « Dieu c'est le mal »; « la propriété c'est le vol ». Voici l'expression libertaire de la révolte contre l'autorité, l'assimilation du pouvoir temporel au pouvoir spirituel, et la dénonciation de la propriété privée comme source d'asservissement et de spoliation. D'autres formules ont pour but de confondre, dans l'acte exemplaire de la révolte, l'acte destructeur de l'anarchiste et le geste créateur qui en jaillit dans l'élan d'une simultanéité heureuse : « La passion de destruction est une passion créatrice. » Ici, Bakounine donne une formulation personnelle du motto bien connu de Proudhon, *destruam et aedificabo*. La coïncidence parfaite de l'acte destructeur et de l'acte de création donne au vocable « anarchie » — ou an-archie — sa double signification : l'élément de désordre fertile qu'il comporte et l'image d'un monde d'harmonie qu'il préfigure par l'espérance. L'art du théoricien anarchiste qui consiste à aller droit au cœur d'un ensemble de positions doctrinales assez complexe nous permet de cerner de plus près la nature d'une idéologie mythologisante et anti-intellectualiste.

En tant que théoriciens d'un socialisme anti-autoritaire et antidogmatique (ou antithéologique, pour reprendre la terminologie gouailleuse de Bakounine), un Proudhon et un Bakounine cherchent avant tout à établir la nécessité d'une rupture historique inéluctable, à l'abri de toute construction théorique abstraite. Les grands systèmes d'interprétation du monde historique sont, pour un Bakounine, fermés, immuables, étouffant la spontanéité, la créativité instinctive de l'homme. Il dit : « Je ne suis ni un philosophe, ni un créateur de systèmes,

---

1. D'une manière générale, c'est avec Sorel et les théoriciens du syndicalisme révolutionnaire que s'achève, malgré une littérature anarchiste plus récente, l'âge théorique du mouvement libertaire.

comme Marx »[1]. En tant que « vrai chercheur », c'est la voix de la vie qu'il écoute, de cette vie qui est « toujours plus large que n'importe quelle doctrine ». Il refuse d'élaborer des projets pour la société anarchiste car il ne veut pas « ruiner » les ouvriers, comme le fait Marx, en en faisant des « théoriciens ».

LE MERVEILLEUX SOCIAL

Avant d'aborder l'analyse des positions théoriques centrales des anarchismes — effort qui nous oblige à oublier momentanément les traits qui les opposent sur le plan philosophique — examinons les notions de déclin et de renouveau qui servent de fondement à sa vision historique.

Le *déclin* — en tant que phase ultime d'un cycle dont la fin est le prélude à une nouvelle naissance — désigne pour l'anarchiste un ensemble de phénomènes sociaux et culturels quasi biologiques. Il fait état de l'affaiblissement du pouvoir créateur d'une société donnée, le doute paralysant petit à petit la capacité d'invention de ses élites. « Aujourd'hui, la civilisation est bien réellement dans une crise, dont on ne trouve qu'une seule analogie dans l'histoire : c'est la crise qui détermina l'avènement du christianisme », écrit Proudhon en 1860. « Toutes les traditions sont usées, toutes les croyances abolies; en revanche, le *nouveau programme* n'est pas *fait*, je veux dire qu'il n'est pas entré dans la conscience des masses; de là, ce que j'appelle la dissolution, *c'est le moment le plus atroce de l'existence des sociétés* »[2].

Les forces *neuves*, qui mettent un terme à l'agonie de l'ancien régime et ensevelissent les valeurs plusieurs fois millénaires dont il est l'héritier, agissent sur l'histoire par la voie d'une rupture brutale. Pour l'anarchiste, nous vivons au soir d'une période qui renouvellera de fond en comble l'expérience humaine. « Il y a des époques dans la vie de l'humanité où la nécessité d'une secousse formidable, d'un cataclysme qui vienne remuer la société jusque dans ses entrailles s'impose

---

1. Voir Eugene PYZIUR, *The Doctrine of Anarchism of Michael A. Bakunin*, Chicago, Regnery, 1968, p. 16.
2. Lettre au Dr Cretin du 24 octobre 1860, citée par Edouard BERTH, *La fin d'une culture*, Paris, Rivière, 1914, pp. 194-195.

sous tous les rapports à la fois. A ces époques, tout homme de cœur commence à se dire... *qu'il faut de grands événements qui viennent rompre brusquement le fil de l'histoire*, jeter l'humanité hors de l'ornière où elle s'est embourbée et la *lancer dans les voies nouvelles, vers l'inconnu, à la recherche de l'idéal* »[1].

Pour comprendre le culte de l'inconnu de Kropotkine, il faut se référer à l'amour du jeune officier pour l'aventure. De 1864 jusqu'à sa démission de l'armée impériale, Kropotkine entreprend plusieurs missions dans les régions frontalières de la Sibérie nouvellement annexées par la Russie. Il est souvent le premier à pénétrer dans des régions inexplorées par l'homme européen. Dans l'accomplissement de ses missions, il doit trouver lui-même des réponses neuves à des questions dont il n'a pas pu prévoir d'avance l'existence. La découverte, liée à la création de théories scientifiques nouvelles, jouera un rôle primordial dans la formation de l'esprit anarchiste de Kropotkine. Son désir de rendre accessible la « joie de la création scientifique », réservée aujourd'hui à une petite minorité, au plus grand nombre possible, naît d'une expérience personnelle exemplaire[2].

Le merveilleux de l'action révolutionnaire, voici l'élément vital de Bakounine, en proie à « l'amour du fantastique, des aventures extraordinaires et inouïes, des entreprises ouvrant au regard des horizons illimités » qu'il diagnostique en lui-même. Dans les rues du Paris révolutionnaire de 1848, c'est la succession rapide des « événements et des objets nouveaux », des « nouvelles inattendues » qui force son admiration. « Il semblait que l'univers entier fût renversé », écrit-il en se souvenant de cette expérience « dionysiaque » quelques années plus tard; « l'incroyable était devenu habituel, l'impossible possible, et le possible et l'habituel insensés »[3].

Expérience ludique — « une fête sans commencement ni fin » — et rite initiatique, la révolution transcende les contradictions de l'âme romantique tournée à la fois vers le merveil-

1. Pierre KROPOTKINE, *Paroles d'un révolté*, Paris, p. 17.
2. Voir Georges WOODCOCK et Ivan AVAKUMOVIC, *The Anarchist Prince. A Biographical Study of Peter Kropotkin*, Londres, Boardman, 1950, p. 82.
3. Michel BAKOUNINE, *Confession*, Paris, PUF, 1974, p. 81.

leux et le social. Elle abolit les frontières entre le connu et l'inconnu, l'ancien et le nouveau, entre le possible et l'impossible (la banalité et la poésie de l'existence).

Le révolté lui-même est un homme *impossible*. Au moment où s'évanouissent ses espoirs dans une nouvelle épopée révolutionnaire, Bakounine affirme encore : « Je veux rester cet homme *impossible*, tant que tous ceux qui actuellement sont « possibles » ne changeront pas ». Il se dit prêt à devenir tambour, amuseur public, *pitre* si la réussite d'une insurrection générale l'exige. Kropotkine présente le révolutionnaire comme un *fou*. Mais à l'encontre des théoriciens de la révolution qui l'excommunient et le couvrent d'anathèmes, c'est le fou qui a raison, car il éveille la sympathie des masses et les entraîne par son exemple.

LA PHILOSOPHIE POLITIQUE DE L'ANARCHISME : UNE VUE D'ENSEMBLE

Qu'est-ce que l'anarchisme donc ? L'idéal d'une société ouverte, c'est-à-dire maintenu dans un état de mutation perpétuelle par l'interaction vivante de l'individu et de la société, à l'abri de toute intervention étatique. « Ainsi, point d'autorité, qui impose aux autres sa volonté », écrit Kropotkine. « Point de gouvernement de l'homme par l'homme. Point d'immobilité de la vie : une évolution continuelle, tantôt plus rapide, tantôt ralentie, comme dans la vie de la Nature. Liberté d'action laissée à l'individu pour le développement de toutes ses capacités naturelles, de son individualité — de ce qu'il peut avoir d'original, de personnel. Autrement dit, point d'actions *imposées* à l'individu sous menace d'une punition sociale, quelle qu'elle soit, ou d'une peine surnaturelle, mystique : la société ne demande rien à l'individu qu'il n'ait librement consenti en ce moment même à accomplir. » D'une manière générale, la réflexion sur les rapports entre l'individu et son environnement — l'autre —, constitue la partie centrale de toute pensée libertaire (un Godwin ou un Stirner, défenseurs inconditionnels d'un individu unique et asocial exceptés, bien entendu).

Si l'imagerie en contrepoint de la philosophie anarchiste, l'absence de l'Etat, de gouvernement, de lois, de propriété, etc., ne suggérait d'emblée la présence du mythe, l'anarchisme pourrait être présenté comme la contre-épreuve de la société actuelle. Le théoricien anarchiste imagine cependant des solutions souples, toujours provisoires — un monde régi par le libéralisme des coutumes (!) — pour combler le vide créé par la disparition des institutions qui ont longtemps soumis l'ensemble des rapports sociaux à des lois immuables. Ouverte, la société anarchiste est également *mobile* : « Nous nous représentons une société dans laquelle les relations entre membres sont réglées, non plus par des lois — héritage d'un passé d'oppression et de barbarie — non plus par des autorités quelconques, qu'elles soient élues ou qu'elles tiennent leur pouvoir par droit d'héritage — mais par des engagements mutuels, librement consentis et toujours révocables, ainsi que par des coutumes et usages, aussi librement agréés. Ces coutumes, cependant, ne doivent pas être pétrifiées et cristallisées par la loi ou par la superstition, elles doivent être en développement continuel, s'ajustant aux besoins nouveaux, au progrès du savoir et des inventions, et aux développements d'un idéal social de plus en plus rationnel et de plus en plus élevé. » (C'est une fois de plus Kropotkine que je cite.)

La rationalité sociale — cette notion par laquelle l'anarchiste reconnaît sa dette envers l'esprit des Lumières — n'exige-t-elle pas la fin de la politique ? Car celle-ci ne fait qu'institutionnaliser la volonté de domination des uns et la propension à la soumission des autres[1]. Le projet anarchiste ignore maîtres et serviteurs, comme il abolit d'ailleurs la dichotomie de la base et du sommet, du centre et de la circonférence. La fin de la politique — sa dissolution définitive dans le social — marque également la fin de l'ère de l'organisation (la création d'organes étatiques ou privés qui se maintiennent en quelque sorte indépendamment des volontés qui les ont fait naître). La *commune* sera désormais la forme privilégiée de toute création sociale, le

---

1. L'instinct de domination, cet « instinct seigneurial poussant à s'assujettir systématiquement tout ce qui est plus faible, à commander, à conquérir et à opprimer non moins systématiquement », a pour corollaire la « sage et docile soumission à la force triomphante sous prétexte d'obéissance aux autorités dites légitimes », *Etatisme et anarchie*, Archives Bakounine, p. 286.

fédéralisme servant de principe unificateur à l'échelle régionale, continentale, voire planétaire. (Les organisations ouvrières calquées sur le modèle des corporations médiévales sont les cellules primordiales d'une deuxième « hiérarchie » fédéraliste, le dédoublement des allégeances permettant à l'individu d'échapper à l'absolutisme de tout encadrement unitaire.) Le fédéralisme est somme toute la projection vers l'extérieur d'un principe d'organisation propre à la cité : la participation et l'émiettement des responsabilités.

L'utopie anarchiste apparaît sous le double signe de la création et de la re-création. La *cité ouvrière* de demain sera issue d'une créativité libre d'entraves, et fera appel à la spontanéité innée, à l'imagination sans bornes, de tous les citoyens; mais en même temps elle renouvellera l'expérience grecque de la cité, la *polis*, et celle de la ville libre du Moyen Age.

Dans le projet anarchiste de la cité, le passé et l'avenir se confondent. La prophétie libertaire est, au sens propre du terme, rétrospective, la fusion du *connu* (le mythe) et de l'*inconnu* (l'anticipation d'un merveilleux sans exemple dans le monde) lui donnant son originalité profonde.

Un dernier mot sur l'image de l'homme qui sous-tend le projet libertaire d'une société sans Etat. L'homme dont la socialité parfaite est la clé de voûte du constructivisme bakouninien ou sorélien est un être fondamentalement bon (ou perfectible), reproduisant trait par trait l'innocence originelle, ce premier critique « libertaire » des civilisations en déclin. Arrachons à l'homme d'aujourd'hui le masque qu'un âge corrompu a superposé sur son visage, et nous avons devant nous *l'homme nouveau, l'homme anarchiste*.

En partant d'un exposé nécessairement sommaire de l'idéologie anarchiste, nous pouvons maintenant examiner ses structures, ses éléments constitutifs mythiques. En prenant appui (avant d'aborder les mythes majeurs de la Création (et de la Révolte), du péché originel, de Prométhée, du Juif errant, de l'âge d'Or), sur la notion de la bonté originelle de l'homme, notion dont l'absence priverait la théorie anarchiste de l'Etat de son fondement essentiel. En effet, d'après Proudhon, ou Bakounine, la Chute seule explique le triomphe et la consolidation ultérieure du mal. « Pour dire toute notre pensée, nous regardons les institutions politiques et judiciaires *comme la forme ésotérique et concrète du mythe de la chute*, du mystère de la Rédemption et du sacrement de pénitence », écrit Proudhon en marge de l'*Idée générale de la révolution*[1]. « Tout Etat — et ceci constitue son trait caractéristique et fondamental — tout Etat, comme toute théologie, suppose l'homme essentiellement méchant et mauvais », écrit sur le même thème Bakounine[2].

UNE MYTHOLOGIE SOCIALISTE

Proche à maints égards de l'imaginaire social de Saint-Simon, Cabet et Fourier — mais en même temps héritier des mouvements hérétiques qui s'étaient développés en marge de la Réforme —, l'anarchisme partage avec les différents courants du socialisme leurs mythes majeurs : la révolution, le Progrès, Prométhée, l'âge d'Or (La Nouvelle Jérusalem), le « peuple », etc. Son originalité, sa spécificité n'en frappent pas moins l'analyste. Ainsi, c'est le Diable, l'archétype éternel de la Révolte, qui exprime sa volonté de changement, archétype tout à fait étranger à l'imagerie centrale de la mythologie marxiste, par exemple. Le Sauveur dont il attend le salut se distingue également du Sauveur collectif de la mythologie marxiste, le Prolétariat — c'est l'éternel laissé pour compte des civilisations urbaines, le *moujik*, ou encore le réprouvé, le criminel, le *brigand*. Le Juif errant, figure commune aux romantismes politiques, est le symbole du culte du mouvement, du changement perpétuel qui l'anime. Les mythes de l'anarchisme doivent être donc examinés comme une variante de la mythologie politique et sociale la plus vaste des XIXe et XXe siècles, la mythologie socialiste[3].

1. Résistance à la révolution, Mélanges de *La Voix du Peuple*, annexe à *Idée générale de la révolution, Œuvres complètes*, Rivière, p. 374.
2. Michel BAKOUNINE, *Œuvres complètes*, Paris, Stock, t. 1, p. 198.
3. La mythologie du socialisme n'a pas fait l'objet, jusqu'ici, d'études systématiques. Le but que je poursuis ici est différent, à la fois plus vaste et plus restreint.

> « *Le sentiment de la révolte, cet orgueil satanique qui*
> *repousse la domination de quelque maître que ce soit,*
> *divin ou humain, et qui seul crée dans l'homme l'amour de*
> *l'indépendance et de la liberté...* »
>
> BAKOUNINE, L'Empire knouto-germanique
> et la révolution sociale.

Le Diable sur le Pont Long : le titre même du roman historique de Ricardo Bacchelli souligne la tentation méphistophélique qu'aurait subie l'adversaire de Dieu qu'est Bakounine[1]. Dans *Sous les yeux de l'Occident* de Joseph Conrad, une pâle lueur méphistophélique entoure le personnage caricatural du « grand exilé »; mais Peter Ivanovitch n'est qu'un rappel hésitant de la figure infiniment plus complexe, séduisante et abjecte, de Stavroguine dont Dostoïevski conçoit la figure en plein procès Nétchaïev (Les Démons).

Bakounine devient-il le fondateur de l'*école satanique* du socialisme libertaire ? Le mythe profond dont il se réclame pour légitimer son action de subversion plonge ses racines dans la préhistoire de la révolte — le temps mythique du péché originel — *le mythe de Satan*. En actualisant le geste primordial du défi, Bakounine se met à l'école des mêmes poètes romantiques qu'il qualifie de représentants littéraires de la réaction en France. Il place la révolte anarchiste sous le signe de la révolte de Satan contre la création, modèle insurpassable de l'affirmation de l'homme face à Dieu et de sa vocation prométhéenne. Dans *Dieu et l'Etat*, ce grand texte posthume, Bakounine réinterprète le mythe du péché originel dans une perspective romantique. Dieu vaniteux, despotique et sanguinaire, Jéhovah crée Adam et Eve. Obéit-il à un caprice ou veut-il se donner de nouveaux esclaves ? Bakounine laisse planer le doute sur ses motifs. Faussement généreux, il met à leur disposition toute la terre avec tous ses fruits et tous ses animaux; il leur interdit cependant de toucher aux fruits de l'arbre de la science, symbole

---

1. *Il Diavolo al Pontelungo*, publié originalement en 1926, le roman de BACCHELLI fut publié en français sous le titre *La folie Bakounine*, Paris, Julliard, 1973.

même de ce qui prémunit l'homme contre le Mal, c'est-à-dire Dieu. « Il voulait donc que l'homme, privé de toute conscience de lui-même, restât une bête éternelle, toujours à quatre pattes devant le Dieu « vivant », son créateur et son maître »[1]. Il agit par méconnaissance des traits qui constituent l'humanité de l'homme, la « faculté de penser » et le « besoin de se révolter ». « Mais voici que vient Satan, l'éternel révolté, le premier libre penseur et l'émancipateur des mondes. Il fait honte à l'homme de son ignorance et de son obéissance bestiales; il l'émancipe, imprime sur son front le sceau de la liberté et de l'humanité, en le poussant à désobéir et à manger le fruit de la science. » L'histoire s'ouvre sur l'acte exemplaire de révolte de Satan et désormais il est le modèle de tout acte qui vise la restauration de la dignité, de la liberté humaines. Pour donner à l'événement le dénouement positif qu'il souhaite, le rebelle doit « avoir le diable au corps ». Le diable se réveille-t-il en l'homme ou reste-t-il silencieux ? Dans cet esprit, il écrit à ses amis prêts à se précipiter à Paris, en avril 1871 : « Je vois trop clairement que la cause est perdue... Tant que le diable ne sera pas réveillé pour de bon, nous n'avons rien à faire là-bas »[2]. Geste paradigmatique, la révolte de Satan fixe à jamais le but révolutionnaire à atteindre. Et il révèle la profondeur mythologique de toute action apparemment politique : « Le Mal, c'est la révolte satanique contre l'autorité divine, révolte dans laquelle nous voyons au contraire le germe fécond de toutes les émancipations humaines. Comme les Fraticelli de la bohème au XIVe siècle, les socialistes révolutionnaires se reconnaissent aujourd'hui par ces mots : « Au nom de celui à qui on a fait un grand tort »[3], « Déchaîner les mauvaises passions », voici le but du révolté qui aperçoit dans la Commune de Paris l'œuvre du Diable.

Au moment où Bakounine reconnaît dans Satan l'archétype de la rébellion, l'injonction célèbre de Proudhon est encore vivace dans toutes les mémoires : « Viens, Satan, viens, le

---

1. Michel BAKOUNINE, Dieu et l'Etat, dans *De la guerre à la Commune*, textes de 1870-1871 établis sur les manuscrits originaux et présentés par Fernand RUDE, Paris, Anthropos, 1972, p. 286.

2. *Ibid.*, p. 24.

3. Cité par Albert CAMUS, *L'Homme révolté*, Paris, Gallimard, 1951, p. 192.

calomnié des prêtres et des rois, que je t'embrasse et que je te serre sur ma poitrine ! » (1860). « Bien-aimé de mon cœur », Satan est le génie « infatigable » de la révolution. Ancêtre d'une longue lignée de rebelles, il entreprend, le premier, la tâche de la régénération de l'humanité par la négation — tâche vingt fois reprise et vingt fois abandonnée et par conséquent toujours à reprendre. Mais si c'est l'auteur de l'*Idée générale de la révolution au XIX*e *siècle* qui introduit la figure réhabilitée du Satan dans l'iconographie libertaire, Bakounine s'inspire très probablement d'un roman de George Sand, *Consuelo*, qu'il lit avec passion et discute de vive voix avec l'auteur lors de son premier séjour européen[1]. Dans ce roman, Satan n'est pas l'Exclu, le monstre immonde, mais l' « archange de la révolte légitime ». George Sand exonère Satan des accusations de sédition portées contre lui; Consuelo explique qu'aux yeux du peuple Satan est devenu le « symbole et le patron de son désir de liberté, d'égalité et de bonheur », alors que, par une inversion exemplaire des signes, saint Michel n'est plus que la figure des pontifes et des princes de l'Eglise, de ceux qui avaient refoulé dans les fictions de l'enfer la religion de l'égalité et le principe du bonheur pour la famille humaine. Consuelo réconcilie légalement Jésus et Satan, ces deux frères unis par la compassion qu'ils portent à l'humanité, mais qui poursuivent deux voies différentes. Alors que Jésus prêche la résignation, Satan est l'apôtre de la rébellion inconditionnelle (Proudhon a-t-il lu *Consuelo* ? S'il connaît bien l'œuvre de Sand, il se garde bien de se prononcer sur ce roman. L'image de Jésus frère de Satan doit pourtant appeler à sa sensibilité, au point d'intégrer la figure du Christ dans la généalogie de la révolte. Christ est, en effet, le frère en révolte de Satan; mais, réformateur inconséquent, il refuse de prêter son oreille à l'enseignement du Premier Rebelle. Aussi échoue-t-il et meurt crucifié)[2].

1. C'est le poète Herwegh qui l'introduit auprès de George Sand. Bakounine évoquera toujours son œuvre sociale avec admiration. Voir E. H. Carr, *Michael Bakunin*, New York, Vintage, s. d., p. 118.
2. Proudhon tient Sand en piètre estime : « A elle seule, elle a fait plus de mal aux mœurs de notre pays que toute la bohème dénoncée par Morin. S'il y a un grand coupable, c'est cette femme-là » (Lettre à G. Chaudey du 7 avril 1861). Elle personnifie le danger que représente une littérature politisée et tirée du côté

La préface du *Prométhée délivré* de Shelley est le premier manifeste de la révolte romantique contre le principe d'autorité en littérature et en politique. Prométhée est le premier héros de la révolte, frère en romantisme de Satan et de Caïn et archétype du titanisme acquis à l'idée du Progrès. Il est le « type de la plus haute perfection de nature morale et intellectuelle, guidé par les motifs les plus purs et les plus véridiques qu'il applique aux fins les plus élevées et les plus nobles »[1]. Il a toutes les vertus de Satan, sans en partager les défauts : le sentiment d'envie, de revanche et, surtout, l'ambition personnelle. Régénérateur de l'humanité qu'il ne saurait ramener à l'innocence originelle, il cherche un état d'innocence seconde, celle que l'on conquiert grâce à la connaissance (alors que la première innocence était due à l'ignorance). En poète *engagé*, Shelley inscrit dans son poème dramatique l'image godwinienne de la pureté reconquise par le refus libertaire :

Le masque odieux est tombé, l'homme reste
Sans sceptre; libre, sans contrainte, mais homme
Egal, hors classe, hors tribu et hors nation
Exempté de toute caste, culte, ordre, son propre
Maître; juste, noble, sage...[2].

« O comme j'aimerais être l'Antéchrist... », s'exclame le Shelley adolescent qui pensait apercevoir les grandes tourmentes annonciatrices du Troisième Age. Le poète, « compagnon et précurseur d'un changement social défiant l'imagination »,

---

d'idées politiques pernicieuses. Il note, dans *Pornocratie* : « L'influence féminine en 1848 a été une des pertes de la République. G. Sand, femme et artiste, composant avec J. Favre, autre artiste, le bulletin fameux, c'était la république tombée en quenouille », p. 166.

1. Percy Bysshe SHELLEY, *Poetical Work*, édité par Thomas HUTCHINSON, Londres, Oxford University Press, 1970, p. 205.

2. *Ibid.*, p. 253. Je reproduis ici le texte original :

The loathsome mask has fallen, the man remains
Sceptreless, free, uncircumscribed, but man
Equal, unclassed, tribeless and nationless,
Exempt from awe, worship, degree, the king
Over himself; just, gentle, wise...

avait selon lui pour tâche de hâter l'avènement d'un âge d'Or sans Dieu et sans maître.

Sous l'influence d'un socialisme industriel et centralisateur, Prométhée en vient à incarner de plus en plus l'idéal du Progrès par l'avance de la science et de l'industrie. Pour Ballanche et les saint-simoniens, Prométhée, inventeur des arts et des métiers, devient le représentant terrestre de la « loi du progrès »; c'est lui qui confère à l'homme la « puissance de dompter la nature aveugle » et le rend maître de la terre, de la mer et des airs[1]. Plus proche de Shelley que des saint-simoniens, Marx, dans l'avant-propos de sa thèse de doctorat, salue dans le titan le « premier martyr du calendrier philosophique » et l'ennemi de tous les « dieux du ciel et de la terre qui ne reconnaissent pas la conscience humaine comme divinité suprême ». Il n'est pas étonnant que le mythe de Prométhée s'efface de l'imagination libertaire, accaparée par son instinct de révolte et son goût pour l'idylle. Le mythe de Satan prend le pas sur celui de Prométhée — alors que la légende d'Ahasvérus exprime admirablement l'inquiétude et l'insoumission ombrageuse du *hors-la-loi*. (Dans son adolescence, Shelley est hanté par la figure mystérieuse du Juif errant qui préfère la « liberté » de l'enfer à l'esclavage du ciel; mais il le délaisse en faveur de Prométhée, héros plus pur et plus affirmateur.)

Pendant sa captivité à la forteresse Pierre-et-Paul, Bakounine aurait élaboré un drame en partie parlé, en partie chanté, pour entretenir l'esprit de combat qui l'anime : « Le sujet en était Prométhée, que l'Autorité et la Violence avaient enchaîné sur un rocher pour avoir désobéi au despote de l'Olympe, et que les nymphes de l'Océan venaient consoler », écrit James Guillaume à qui Bakounine venait de faire le récit de ses souvenirs de prison; « et il nous chanta de sa voix fruste la mélopée, de sa composition, par laquelle elles endormaient la souffrance du Titan captif »[2].

Deux héros prennent place aux côtés d'Ahasvérus : la figure anonyme de la *victime* et l'*homme nouveau* ou l'homme

---

1. Voir l'excellente analyse de Pierre ALBOUY, dans *Mythes et mythologies dans la littérature française*, Paris, Librairie Armand Colin, 1969, pp. 160-162.
2. Voir Arthur LEHNING, *op. cit.*, p. 277.

anarchiste. La victime exprime l'opposition sans espoir de l'homme opprimé, persécuté, à l'ordre établi. Ecrasée par le pouvoir, elle sent obscurément que, face à l'Etat, au juge et à la police, malgré l'absence de tout soutien, c'est elle qui a raison. Dans la confrontation éternelle entre le Bien et le Mal, elle est définitivement du côté du Bien. Mais ce n'est qu'à l'intérieur d'une dichotomie eschatologique qu'elle acquiert son statut privilégié. L'*homme nouveau* ou l'*homme futur* réalise la reconquête d'une humanité perdue qui est refusée à la victime aussi bien qu'à « l'homme révolté ». Bakounine indique clairement le fossé qui sépare le révolté, irrémédiablement marqué par la société qu'il combat, et l'anarchiste de demain : « Notre mission est de détruire et non pas de construire; ce sont d'autres hommes qui construiront, meilleurs que nous, plus intelligents et plus frais »[1]. L'*homme nouveau*, c'est Siegfried, héros de la jeunesse libertaire de Wagner, « héros juvénile » *(kindliches Held)*, ce *noble sauvage* qui s'affirme sur le sol de la mythologie allemande du XIXᵉ siècle.

LE MYTHE DU JUIF ERRANT

> « *La légende du Juif errant est le symbole des plus hautes aspirations de l'humanité, condamnée à toujours marcher sans connaître le repos.* »
>
> SOREL, Réflexions sur la violence.

De Bakounine à Sorel, ce mythe exprime la quête de l'Errant, le principe du changement et de son revers ineffable, l'Idylle. Le Hollandais du *Vaisseau fantôme* est ainsi l' « Ahasvérus des mers ». Dans les *Mystères de Paris*, ce best-seller populiste qui force l'admiration d'un Marx, Ahasvérus emprunte le masque du peuple. Témoin du martyre du Christ, il reste indifférent

---

1. Roland AUGUET, *Le Juif errant. Genèse d'une légende*, Paris, Payot, 1977, p. 146. A la fin de son roman à thèse, Sue évoque la promesse d'une délivrance sociale prochaine : « L'épreuve a été cruelle, frère, depuis bientôt dix-huit siècles... elle dure; mais elle a assez duré... voyez mon frère, voyez à l'Orient cette lueur vermeille qui peu à peu gagne... gagne le firmament... Ainsi s'élèvera bientôt le soleil de l'émancipation nouvelle qui répandra sur le monde sa clarté, sa chaleur vivifiante comme celle de l'astre qui va bientôt resplendir au ciel » (cité par AUGUET, p. 149).

devant sa souffrance. Mais c'est un désespéré, écrasé par la misère et les privations. « Artisan voué aux privations, à la misère... le malheur m'avait rendu méchant... Oh ! maudit... maudit soit le jour où pendant que je travaillais, sombre, haineux, désespéré, parce que, malgré mon labeur acharné, les miens manquaient de tout... le Christ a passé devant ma porte. » Le *Juif errant* de Sue, c'est l'homme du peuple, victime des intempéries de l'histoire, écrit Roland Auguet. En bon lecteur de Sue, Bakounine se personnifie à l'Errant parti à la recherche de l'impossible salut. Herzen voit en lui le « grand sans abri » de l'épopée révolutionnaire du siècle.

Le mythe d'Ahasvérus est particulièrement vivace parmi les anarchistes ruraux de l'Espagne où l'*idée* est portée de village en village par les *apôtres ambulants* de l'anarchie. C'est ce mythe qui apparaît dans le pathos épistolaire de l'anarchiste Ascaso lorsqu'il part pour la déportation en compagnie de Durruti en 1932. « Nous partons... Partir — selon le poète — c'est mourir un peu. Pourtant, pour nous qui ne sommes pas poètes, le départ a toujours été un symbole de la vie. Constamment en marche, perpétuellement sur la route comme les Juifs errants sans pays ; en dehors de la société dans laquelle nous ne pouvons pas vivre ; appartenant à une classe exploitée, ne trouvant pas notre place dans le monde, pour nous voyager est toujours un signe de vitalité »[1]. L'image du Juif recoupe celle du Juif errant pour se confondre avec la figure de la victime : le rebelle qui ne sait que dire non au juge et au bourreau.

Fondé en 1952, le Living Theatre devient, dès 1964, date de sa première tournée européenne, la gnose itinérante d'une communauté d'artistes et de militants anarchistes qui veut vivre, à travers les aléas d'un engagement pleinement assumé, la libération des dons créateurs de l'homme. Par les formes « participatoires » du théâtre politique, par l'activisme et enfin par la création d'une « commune » qui transforme l'idéal libertaire en autant d'idées vécues, ce groupe cherche à propager, lors de ses *errances*, l'évangile d'une libération pastorale d'abord violente et bakouninienne ensuite. En France, en Italie et en Allemagne, comme aux Etats-Unis et en Amérique latine, ils

1. Voir James JOLL, *The Anarchists*, New York, Grosset & Dunlap, p. 248.

enracinent le mythe du Juif errant dans l'expérience de l'exil et de l'utopie (les titres de leurs spectacles, *Paradise Now* et l'*Héritage de Caïn*, parlent pour eux-mêmes). « Nous sommes des nomades, notre action est celle des révolutionnaires qui voyagent de lieu en lieu en essayant d'apprendre ce qui s'y passe, de lier les diverses expériences et de distribuer des semences », affirme le cofondateur du groupe, Julian Beck[1].

Beck et ses compagnons du Living Theatre servent de trait d'union entre l'esprit de révolte d'une anarchie renouvelée et la grande tradition de la révolte du XIXe siècle : un Hölderlin, un Nietzsche ou un Van Gogh qui reproduisent, trait par trait, la physionomie douloureuse de l'Errant. Sans patrie, sans église et sans famille, le Rebelle vainc à force de pérégrinations la nostalgie d'une paix impossible. Ainsi, dans les lettres pathétiques qu'il adresse d'Aden et de Harrar aux siens, Rimbaud se défend de la « vie sédentaire » que la France — l'Europe — lui offre. « Ce serait m'enterrer que de revenir. » Il a peur du « froid », de la rigueur de l'hiver des Ardennes, symbole suprême d'une civilisation qu'il rejette. « Pour moi, je regrette de ne pas être marié et d'avoir une famille, mais, à présent, *je suis condamné à errer*, attaché à une entreprise lointaine, et, tous les jours, je perds le goût pour le climat et les manières de vivre et même la langue de l'Europe »[2]. Rimbaud est le « frère » de Lautréamont et de Madach et d'une longue lignée de rebelles qui entrevoient dans le refus — l'antithèse — le principe créateur d'un art nouveau.

Sous le masque hautain d'un inventeur guerrier, le capitaine Nemo, Jules Vern décrit, dans *Vingt mille lieues sous les mers*, l'épopée d'un Ahasvérus anarchiste. Hors-la-loi pathétique qui tire des défaites de son existence l'idéal d'un anarchisme individualiste assez stirnérien, le capitaine Nemo parcourt inlassablement les mers dont le merveilleux lui tient lieu d'une utopie ineffable.

Fuyant la société des hommes dont il s'est définitivement exclu, le Juif errant de Verne est avant tout la victime de la

---

1. Voir l'article de Catherine HUMBLOT, dans *Le Monde* du 13 novembre 1975.
2. Lettre du 6 mai 1883, Mes italiques, Arthur RIMBAUD, *Œuvres complètes*, Paris, Gallimard, 1951, p. 359.

société. Ayant perdu les siens, il n'a qu'une seule famille : la grande communauté des « êtres souffrants » et des « races opprimées ». Les seuls êtres auxquels il est lié par un sentiment de solidarité, ce sont les dépossédés et les opprimés. Dans sa cabine sont suspendus les portraits de « grands hommes historiques » dont l'existence n'a été qu'un perpétuel dévouement à une grande idée humaine : Kosciuszko, Botzaris, « le Léonidas de la Grèce moderne », Washington, Lincoln, « tombé sous les balles des esclavagistes », et enfin « ce martyr de l'affranchissement de la race noire, John Brown »[1] (champion des êtres opprimés, Nemo se porte au secours des rebelles de la Crète insurgée). Il appartient à l'humanité des opprimés. « Cet Indien... c'est un habitant du pays des opprimés, et je suis encore, et jusqu'à mon dernier souffle, je serai de ce pays-là »[2]. « Ce ne sont pas de nouveaux continents qu'il faut à la terre, mais de nouveaux hommes », affirme-t-il, liant le mythe de la machine — de *Nautilus*, véritable monstre issu de la profondeur des mythes — à celui de l'*homme nouveau*.

Le maître du *Nautilus* est un anarchiste conquérant. L'éloge de la mer qu'il prononce lie la liberté impossible aux mythes de l'errance : « Là seulement est l'indépendance ! Là je ne reconnais pas de maîtres ! Là je suis libre ! »[3]. Ayant rompu tout lien avec la société, il déclare : « Je n'obéis donc point à ses règles, et je vous engage à ne jamais les invoquer devant moi ! »[4]. « Le drapeau noir de l'anarchie qu'il déploie sur un coin inexploré du pôle Sud porte un N d'or écartelé sur son étamine », le N de l'individu souverain. Car c'est en son propre nom qu'il prend possession d'un territoire qui n'est pas encore porté sur la carte.

Le Juif errant de *Robur le Conquérant*, publié en 1886 (*Vingt mille lieues sous les mers* date de 1866), est un « personnage d'origine inconnue, de nationalité anonyme ». Comme Nemo,

1. Jules VERNE, *Vingt mille lieues sous les mers*, Paris, Ed. Rencontre, 1965, p. 330. Esprit libertaire, Nemo est-il le prince d'une anarchie, d'une Icarie individualiste ? N'agit-il pas lui-même, et notamment avec ses hôtes, comme un « maître » ? L'envers du libérateur n'est-il pas la personnalité dominatrice dont on retrouve si souvent la trace chez Bakounine ?
2. *Ibid.*, p. 96.
3. *Ibid.*, p. 104.
4. *Ibid.*, p. 104.

il a pour pavillon une « étamine noire, semée d'étoiles, avec un soleil d'or à son centre »; mais Robur n'est pas le prince asocial de l'égalité. « Robur, c'est la science future, celle de demain peut-être. C'est la réserve certaine de l'avenir. » Venu trop tôt, prophète d'un avenir technicien qui présuppose l'unification affective de la planète, Robur sillonne les mers et l'air, emportant avec lui son secret. Dans le *Maître du monde*, l'Errant soulève son masque. Le maître de l' « Icarie aérienne » n'est plus le témoin d'une humanité régénérée par la technique, mais le technicien d'un nouveau pouvoir absolu, la science. Le monstre mécanique qui établit sa légende a pour nom l' « Epouvante »; il est perçu comme un « monstre échappé de quelque ménagerie tératologique, et, pour le résumer en un seul type, le diable en personne, Belzébuth, Astaroth, qui défiait toute intervention humaine, ayant à sa disposition l'invisible et l'infinie puissance satanique »[1]. Dans la mythologie vernienne apparaît la face ombragée de la légende du Juif errant; Satan cesse d'être le prince de l'égalité et Ahasvérus n'apporte plus dans son sillage l'espoir du Salut.

LE MYTHE DU BRIGAND

Si, parmi les êtres en marche de la révolte, les membres déracinés de l'intelligentsia représentent la disponibilité inquiète de l' « église itinérante et sans foyer de la liberté », la figure légendaire du brigand personnifie l'idéal d'une justice partisane vagabonde. Retiré dans une illégalité sans attaches sociales, ce dernier a détruit déjà en lui l'ordre existant. « Il existe un type d'hommes dans la société russe qui a le courage d'aller à l'encontre du monde; c'est le brigand. Les premiers rebelles, les premiers révolutionnaires en Russie, Pougatchev et Stenka Razin, étaient des brigands », note Bakounine[2]; aussi invite-t-il

1. Jules VERNE, *Maître du monde*, Paris, Ed. Rencontre, 1965, p. 45. Prince désespéré de l'anarchie, Nemo devient à la fin du roman un « terrible justicier », un « véritable archange de la haine »; il extermine tous les passagers d'un bateau inoffensif. L'arbitraire dont témoignent ses rapports avec le narrateur préfigure l'inhumanité de Robur.
2. Cité par Eugène PYZIUR, *The Doctrine of Anarchism of Michael A. Bakunin*, pp. 72-73. Stenka Razin est le chef d'une insurrection paysanne qui fait régner la terreur dans la Russie du Sud-Est en 1670, transformé en véritable héros légendaire

les anarchistes russes à « se joindre au monde des bandits, les seuls révolutionnaires authentiques de la Russie ». Dans le sud de l'Italie et en Andalousie, les bandits qui défient l'autorité centrale et qui s'attaquent aux riches pour « redistribuer » leurs biens aux pauvres restent longtemps les héros de l'imaginaire social de l'anarchie.

LE MYTHE DU MOUJIK

Dans sa *Confession*, Bakounine analyse les sociétés européennes en fonction d'une crise d'autorité intellectuelle et morale qui affecte leurs élites : « L'ordre social, l'organisation sociale, en Occident, sont pourris et ne tiennent debout que par un effort douloureux... *Ou qu'on tourne son regard... on ne voit que décrépitude, faiblesse, absence de foi et dépravation, dépravation due à cette absence de foi à commencer par le plus haut degré de l'échelle sociale ; aucune des classes privilégiées n'a foi ni dans sa mission personnelle ni dans ses droits ; tous jouent la comédie les uns devant les autres et il n'y a personne qui ait confiance ni en autrui ni en soi-même ; les privilèges, les classes et les pouvoirs établis se maintiennent à peine, par l'égoïsme et par l'habitude...* La culture s'est identifiée avec la dépravation de l'esprit et du cœur, avec l'impuissance ! »[1]. Mais si les élites occidentales ne sauraient trouver de réponse au défi de l'époque, situé au bas de l'échelle sociale, le « peuple grossier et inculte » garde intactes sa « fraîcheur » et sa « force ».

Témoin silencieux d'une civilisation arriérée et maintenue à l'écart des principaux courants de la modernité, le paysan (le moujik) est le gardien des valeurs simples et saines inconnues des gestionnaires des civilisations complexes, tardives. « En raison de leur civilisation rétrograde et relativement *barbare* (les moujiks) ont gardé dans toute leur intégrité le simple tempérament robuste et l'énergie appropriés à leur nature

par l'imagination populaire. Un siècle plus tard, sous le règne de Catherine II, Pougatchev établit une sorte de pouvoir révolutionnaire dans le bassin de la Volga, décrétant l'abolition du servage, l'exécution des propriétaires terriens et la confiscation de leurs biens. Bakounine s'empare de leurs légendes et les confronte avec la figure du bandit défenseur solitaire des pauvres.

1. Michel BAKOUNINE, *Confession*, p. 61.

populaire »[1]. Doué d'une force éternellement jeune, élémentaire et inconsciente, le peuple moujik va faire renaître une nouvelle culture à la hauteur de l'idéal social le plus élevé de notre époque : l'anarchie.

LES BARBARES

« Il n'y aura plus de Révolution tant que les Cosaques ne descendront pas ! », proclame Ernest Cœurderoy dans *De la révolution dans l'homme et dans la société*. Dans *Hurrah ! ! ! ou la Révolution par les Cosaques*, il préconise la révolution par le « débordement du nord sur le midi de l'Europe; par un Déluge humain ! »[2]. Bakounine lui-même entrevoit dans le prolétariat et dans le peuple paysan les *barbares* de l'époque moderne qui, faisant le contrepoids au déclin de la civilisation occidentale, « représentent maintenant la foi dans la destinée humaine et dans l'avenir de la civilisation ». C'est grâce aux barbares, « à peine sortis de leur communisme tribal », que la corruption, le mal et l'*organisation* de l'Empire romain ont été détruits — une bonne chose pour l'Europe ! — écrit William Morris au moment où il publie son utopie libertaire, *Nouvelles de nulle part*. Mais dans l'absence de nouveaux barbares, issus des forêts germaniques, qui détruira « l'Empire tyrannique du Capitalisme » sinon les socialistes barbares[3] ? « Nous devons être des Gots », s'exclame-t-il aussi pour exhorter les socialistes anglais à s'élever à la hauteur de leur tâche historique. Le monde civilisé ne peut espérer son salut que de la barbarie, affirment encore Georges Sorel et Edouard Berth, théoriciens d'un syndicalisme plus proudhonien (et marxien) que bakouninien. Préoccupés par les symptômes d'une crise profonde de la culture occidentale dont ils analysent le mouvement en fonction de *corsi* et de *ricorsi* périodiques, ils identifient le

1. Cité par Eugène Pyziur, *op. cit.*, p. 75.
2. Ernest Cœurderoy, *Pour la Révolution*, Paris, Ed. Champ libre, 1972, p. 248.
3. Cité par James Redmond dans son introduction au récit utopique de William Morris, *News from Nowhere or an Epoch of Rest*, Londres, Routledge & Kegan Paul, 1973, p. xxii.

prolétariat avec la « barbarie syndicale » qui seule peut régénérer la culture « alexandrine » et « abstraite » d'une Europe épuisée. (C'est par un raisonnement analogue que Macauley en vient à parler de la menace que fait peser sur nos sociétés la « barbarie intérieure » et que Ortega y Gasset définit l'homme de masse en tant qu' « envahisseur vertical » dans la *Révolte des masses*; ni l'un ni l'autre ne croient, bien entendu, dans le pouvoir régénérateur des masses.)

LE BON SAUVAGE

L'idée que l'homme est par nature bon et n'a été perverti qu'au contact des institutions est la pierre de touche de toute réflexion anarchiste sur l'homme. Le mythe du moujik qui vit en harmonie avec autrui au sein d'une communauté organique pour se défendre contre les empiétements de l'Etat et l'influence d'une civilisation corrompue renouvelle en le particularisant le mythe du *bon sauvage*. Sous le masque de l'homme civilisé que l'on a fini par confondre avec son vrai visage, l'on retrouve une nature humaine inaliénable. La thèse bakouninienne qui veut que tout acte de destruction soit en même temps un acte de construction n'a de sens que si derrière la seconde nature artificielle de l'homme survit une première nature purement humaine. Le mythe du moujik, comme le mythe du bon sauvage, exprime la nostalgie du théoricien de l'anarchisme d'une existence frugale et austère proche de la Nature. Il prolonge le mythe de l'âge d'Or enseveli sous les mythes du Progrès et les utopies scientifiques et techniciennes prospectives.

Ainsi, Adario, le noble Indien dont le portrait illustre la page de couverture des célèbres *Dialogues* (1703) du baron de Lahontan personnifie la sensibilité anti-autoritaire de ce précurseur de l'anarchisme moderne. Le Bon Sauvage de Lahontan est représenté comme un héros victorieux, foulant aux pieds une couronne, un sceptre et un code de lois. Il a comme motto *et leges et sceptra ferit*[1].

1. Pour le mythe du Bon Sauvage, voir mon étude sur *L'intellectuel contre l'Europe*, Paris, PUF, 1976, pp. 25-44.

Issu du mythe du moujik, il désigne, chez Bakounine, l'habitant du *mir* et englobe, par extension, le peuple déraciné des villes (le *Lumpenproletariat*) et des campagnes (le bandit) et l'*intelligentsia*. Chez Wagner, Tolstoï et Sorel, il désigne la communauté tout entière : les habitants de la *cité* grecque et de la ville libre du Moyen Age. Ce mythe met en valeur la créativité illimitée du peuple et le caractère social de tout acte créateur authentique (le mythe du peuple constructeur de cathédrales et de palais communaux).

La révolution russe détruit le mythe du peuple affaibli par les échecs du populisme et le remplace par un mythe nouveau : le mythe marxiste du prolétariat (et le mythe progressiste d'un âge d'Or technicien).

LE MYTHE DE L'HOMME NOUVEAU[1]

Je n'examinerai ici qu'un seul mythe, le mythe de Siegfried dont le Wagner anarchiste de la *Mort de Siegfried* conçoit l'idée pour préserver l'espoir qu'a fait naître l'épopée révolutionnaire de 1848-1849. Siegfried est « l'homme le plus parfait qu'(il) puisse imaginer », le symbole de la « force involontaire éternellement à l'œuvre dans l'homme » et qui se révèle dans la plénitude de son « pouvoir et dans son amabilité irrésistible »[2]. Créateur d'une véritable mythologie de libération et d'action anarchistes, il est l'homme « attendu ». « Libre sans rien qui (le) lie et (le) contraigne, il est son propre maître »[3]. Partageant la frénésie vitaliste de Bakounine, il réunit dans son projet d'existence la recherche de ses origines et l'ouverture sans peur sur l'avenir. Il personnifie les traits de Bakounine que Wagner a bien connu à la veille de l'insurrection de Dresde de 1849, privés, il est vrai, de tout détail anecdotique. Placé dans la dichotomie pure d'un drame qui va, dans sa version définitive, de la nais-

---

1. Pour une analyse approfondie du mythe de l'homme nouveau, voir chap. Ier du livre. Je reviendrai à la figure de Siegfried-Bakounine au chapitre III du livre.

2. A comparer avec la description de Prométhée par Shelley.

3. Richard WAGNER, *Siegfried*, Paris, Aubier-Flammarion, 1971, p. 151.

sance à la fin du monde, le héros anarchiste se délivre du monde présent qu'il porte en lui pour ne parcourir que les chemins entrecroisés du passé profond et de l'avenir tracés par le mythe[1].

SOCIALISME LIBERTAIRE ET ANARCHISME MYSTIQUE

Le projet révolutionnaire que Bakounine nourrit au sujet de la Bohème de 1849, conçu pour un lieu et un moment historiques uniques, réitère, en les actualisant, l'imagerie destructrice de l'anarchisme mystique, hérétique des XVe et XVIe siècles. Il sert lui-même de modèle aux rituels « libérateurs » par lesquels les mouvements anarchistes italiens et espagnols s'engageront dans l'action révolutionnaire. « Mon intention était de démolir tous les châteaux, de brûler, dans toute la Bohème, les dossiers de tous les procès administratifs, judiciaires publics, les chartes et les titres seigneuriaux, et d'annuler toutes les hypothèques, de même que les autres dettes ne dépassant pas une certaine somme », écrit Bakounine dans sa *Confession* au tsar[2]. Il résume en quelques phrases l'imaginaire messianique d'une *renovatio* sociale, ces rites iconoclastes par lesquels se déclare la fureur populaire. Le scénario de destruction initiatique qu'il décrit suit les règles d'une esthétique violente et intemporelle pour fixer la conduite exemplaire des insurgés. Il sert de modèle à la passion des destructions qui s'universalise et se répand à la manière d'une épidémie. Le terrorisme anarchiste qui s'en prend aux symboles immuables du Pouvoir — le monarque, l'homme d'Etat, le juge ou le gendarme — propage la vérité d'un acte qui n'atteint son but que dans la mesure où il est imité et se généralise.

Je viens de nommer l'*acte de propagande par le fait* qui résume, sous la forme d'un modèle mythique, l'universalité du message anarchiste et qui sauve l'acte terroriste individuel de l'inauthenticité qui le guette.

Les rites de destruction mis en évidence par Bakounine sont repris d'ailleurs aux fins d'une éphémère croisade anarchiste par ses amis et disciples italiens en 1877, c'est-à-dire l'année suivant

---

1. Le projet initial, conçu en 1848, se transforme en une véritable cosmogonie. Aussi Wagner écrit-il à Liszt : « Si tu regardes de près ma nouvelle œuvre poétique, tu y trouveras à la fois la naissance et la fin du monde. »
2. Michel BAKOUNINE, *Confession*, p. 148.

sa mort. Dans le but de déclencher une insurrection générale dans la péninsule italienne, ceux-ci mettent en pratique le scénario décrit dans la *Confession*. Dans le premier village qu'ils investissent dans la région de Benvento, au nord-est de Naples, ils déposent le roi, incendient les archives, ces témoins de l'asservissement de l'homme. Mais si, au départ, les spectateurs villageois applaudissent l'ingéniosité du spectacle, l'acte exemplaire n'est pas suivi : faute de faire tache d'huile, il reste enfermé dans son caractère unique. (De la manière, l' « acte exemplaire » de Ravachol est « admiré » mais ne trouve pas assez d'imitateurs.)

Le même scénario ordonne encore les fêtes initiatiques de l'Espagne de 1931 à 1936. Dans les villes pilotes désignées à cet effet, la CNT abolit la monnaie, brûle les archives municipales, désarme ou massacre la Garde civile...[1]. Ici, comme en Italie un demi-siècle plus tôt, la fête n'est qu'un signal; elle n'a de valeur que si elle sert de détonateur à la passion destructive des masses.

Le mythe communique-t-il son secret aux couches larges de la société ? Ou, privé de son pouvoir d'expansion, s'adresse-t-il aux seuls membres de la secte qui, en vrais initiés, en font le symbole des liens de solidarité qui les unissent ?

MYTHE ET PHILOSOPHIE DE L'HISTOIRE

> « *Je ne m'appartenais plus ; le génie de la destruction s'était emparé de moi.* »
>
> BAKOUNINE, Confession.

Le mythe en tant que fondement d'une *philosophie anarchiste de l'histoire* : je ne retiendrai ici que l'*amorphisme* de Bakounine et sa vision de l'histoire nourrie des interprétations laïques de la prophétie de Giacchino da Fiore.

Malgré sa méfiance fondamentale à l'égard des systèmes philosophiques et idéologiques *fermés* qui étouffent la spontanéité et l'initiative créatrices, Bakounine subit l'influence obsessive des philosophies de l'histoire. Il semble admettre en effet qu'elles seules accréditent l'idéal du Progrès en tant que but incontes-

---

1. James JOLL, *The Anarchists*, p. 248.

table du devenir social. Aussi en vient-il à apercevoir, sous l'influence de Hegel et surtout de Saint-Simon, l'alternance des périodes de construction et des périodes de destruction dans l'histoire. L'idée que l'humanité s'approche d'une nouvelle période de destruction s'harmonise à merveille avec la passion de destruction qui l'anime. Sous l'influence de la théorie des Trois Ages de Giacchino da Fiore, il distingue trois âges dans l'évolution de la destinée humaine, l'âge de l'animalité humaine, l'âge de la pensée et l'âge de la révolte. C'est en conformité avec la prophétie de Giacchino qu'il préconise, au seuil du troisième âge à venir — cet éternel présent qui « ne contient aucune trace d'histoire » —, une période cataclysmique, apocalyptique transitoire.

Le passage d'un âge à l'autre prend, dans la pensée de Bakounine, la forme d'un *amorphisme* social distinct. La « révolution sociale est d'une sauvagerie telle que l'imagination occidentale, dominée par la civilisation, ne peut même pas se le représenter ». La destruction « fondamentale et passionnelle » est cependant « salutaire et bénéfique » car ce n'est qu'au prix d'une telle destruction que « des mondes nouveaux naissent et grandissent »[1]. Il s'agit de la négation totale, de l'anéantissement de toute la civilisation contemporaine, la période pendant laquelle des « formes existantes » deviennent *amorphes* précédant la « création de formes complètement nouvelles à partir de cet amorphisme ».

La doctrine de l'amorphisme correspond, sur le plan de l'idéologie bakouninienne, au *confusionnisme* de certains mythes cosmogoniques. Dans l'univers du mythe, le confusionnisme objectifie le chaos qui précède la création d'un monde nouveau par la réactualisation du « chaos primordial ». Dans la « Ghost-Dance Religion » qui a bouleversé les tribus nord-américaines vers la fin du XIXe siècle, les morts envahissaient la terre, communiquaient avec les vivants et créaient de la sorte une « confusion » annonciatrice de la clôture du cycle cosmique actuel, et cela dans le but de « hâter la fin du monde »[2]. La révolution conçue en tant que fête est homologable aux rites confusionnistes dans son

---

1. Cité par Eugène PYZIUR, *op. cit.*, p. 65.
2. Mircea ELIADE, *Le Mythe de l'éternel retour*, Paris, Gallimard, 1969, p. 90.

intention première de précipiter la rénovation attendue. Le rituel devient créateur de changement.

L'acte révolutionnaire en tant que répétition d'un acte cosmogonique et le passage du profane au sacré révolutionnaire : voilà la signification réelle du message politique de l'anarchisme bakouninien.

Les utopies anarchistes. — « J'étais là, né pour ainsi dire à une vie nouvelle », dit émerveillé le narrateur de l'utopie esthétisante de William Morris, *Nouvelles de nulle part,* annexée par Kropotkine, au même titre que l'abbaye de Thélème de Rabelais et *Les lazaréennes* et *L'Humanisphère* de Joseph Déjacque, à la littérature d'anticipation anarchiste. L'on comprend aisément pourquoi ces descriptions idylliques d'un *monde à la fois parfait et ouvert* échappent à la condamnation anarchiste des utopies symétriques, abstraites et figées du communisme organisateur. Dans le récit de Morris — nous sommes en 2003 — l'Angleterre est redevenue un gigantesque jardin. Un nouveau monde de « caprice et d'imagination » a succédé au paysage uniforme de l'Angleterre de la fin du xixe siècle parsemé d'usines.

Malgré sa méfiance fondamentale à l'égard des utopies abstraites, « progressistes » — *Nouvelles de nulle part* est la réponse de Morris à l'utopie industrielle de Bellamy, *Looking backwards,* parue peu de temps auparavant — Morris crée le monde idéal de demain en utilisant la recette inépuisable de la négation. « Je peux mieux vous raconter ce que nous ne faisons pas que ce que nous faisons », raconte le guide « nulle-partien » de l'auteur. Au cœur des négations qu'il accumule — l'absence de l'Etat, des lois, de la violence, de la machine — se trouve la fin des conflits économiques, politiques et sociaux qui caractérisent les sociétés historiques. L'utopie est la recréation du « communisme primitif d'avant l'ère des civilisations »[1].

Véritable « seconde enfance » de l'humanité, le monde utopique de Morris est créé à partir de cette « part enfantine » de l'homme dont sont issus tous les chefs-d'œuvre de l'imagination. Chaque fois que l'histoire se met en mouvement, c'est une nouvelle enfance qui se réalise. Le monde bienheureux du

1. Voir William MORRIS, *op. cit.,* p. XXIII.

Moyen Age (dont Morris cherche à renouveler l'architecture communautaire) sert en quelque sorte de relais entre l'utopie vécue du communisme primitif et l'enfance libertaire de demain.

L'enfance comme utopie. — Une fois de plus, c'est Bakounine qui nous sert d'à-propos. Etre incomplet, enfant et adolescent à la fois, homme expérimental, simple projet existentiel, il note, à vingt-trois ans, sur le dos d'un portrait récent : « Comme moi, je ne suis pas achevé, ainsi ce portrait ne l'est pas non plus. » L'enfance est la seule certitude que Bakounine peut projeter sur l'écran du futur.

« Nous sommes nés et avons grandi en Russie », écrit Paul Bakounine, son frère, « mais sous un bleu ciel d'Italie. Tout autour de nous a respiré un bonheur qu'il est difficile d'imaginer sur la terre »[1]. Il s'agit d'une enfance sans histoire, et par conséquent heureuse. Il grandit entouré de quatre frères et de quatre sœurs, dans un climat qui permet aussi bien le développement d'individualités puissantes que la création d'une véritable communauté d'enfants.

Lorsqu'il parvient au seuil de l'adolescence, la civilisation des adultes, avec ses lois et ses interdits, s'introduit au sein de l'idylle. Pour les autres, c'est le temps du conformisme, de la banalité de la vie quotidienne. Pour Bakounine, ce sera le temps de la révolte. Il ne traversera pas les stades de la vie. Il ne connaîtra ni l'amour (l'égoïsme à deux), ni le foyer, ni la patrie. Il ne deviendra jamais entièrement « adulte ». Il arrive ainsi que dans la famille de Herzen (Bakounine a quarante-sept ans au moment où il rejoint Herzen dans son exil londonien), on l'appelle la « grande Liza », Liza, la fille de Herzen âgée de trois ans, ayant découvert en lui son « contemporain ». Sans rien perdre de sa vitalité, la révolte de Bakounine est aussi celle de la « grande Liza » partie à la recherche de son paradis perdu.

Le mythe du Moyen Age. — Cette autre enfance de l'humanité qui retrouve d'âge en âge son héritage social et le merveilleux de ses origines complète celle du communisme primitif et de

---

1. Cité par E. H. CARR, *Michael Bakounin*, p. 9.

l'enfance. L'Utopie est, aux termes de Morris, « un lien entre ce qui survit du communisme du Moyen Age et le mouvement progressiste joyeux et pratique d'aujourd'hui ». Le Moyen Age transmet, par l'exemple harmonieux de son architecture communautaire, son idéal de la beauté et de l'harmonie sociale. La « cité ouvrière » de Sorel est aussi la re-création de la « cité esthétique » du Moyen Age, de cette cité dont la cathédrale devient, chez Proudhon, Tolstoï et Rocker, le mythe central. La cathédrale est, en effet, selon le mythe, une « création collective à l'édification de laquelle chaque couche, chaque membre de la société a ... participé. Ce n'est qu'une grâce à la coopération harmonieuse de toutes les forces de la communauté, soutenue par un esprit de solidarité, que l'édifice gothique a pu s'élever et devenir l'expression majestueuse de cette communauté qui lui a prêté son âme, » écrit Tolstoï[1].

EN GUISE DE CONCLUSION :
IDÉOLOGIE ET MYTHE ANARCHISTES

La mythologie politique joue un rôle si important dans la philosophie politique de l'anarchie qu'on peut parler à son égard d'une véritable fusion de la réflexion politique et de la mythologie. La vision libertaire de l'histoire emprunte au mythe sa structure prévisionnelle aussi bien que sa représentation concrète de la société future, le récit de l'âge d'Or ou de la *polis* grecque servant de modèle à son projet de reconstruction sociale. Le mythe permet au théoricien de l'anarchisme de réconcilier la dynamique d'une humanité en mouvement perpétuel (le Juif errant) avec son rêve utopique, la suspension finale du temps et de l'histoire; d'inclure dans le même projet de l'homme, et l'homme mutilé d'aujourd'hui (la victime) et l'homme intégral, universel de demain (l'homme nouveau). C'est encore le mythe qui fournit à l'imaginaire libertaire ses rites (la fête révolutionnaire, très clairement remise à l'évidence en mai-juin 1968 ou sur les campus américains à la fin des années 1960) et ses symboles (le drapeau noir, l'espérance d'un renouveau par la nuit

1. Voir mon étude sur *L'esthétique anarchiste*, Paris, PUF, 1973, pp. 10-13.

rédemptrice de la destruction). Par l'anarchisme, la mythologie découvre son langage moderne sans s'émietter, sans se camoufler ou se compromettre : elle s'allie sans remords à la Raison — ou plutôt, à son héritage sévèrement censuré — sans la détrôner, mythe *et* idéologie servant de support au langage imagé, hautement incantatoire, de l'anarchie.

LIVRE II

*mythe
et philosophies
de l'histoire*

remarques préliminaires

Découvrir un plan dans le devenir anarchique et en partie anachronique[1] des civilisations, organiser la vaste infrastructure des faits historiques en fonction d'un schéma unilinéaire ou cyclique clairement agencé, en les subordonnant à un *but* connu d'avance, voici l'ambition des philosophies modernes de l'histoire. Dans sa *Philosophie de l'histoire*, Hegel identifie ce but avec les « visées », parfaitement intelligibles, de l'« éternelle sagesse ». Pour l'appréhender, le philosophe doit se tourner simultanément vers le passé, le présent et l'avenir, en les intégrant dans un projet téléologique unique.

[1]. Les périodes « décadentes » reproduisent en partie consciemment les traits de la période préclassique ou archaïque; le renouveau primitif établit, entre le nouveau et l'ancien, les liens d'une contemporanéité troublante.

La compréhension de l'histoire présuppose le maniement d'un principe affirmatif fermement établi. L'emploi d'un tel principe permet au philosophe de subordonner, de maîtriser et, en cas de besoin, de supprimer l'élément négatif du processus historique : le Mal ou tout simplement les facteurs qui pourraient s'opposer à sa réalisation. Privons le théoricien du Progrès, par exemple, du principe affirmatif, et il est incapable de rendre compte du phénomène du Moyen Age. Offrons-lui, au contraire, la possibilité d'ériger l'évolution technique en principe évolutif. La presse à imprimer, la poudre et le compas lui apparaissent comme les épiphénomènes d'une créativité continue bien que « souterraine » et la longue parenthèse du Moyen Age s'insère dans un processus évolutif ascendant. Ce n'est pas par hasard qu'un Charles Perrault, dans sa défense des modernes contre les anciens, compare le Progrès à un fleuve souterrain qui, à un moment donné, disparaît du regard, pour réapparaître plus loin, enrichi de l'apport des affluents qu'il rencontre sur son chemin[1].

La seule pensée que le philosophe de l'histoire ajoute à l'histoire est, selon Hegel, celle de la raison. En le pastichant, et en même temps en vérifiant notre thèse à la lumière de la philosophie de l'histoire hégélienne, nous partirons dans ce livre de l'idée que la seule chose que le philosophe *ajoute* est... le mythe. De Hegel à Spengler et à Toynbee, en passant par Saint-Simon, Comte, Cousin et Marx, ce sont les mythes du Progrès et du Déclin qui se développent en théorie dans les constructions historisantes les plus humbles et les plus ambitieuses.

La théorie du Progrès représente la pensée messianique du christianisme sous une forme sécularisée. En partant de la perfectibilité indéfinie de l'homme et de la société, elle dévalorise systématiquement le passé, traite le présent avec bienveillance[2] (alors que le mythe du déclin aperçoit dans l'aujourd'hui les méfaits d'un processus de décomposition vieux de quelques

---

1. Charles PERRAULT, *Parallèle des anciens et des modernes, en ce qui regarde les arts et les sciences*, Amsterdam, 1963, t. I, p. 36.
2. « Vous qui vivez, et surtout ceux qui commencez à vivre au XVIIIe siècle, félicitez-vous », dit Chastellux à ses contemporains. « Ce siècle commence à être le triomphe de la raison », dit de sa part Helvétius en 1760 (cf. Paul HAZARD, *La pensée européenne au XVIIIe siècle*, Paris, Fayard 1946, t. III, pp. 109-110 et t. I, p. 373).

siècles déjà). Elle reproduit trait par trait le mythe des trois âges élaboré à la fin du XIIe siècle, par Giacchino da Fiore[1]. Le mythe du Déclin joue le même rôle dans les interprétations cycliques de l'histoire que le mythe du progrès dans les projets linéaires de Saint-Simon ou de Marx. Il concrétise le pessimisme culturel européen sur le plan des vastes constructions historicistes, sans exclure, il est vrai, l'espoir d'un renouveau. Le mythe de l'éternel retour comporte en effet une composante « optimiste » non négligeable.

Dans ce livre, nous nous attacherons à suivre le cheminement du mythe du déclin à travers ses œuvres majeures, au détriment du mythe du progrès, voué à une carrière moderne infiniment plus brillante et mieux connue. Mais, au préalable, nous examinerons brièvement le mythe joachimite des trois âges et ses métamorphoses historicistes plus récentes.

---

1. Fiore réintroduit dans le christianisme le « mythe archaïque de la régénération universelle », remarque à son sujet Mircea Eliade. « Certes, il ne s'agit plus d'une régénération périodique et indéfiniment répétable. Il n'en est pas moins vrai que la troisième époque est conçue par Joachim comme le règne de la liberté, sous la direction du Saint-Esprit, ce qui implique un dépassement du christianisme historique, et, comme dernière conséquence, l'abolition des règles et des institutions existantes » (*Aspects du mythe*, Paris, Gallimard, 1973, p. 218).

du mythe des trois âges
au mythe du progrès

AUX SOURCES DE LA FUTUROLOGIE MODERNE

Nos mythologies sociologiques et idéologiques du salut sont issues du système prophétique de Giacchino da Fiore. Le perspicace abbé calabrais est le premier futurologue de l'Occident et, sans doute, le plus écouté. La révélation qui lui permet de déchiffrer, entre l'an 1190 et 1195, la Bible dans son double langage allégorique et historique, descriptif et prédictif, n'a pas encore perdu son pouvoir ascendant.

Selon Giacchino, l'Ancien et le Nouveau Testament relatent les événements de l'histoire séculaire dans les termes de l'histoire sacrée du commencement des temps jusqu'à la consommation des temps : son projet d'avenir aussi bien que ses chapitres déjà clos. Celui qui identifie les personnages et les symboles des Ecritures peut, en établissant les corrélations qui s'imposent entre les deux voies parallèles de l'histoire, prédire l'histoire séculaire. Les étapes futures d'une évolution historique unique et prévisible dans toutes ses échéances sont inscrites dans la Bible, le moment historique du Salut tout aussi bien que l'Apocalypse de l'histoire (qui devait avoir lieu, selon les calculs de Giacchino, entre l'an 1200 et 1260. Le premier âge va d'Adam à Abraham; le second d'Elie à Jésus; chaque âge est précédé par une période d'incubation et se mesure par la succession de quarante-deux générations. Giacchino fixe la date de l'épreuve finale entre l'Antéchrist et le *novus dux* en comptant trente ans pour chaque génération).

La lecture historisante de la Bible permet à Giacchino d'entrevoir trois âges dans la trame entrecroisée de l'histoire séculaire et de l'histoire sacrée. Le premier âge est celui du Père, caractérisé par la peur et la servitude. Le second âge est l'âge du Fils, marqué par la foi et la soumission filiale. Le troisième âge est celui du Saint-Esprit, âge de l'amour et de la libération finale de l'esprit dans sa plénitude. Il sera précédé par un interrègne de trois ans et demi pendant lesquels, livrée à l'Antéchrist, la planète sera ravagée et humiliée.

« Il se peut que certains enthousiastes des XIIIe et XIVe siècles... ne se soient trompés que dans la mesure où ils ont proclamé la venue (d'un nouvel Evangile éternel) trop tôt. Peut-être cette doctrine des trois âges universels n'était-elle pas du tout la fantaisie creuse de ces hommes; et certainement ils n'étaient pas guidés par de mauvaises intentions lorsqu'ils ont affirmé que le nouveau règne disparaîtra de la même manière que l'ancien... Même comme cela... ils ont professé le même projet pour l'éducation de la race humaine. Ils l'ont seulement prédit trop vite, pensant que leurs contemporains, qui venaient de sortir de leur enfance, pouvaient tout à coup devenir des adultes, *dignes du troisième âge*, sans la préparation et l'éclaircissement nécessaires. » C'est Lessing qui remet en honneur par ces termes, la prophétie de Giacchino, oblitérée par plusieurs siècles d'oubli *(L'éducation de la race humaine)*. La structure d'anticipation de Joachim est indéniablement orientée vers l'idée du Progrès et rejoint dans sa dynamique l'attente du XVIIIe siècle qui bascule dans le mythe du Progrès et ne voit l'histoire qu'à travers l'ordonnancement aride d'une philosophie.

Une traduction française de *L'éducation de la race humaine* est publiée par un disciple de Saint-Simon; de ce milieu modernisant, la théorie des trois âges va pénétrer, grâce à Comte et aux Saint-simoniens, dans la pensée idéologique et sociologique du XIXe siècle naissant. La division de l'histoire de l'humanité en trois âges — l'âge théologique, l'âge métaphysique et l'âge scientifique ou positif — par Auguste Comte, en est un des premiers témoignages. Mais Comte est vite rejoint par Fourier, Cousin, etc. En Allemagne, la liste des « disciples » de Giacchino comprend les noms de Schelling, Fichte, Hegel. Dans le *no man's land* du socialisme « post-utopique », Marx et Bakounine s'emparent de la nouvelle vision trinitaire et la dissimulent sous le langage de la science et de la passion révolutionnaire.

Sans reconnaître sa dette envers ses prédécesseurs, Marx reprend à son compte, dans son projet prospectif et rétrospectif, la structure tripartite de la prophétie de Giacchino injectée par le discours « progressiste » de Lessing et par les dispciples de Saint-Simon, dans la circulation des idées socialistes. C'est ce projet seul qui l'autorise à parler de l'histoire dans sa portion qui n'est pas encore accomplie. La division du deuxième âge — l'âge de la *civilisation* — en trois phases en fonction du mode de production qui les caractérise, c'est-à-dire les modes antique, féodal et capitaliste — est mieux connue, mais entièrement subordonnée à la théorie sous-jacente des trois âges.

D'une philosophie historiciste à l'autre, trois âges intégrés dans une spirale ascensionnelle incarnent l'espérance d'une humanité progressive. Chacun des âges est caractérisé par la place qu'il occupe dans la hiérarchie de l'âge, par une position géographique particulière, par le principe qui régit la vie des sociétés, ou encore, par la combinaison de ces différents facteurs.

L'avancement en terme des âges de la vie. — Le schéma tripartite de Hegel est le mieux connu. Il combine les âges successifs de l'humanité avec un déplacement de l'histoire le long d'un axe Est-Ouest. L'enfance de l'humanité a pour théâtre l'Orient (la Chine, l'Inde), suivie par l'adolescence et la maturité de la Grèce et de l'Empire romain, le troisième âge, celui de la vieillesse, appartenant en propre aux peuples germaniques.

La géographie des trois âges. — Elle suit d'une manière générale le schéma hégélien, c'est-à-dire la route du Soleil. Peut-être le premier à ordonner l'émergence des civilisations autour de l'axe Est-Ouest, Jean Bodin situe le premier âge (religieux) en Asie, pour découvrir chez les peuples de l'Europe septentrionale, le trait principal du troisième âge supérieur, la capacité de mener des guerres et le pouvoir d'invention des artisans et des hommes de science.

Le principe fondateur. — Auguste Comte voit dans l'histoire la succession de trois âges qu'il qualifie, à tour de rôle, en fonction du principe qu'ils incarnent, de théologique, métaphysique et positive-scientifique. Bakounine découvre sans peine trois principes pour caractériser, d'âge en âge, le triomphe de l'esprit d'anarchie : l'animalité humaine, la pensée et la révolte.

Jean Bodin et Fourier sont les seuls à chiffrer la durée des âges, en s'inspirant de la manie calculatrice de Fiore. Mais alors que Bodin attribue une période de deux mille ans à chacun des âges déjà accomplis ou à venir, l'inventeur du phalanstère entrevoit une période de soixante-dix-neuf mille ans, pour les âges deux et trois (une longue période de déclin suivant l'âge d'harmonie qui pointe), une période de cinq mille ans correspondant à l'enfance de l'humanité, désormais close.

LE TROISIÈME REICH

« Il y a eu les temps antiques. Il y a notre mouvement. Entre les deux, l'âge moyen de l'humanité, le moyen âge qui a duré jusqu'à nous et que nous allons clore », déclare Hitler à Hermann Rauschning[1]. Dans le *Mythe du XXe siècle*, Alfred Rosenberg attribue à H. S. Chamberlain, le théoricien d'un renouveau germanique et aryen, la paternité de la vision nationale-socialiste de l'histoire, fondée sur la succession de trois périodes distinctes : 1) l'Empire romain « profondément imbu du vieil esprit germanique »; 2) une longue période d'abâtardissement et de « *Volk*-chaos »; et 3) le renouveau futur de l'Occident grâce à l'apport décisif de l'Allemagne[2].

Le Reich qui met fin à l'intermède weimarien et reprend l'héritage du Saint Empire romain et de l'empire éphémère de Bismarck est nécessairement le troisième. L'on sait que c'est un écrivain conservateur, Arthur Moeller Van den Bruck, qui naturalisait le terme en publiant, en 1923, le livre du même nom : *Das dritte Reich*. On sait moins que Moeller Van den Bruck a rédigé son ouvrage après avoir lu le *Christianisme du Troisième Testament*, du russe Merejkowski, et qu'ainsi un thème qui s'est d'abord manifesté dans l'Allemagne des Lumières retrouve le lieu de ses origines en passant par la Russie prophétique du XIXe siècle[3]. (Le Troisième Royaume du Saint Empire de

1. Hermann RAUSCHNING, *Hitler m'a dit*, Paris, Coopération, 1939, p. 252.
2. Voir Arthur ROSENBERG, *Selected Writings*, édit. par Robert POIS, Londres, Jonathan Cape, 1970, p. 75.
3. Pour les métamorphoses du mythe des trois âges, voir en particulier Karl LÖWITH, *Meaning in History*, Chicago, University of Chicago Press, 1949, pp. 208-213.

Krasinsky fait partie du même courant messianique. En Russie, le mythe des trois âges a trouvé un terrain d'expansion particulièrement favorable en raison du mythe des trois Rome fondé sur la division de l'histoire en trois grandes époques créatrices.)

D'une philosophie historiciste à l'autre, trois âges enfermés dans une spirale ascensionnelle transmettent le message d'une humanité progressive. D'une philosophie à l'autre, l'homme apparaît au seuil du troisième âge. Il est serein et, en même temps, angoissé, car entre deux âges s'annoncent le temps inévitable de l'épreuve et la transmutation radicale de toutes les valeurs. Il est de toute évidence prisonnier du mythe.

MYTHES ET THÉORIES DU PROGRÈS

« L'idée du progrès a un fondement messianique; sans ce fondement elle devient idée d'évolution naturelle », écrit Berdiaev[1]. Selon l'auteur de l'*Essai de métaphysique eschatologique*, le progrès doit avoir un but fini; c'est précisément en cela qu'il est eschatologique.

Lorsqu'il déclare que la « nature n'a marqué aucun terme au perfectionnement des facultés humaines », Condorcet ne s'élève-t-il pas contre l'idée d'un progrès asservi à la réalisation d'un but supérieur ? N'établit-il pas une seconde variante du mythe, même s'il rend par cela la « lecture » du mythe du progrès particulièrement difficile ?

En effet, chacune de ces variantes acquiert droit de cité dans l'Europe des lumières, à distance égale du pouvoir prospectif de la science et de l'autorité superstitieuse de la foi. Car alors que l'idée du progrès « à fin » fait l'économie de l'apocalypse et substitue la voie progressive de réformes partielles au « saut qualitatif » qui implique le mythe de la révolution, l'idée du progrès indéfini transpose au domaine de la réforme sociale la notion scientifique du cumul de connaissance. (La foi seule rend la notion du progrès inéluctable, indépendante des volontés humaines.)

Dans son étude sur *Milleneum and Utopia*, Ernest Lee Tuveson démontre comment l'idée du progrès se transforme, grâce aux

---

1. Nicolas BERDIAEV, *Essai de métaphysique eschatologique*, p. 234.

soins vigilants de l'Establishment théologique et scientifique anglais dès la fin du xviie siècle, en une foi dans une « Providence d'un type nouveau — l'évolution historique »[1]. La notion d'un progrès religieux ou spirituel étroitement lié aux progrès de la science, de la technique et du bien-être matériel prend la forme moderne du salut, les livres prophétiques de l'Ancien Testament servant de méthodologie à un processus évolutif tout azimut. « La méthode de Dieu est progressive », affirme de manière typique le penseur millénariste « éclairé ». Aux dires d'un autre millénariste scientifique, More, la conversion graduelle et le perfectionnement infini de la nature humaine font partie du « projet de Dieu »[2].

Intégré dans une philosophie linéaire — hégélienne, marxienne —, de l'histoire, le mythe du progrès se teinte des couleurs quelque peu fades, rassurantes, de l'âge d'Or. Le but du progrès est, en dernière analyse, le même que le but des combats révolutionnaires : l'établissement d'un ordre social harmonieux et égalitaire. L'âge d'Or a ses barricades et ses slogans mobilisateurs. Citons l'interminable discours d'Enjolras sur la barricade dans *Les Misérables* pour illustrer la convergence de deux rhétoriques à première vue incompatibles : « Citoyens, vous représentez-vous l'avenir ? », s'exclame le héros hugolien. « Les rues des villes inondées de lumière, des branches vertes sur les seuils, les nations sœurs, les hommes justes, les vieillards bénissant les enfants, le passé aimant le présent, les penseurs en pleine liberté, les croyants en pleine égalité, pour religion le ciel, Dieu prêtre direct, la conscience humaine devant l'autel, plus de haine... à tous le travail, pour tous le droit, sur tous la paix; plus de sang versé, plus de guerres, les mères heureuses ! Courage et en avant !... Citoyens, où allons-nous ? A la science faite gouvernement, à la force des choses devenue seule force publique (...) Nous allons à l'union des peuples; nous allons à l'unité de l'homme. Plus de fictions, plus de parasites. Le réel gouverné par le vrai, voilà le but... *Le vingtième siècle est grand, mais le vingtième siècle sera heureux.*

---

1. Ernest Lee Tuveson, *Milleneum and Utopia. A study in the Background of the Idea of Progress*, Berkeley, University of California Press, 19, pp. xi-xii.
2. *Ibid.*, p. 95.

Alors plus rien de semblable à la vieille Histoire; on n'aura plus à craindre comme aujourd'hui une conquête, une invasion, une usurpation... On n'aura plus à craindre la famine, l'exploitation (...). On pourrait presque dire : *il n'y aura plus d'événements. On sera heureux*... Amis, l'heure où nous sommes et où je vous parle est une heure sombre, mais ce sont là les *achats terribles de l'avenir. Une révolution est un péage.* Le genre humain sera délivré, relevé, consolé ! Nous le lui affirmons sur cette barricade... De l'étreinte de toutes les désolations jaillit la Foi... Frères, qui meurt ici meurt dans le rayonnement de l'avenir, et nous entrons dans une tombe toute pénétrée d'aurore »[1].

L'âge d'Or, l'utopie, la fièvre messianique, l'ardeur révolutionnaire, la mystique ineffable des barricades — toutes ces figures éparses et séparées par un discours politique élaboré à froid — s'unissent dans ce texte révélateur à plus d'un titre, soulignant les grandes équivalences qui président à leur destinée.

---

1. Victor Hugo, *Les Misérables*, V^e partie, liv. I, p. 5.

le mythe du déclin

« *Amis le sol est pauvre : il faut que nous semions richement pour n'avoir que de minces moissons.* »

NOVALIS, Pollens.

« *Je suis venu trop tard dans un monde trop vieux.* »

Alfred de MUSSET, Rolla.

« *Nous sommes les grands décrépis, accablés d'anciens rêves, à jamais inaptes à l'utopie, techniciens des lassitudes, fossoyeurs du futur, horrifiés des avatars du vieil Adam. L'Arbre de Vie ne connaîtra plus de printemps : c'est du bois sec ; on en fera des cercueils pour nos os, nos songes et nos douleurs.* »

E. M. CIORAN, Précis de Décomposition.

L'idée du Progrès a exercé une influence si puissante et si durable sur la pensée moderne que la notion du Déclin peut paraître au premier abord comme la réflexion en contrepoint d'une époque désenchantée sur ses « illusions » perdues. S'il est intimement lié au climat d'une modernité scientifique et économique en crise, le pressentiment du déclin ne fait pas moins partie d'une vieille tradition qui, depuis la plainte d'Hésiode contre la rigueur stérile de l'Age de Fer du moins, représente la face cachée de la conscience européenne.

Pour l'historien des idées et des religions, le mythe du déclin est une « vieille connaissance ». Si, aujourd'hui, il fait figure de nouveauté, c'est qu'il satisfait pleinement notre goût pour les idées « neuves » et « singulières ». Les modes intellectuelles qui le propagent lui communiquent même une certaine valeur de scandale. Il n'en représente pas moins une constante de l'imagination occidentale qui s'amplifie ou se réduit à l'expression de quelques voix isolées en fonction d'une « biologie des cultures » peu connue. En raison du défi qu'il pose au poète et au peintre moderne parvenu aux limites des formes traditionnelles de l'art, il imprègne pratiquement toute la culture intellectuelle et artistique des XIXe et XXe siècles. Pour Baudelaire, pour Nietzsche, décadence et modernité sont deux termes désignant une même expérience créatrice à la fois « avancée » et tardive. Tout se passe comme si deux modernités en interaction composaient l'image même de notre temps : la modernité technologique/économique et la modernité de la culture. La première a l'idée du Progrès pour guide. La seconde est placée sous le signe du déclin.

Qu'est-ce que le déclin ? Une phase particulière de l'histoire des civilisations dont un Spengler, un Toynbee ou un Sorokine auraient établi la morphologie et dont nous sommes, malgré nous, les acteurs ou une construction théorique qui permet d'en élucider les échéances ? Est-ce un mythe ou une réalité ? Il y a plus d'un demi-siècle à peine, une série de grandes études fondées sur la comparaison des civilisations a fourni une première réponse à ces questions. Aujourd'hui, elles se présentent sous la forme d'un lieu commun banal. Ceux qui réinventent l'idée du déclin de l'Europe semblent ignorer les travaux qui lui ont donné ses lettres de noblesse au lendemain de la première guerre mondiale : *Le déclin de l'Occident* d'Oswald Spengler, le petit essai subrepticement spenglérien de Paul Valéry, la *Crise de l'esprit* ou les premiers volumes de l'étude monumentale d'Arnold Toynbee, *A Study of History*. Certains titres laissent croire que les thèses du pessimisme culturel des années 1920 font l'objet d'une reconstitution fondamentale[1]. Mais, malgré leur intérêt, ni *Pavane pour une Europe défunte* (1976) de Jean-Marie Benoist, ni *Plaidoyer pour une Europe décadente* (1977) de Raymond Aron ne renouvellent en profondeur les analyses historiques et philosophiques qui ont donné à l'idée du déclin, au lendemain de la première guerre mondiale, une grandeur indiscutable.

L'Europe est-elle engagée dans la voie d'un progrès continu ou va-t-elle vers l'épuisement total de ses forces vives ? Sa créativité se renouvelle-t-elle au contact des défis qu'elle a à

---

1. Parmi les ouvrages les plus marquants du pessimisme des années 1920, relevons *Mesure de la France* par Pierre DRIEU LA ROCHELLE; *Le déclin de l'Europe* par Albert DEMANGEON; *L'Europe tragique* par Gonzague de REYNOLD et *Dans la nuit européenne* par Wladimir d'ORMESSON.

surmonter ou souffre-t-elle des maladies « mortelles » des civilisations ? En fonction de leur parti pris idéologique, partisans du Progrès et théoriciens du Déclin nous proposent sur ces thèmes deux séries de monologues. Sur les inventaires qu'ils nous proposent, ce sont les mêmes causes et les mêmes symptômes — le bien-être, la lutte des classes, la destruction des tabous[1] — qui apparaissent, munis, il est entendu, de signes contraires. La controverse est de taille. Elle n'a pourtant pas donné lieu à un véritable débat portant sur le fond du problème. La confrontation des deux thèses devrait pourtant permettre à une Europe qui hésite entre deux tentations opposées de mieux prendre conscience des choix qui s'offrent à elle.

Les « jeunes » empires issus de l'ère des révolutions rejoindront-ils l'Europe dans sa course au déclin ? Aux Etats-Unis, la célébration du deux centième anniversaire de l'indépendance a fourni récemment l'occasion d'une relecture fondamentalement pessimiste de l'*Histoire de la décadence et de la chute de l'Empire romain* de Gibbon. « Pourquoi l'Empire romain est-il tombé ? Sommes-nous les suivants ? » Voici les thèmes qui permirent aux participants d'un colloque organisé en 1976 au Woodrow Wilson International Center for Scholars, à Washington, d'examiner, sur une base comparative, la situation présente aux Etats-Unis et le déclin de la Rome antique[2]. A la fin des années 1960, un jeune historien dissident, Andreï Amalrik, fit appel au pouvoir évocateur du mythe du déclin pour conclure ses réflexions relatives à l'avenir de l'Empire soviétique. « De toute évidence », écrit-il, « si la futurologie avait existé dans la Rome impériale où, comme on le sait, l'on construisait déjà des maisons de six étages et où existaient des toupies d'enfant mues par la vapeur, les futurologues du Ve siècle auraient prédit pour le siècle suivant la construction d'immeubles de vingt étages et l'emploi industriel de machines à vapeur. Et pourtant, comme

---

1. Voir l'article de Israël SCHENKER, The Bicentennial of Decline and Fall, *International Herald Tribune*, du 14 novembre 1975.
2. Le bien-être est présenté à tour de rôle comme l'indice le plus sûr et comme la mesure d'une décadence morale irréversible. La lutte des classes est perçue comme un phénomène-« moteur » qui fait avancer les sociétés bloquées ou encore comme la variante moderne des luttes de familles, de clans ou de classes qui, en affaiblissant la cité, l'a livrée à la merci d'un envahisseur intérieur ou extérieur.

nous le savons, les chèvres paissaient sur le Forum au VIᵉ siècle, tout comme sous mes fenêtres, aujourd'hui, dans mon village »[1].

Les idéologies du Progrès et du Déclin nous mettent en communication avec les mythes les plus anciens de l'humanité. Elles renouvellent, en les adaptant aux exigences d'une époque éprise de formules scientifiques ou pseudo-scientifiques, l'attente confuse d'une période de fin et de renouveau. La théorie du Progrès est une variante tardive du mythe judéo-chrétien de l'Apocalypse. Celle du Déclin nous renvoie à un mythe plus ancien encore et nous parle du fond de notre « enfance » — l'aube de la civilisation antique — du dépérissement fatal de tout ordre construit. L'histoire de notre civilisation est inaccomplie. Le mythe lui donne un prolongement en condensant sous la forme d'un récit prémonitoire la fin des civilisations dont il garde la mémoire.

Qu'est-ce que le déclin ? Quelle est la culture de la décadence ? Quel est le cheminement de l'idée qui sert de matériaux aux philosophies politiques modernes et qui nous propose ses modèles aussi bien que ses héros ? Avant d'aborder l'étude du déclin en tant que mythe moderne, examinons les connotations fécondes du vocable et relevons deux traits qui établissent sa configuration actuelle : son aspect « prospectif » et la « créativité » qui lui est propre.

VARIATIONS LEXICOLOGIQUES

Le vocable du déclin se réfère, en premier lieu, comme nous l'avons vu, à un sentiment d'absence, ses matériaux provenant d'une synthèse en voie de désintégration. Il fait état d'*abandon* (de valeurs traditionnelles), de *dissolution* (du lien social), de *perte* (de mémoire collective) ou encore d'*oubli* (de coutumes, de savoir-faire). C'est négativement qu'il se définit, en partant de ce qui n'est plus. Le *crépuscule* de la civilisation parachève le cycle annoncé par l'aube. La « nuit européenne » clôt l'histoire d'une journée ensoleillée. Le concept de la *stérilité* — mis en valeur en particulier par Thomas Mann dans sa biographie d'un artiste moderne. Le *Docteur Faustus* — garde la nostalgie

1. Andreï AMALRIK, *L'Union soviétique survivra-t-elle en 1984 ?* Paris, Fayard, 1970, p. 102.

de l'élan créateur. Le *chaos* du moment du déclin fait allusion au pouvoir organisateur (comme l'esprit critique de l'homme moderne est la réplique du décadent à la créativité de l'artiste de la plénitude). Le décadent a d'ailleurs le regard fixé sur le primitif. Il trouve chez lui le modèle, inimitable, d'une vitalité non médiatisée. Contrairement au primitif qui a l'avenir devant lui, le décadent est le témoin d'une histoire qui l'a entraîné « tout au long d'une courbe déclinante », ou encore l'épave d'un « naufrage lointain »[1]. Parmi les survivants des civilisations englouties, c'est l'Indien lacandon qui personnifie le pathétique de la décadence. Vivant de cueillette, de chasse dans les forêts tropicales de l'Etat de Chiapas, il est incapable de déchiffrer les glyphes qui ornent les temples construits par ses ancêtres lointains, à l'apogée de leur splendeur.

Le mot se charge cependant de références positives. Il est paradigme de *douceur* (que l'on songe aux dernières heures de l'Ancien Régime, évoquées avec force par Talleyrand), de *gaieté* (et c'est la Belle Epoque qui vient immédiatement à l'esprit). En raison de la destruction de tabous et d'interdits qui tiennent l'homme prisonnier d'un système clos, il est le *libérateur du désir*. De toute évidence, le déclin est au cœur de l'équation qui relie dans sa relativité la « grande fatigue » diagnostiquée autrefois par Nietzsche à la « satisfaction des besoins » dont Marx a fait la mesure de l'âge mûr du socialisme.

Le bilan des aspects positifs et négatifs du phénomène du déclin ne peut pas être dressé avec certitude. On peut cependant affirmer en toute quiétude qu'il s'agit d'une forme particulière de créativité. Il importe donc d'examiner comment, au cœur d'une période de *déclin* — déclin de la civilisation, de la société, des mœurs, du language, de l'intelligence — se produit un phénomène d'une portée moins universelle mais qui lui donne néanmoins sa coloration particulière, la décadence.

LE DÉCLIN EN TANT QUE DISCOURS PROSPECTIF

Dans la dédicace de la première édition de l'*Essai sur l'inégalité des races humaines*, Gobineau tire de sa vision pessimiste de

---

1. Jacques SOUSTELLE, *Les quatre soleils*, Paris, Plon, 1967, p. 103.

l'histoire un schéma prescriptif de l'avenir : « Quittant peu à peu... l'observation de l'ère actuelle pour celle des périodes précédentes, puis du passé tout entier, j'ai réuni ces fragments divers dans un ensemble immense et, conduit par l'analogie, je me suis tourné presque malgré moi vers la *divination de l'avenir le plus lointain* »[1]. L'histoire n'intéresse ce grand prophète moderne du déclin que dans la mesure où elle permet l'anticipation du futur. S'il fait dans ses travaux une large place à l'analogie — c'est qu'elle sert de relais entre le récit inachevé du présent et les légendes parachevées du passé —, le *Déclin de l'Occident* de Spengler n'est qu'une autre tentative moderne de maîtriser l'avenir. L'étude comparée des civilisations qu'il entreprend est, en réalité, « une reconstitution » du destin de la civilisation occidentale « dans ses phases non encore écoulées ». Processus qui englobe la vie de plusieurs générations, le déclin est une « phase de l'histoire universelle embrassant plusieurs siècles, au commencement de laquelle nous vivons aujourd'hui »[2]. (La notion du commencement pourrait prêter au malentendu. En effet, au moment ou Spengler entreprend, en 1912, la rédaction du *Déclin de l'Occident*, la civilisation « faustienne » a déjà parcouru une étape essentielle de son déclin. Elle dispose d'un temps considérable encore : le laps de quelque trois siècles ! Une longue arrière-saison ensoleillée — l'automne — précède la sévérité de l'hiver.)

LE DÉCLIN EN TANT QUE CRÉATIVITÉ

> « *La décadence se manifeste en premier lieu dans les arts : la* « *civilisation* » *survit un certain temps à leur décomposition* ».
>
> E.-M. CIORAN, Précis de Décomposition.

Le mot bien connu de Burckhardt, « nous sommes les tard venus de l'humanité », pourrait bien servir d'épigraphe aux divers mouvements poétiques et artistiques décadents ou « décadentistes »[3].

1. Paris, Pierre Belfond, 1967, p. 25, mes italiques.
2. *Le déclin de l'Occident*, Paris, Gallimard, 1948, première partie, p. 15.
3. Particulièrement attentif à ce qui a, parmi les hauts faits d'une culture de transition, valeur de présage, Burckhardt tient la décadence pour un phéno-

Ce qu'on désigne par décadence est en réalité « maturité complète », « civilisation extrême » et « couronnement des choses », déclare Théophile Gautier. Parvenu au point de « maturité extrême que déterminent les soleils obliques des civilisations qui vieillissent : style ingénieux, compliqué, savant, plein de nuances et de recherches, reculant toujours les bornes de la langue », l'art décadent exprime des « idées neuves avec des formes nouvelles »[1]. La décadence a sa levure, affirme Huysmans[2]. Enivré par les « pensées raffinées d'extrême civilisation », Verlaine fait l'éloge du mot « décadence », « tout miroitant de pourpre et d'or ». Il évoque une phase particulière de l'esthétique avec sa grammaire, sa syntaxe qui n'a rien à envier au classicisme dont elle charrie les matériaux. Le poète décadent représente un moment particulier du mouvement créateur et se trouve sur un pied d'égalité avec les poètes qui ont su créer en se conformant aux règles d'un art poétique stable et généralement admis. Le couchant a sa beauté tout comme le midi éclatant du jour.

Il s'agit d'être, pour le poète, de son temps, affirme dans le manifeste du mouvement décadent le poète Anatole Baju, fondateur de la revue *Le Décadent.* « Les Anciens étaient de leur temps. Vapeur et électricité sont les deux agents indispensables de la vie moderne. Nous devons avoir une langue et une littérature en harmonie avec le progrès de la science. N'est-ce

mène interne. Ce dernier ne saurait être expliqué par conséquent par une contamination provenant de l'extérieur. « Dans la nature, la destruction n'est due qu'à des causes extérieures : catastrophes terrestres ou climatologiques, étouffement des espèces faibles par les plus hardies et des nobles par de plus vulgaires. En histoire, la chute est toujours préparée par une décadence intérieure, un épuisement. Une petite secousse extérieure suffit alors pour tout ébranler (*Considérations sur l'histoire universelle*, Paris, Payot, 1971, p. 164).

1. Notice à l'édition de 1868 des *Fleurs du mal*, pp. xv-xvii, mes italiques.
2. Huysmans aperçoit dans les excès d'une créativité débridée la nature profonde de la décadence. Il remarque au sujet de Mallarmé, praticien par excellence d'un art poétique décadent : « La décadence d'une littérature, irréparablement atteinte dans son organisme, affaiblie par l'âge des idées, épuisée par les excès de la syntaxe, sensible seulement aux curiosités qui enfièvrent les malades et cependant pressée de tout exprimer à son déclin, acharnée à vouloir réparer toutes les omissions de jouissance, à léguer les plus subtils souvenirs de douleur à son lit de mort, s'était incarnée en Mallarmé, de la façon la plus consommée et la plus exquise » (*A rebours*, vol. VII des *Œuvres complètes*, Paris, Les Ed. G. Crès & Cie, 1928, p. 303).

pas notre droit ? Et c'est ce qu'on appelle la décadence ? Décadence, soit. Nous acceptons le mot. Nous sommes des *Décadents*, puisque cette décadence n'est que la marche ascensionnelle de l'humanité vers des idéaux réputés inaccessibles »[1]. L'écrivain qui veut assumer sa responsabilité envers la société doit prendre fait et cause pour le camp décadent. C'est en s'alignant sur cette position que Zola salue les œuvres de décadence « où une sorte de sensibilité maladive remplace la santé plantureuse des époques classiques » et déclare être résolument de son âge (*Mes Haines*, p. 55).

L'esthétique de la fin du monde est la dernière étape du décadentisme. « Christophe Colomb de la musique concrète », le compositeur Pierre Henry déclare ainsi : « La fin du monde est proche. » Il ajoute : « Cette idée influence beaucoup mon œuvre. D'ailleurs, cette fin du monde a déjà commencé, elle se réalise un peu tous les jours : il ne s'agit pas d'une catastrophe, nucléaire ou autre, mais d'une *lente dégradation inéluctable*. » Du pressentiment de la fin à l'œuvre placée sous le signe du déclin, le chemin est tout tracé. « J'essaie de traduire cette idée dans ma musique, en « salissant » certains sons qui étaient beaux... »[2]. Par cette phrase, Henry englobe une part considérable de la « production » musicale ou picturale de son époque dans l'univers esthétique du déclin.

La notion de la décadence en tant que créativité n'appartient plus au seul monde occidental. Sur l'autre rive de la Méditerranée, le romancier et essayiste marocain Abdelkébir Khatibi l'intègre en ces termes dans sa vision : « Ce mot me semble à la fois doué de positivité et au-delà de toute positivité. La décadence n'est-elle pas un équilibre bien énigmatique entre la vie et la mort des sociétés » et, en tant que tel, la promesse d'une « survivance infinie »[3] ?

Principe actif qui cherche à dévaloriser l'acquis du passé plus qu'elle ne s'en proclame l'héritière, la décadence fonde

---

1. Cité par Noël RICHARD, *Le mouvement décadent : dandys, esthètes et quintessents*, Paris, Nizet, 1968, p. 25.
2. Pierre HENRY à *L'Express* : En attendant la fin du monde, *L'Express*, 6-12 décembre 1976.
3. Entretiens avec Abdelkébir Khatibi, *Le Monde*, du 14 février 1978.

65

sur la notion d'absence[1] — absence de foi, de tradition, de contraintes — une philosophie et une morale nouvelles : la philosophie existentialiste de la liberté et le pessimisme actif. L'Occident n'est désormais qu'une « tombe vide », proclame Kierkegaard. Tout un secteur de la culture intellectuelle et artistique moderne se réclame du vide diagnostiqué par le philosophe danois. Parmi les œuvres qui sont à inscrire à l'actif du pessimisme européen, mentionnons les futurologies tragiques de Burckhardt et de Nietzsche; les études comparatives des civilisations de Danilewsky, Spengler, Toynbee, Kroeber, Sorokine; l'ethnographie; la futurologie américaine. La décadence a ses chefs-d'œuvre : les drames musicaux de Wagner; l'art romanesque de Flaubert, de Huysmans; l'esthétisme d'Oscar Wilde, Stefan George, D'Annunzio. Elle trouve aussi un décor à la hauteur de sa sensibilité : Venise, qui devient le lieu de pèlerinage de plusieurs générations d'écrivains, de Barrès à Paul Morand, en passant par Thomas Mann (et le cinéaste Visconti).

BREF APERÇU HISTORIQUE :
LA FIN DE LA RENAISSANCE

« L'univers tombera en paralysie; l'un membre sera perclus, l'autre en vigueur », écrit Montaigne en prévision de l'entrée prochaine du monde indien sur la scène de la civilisation. Les habitants du Nouveau-Monde — le membre en vigueur de l'humanité — sont restés proches de la création. Ainsi représentent-ils, face au monde usé de l'Occident, un potentiel humain inentamé. Est-ce dire par là que le rôle historique de l'Europe est terminé ? Montaigne a beau interroger les grands classiques à ce sujet. S'ils sont fascinés par la fragilité de toute chose humaine, ils ne disent rien de définitif. Lucrèce lui-même ne conclut-il pas, dans deux textes différents il est vrai, et à la santé robuste et à la décrépitude de l'univers ?

Santé ou délabrement ? Progrès ou déclin ? Machiavel et Guichardin, qui partagent le scepticisme profond de l'auteur des

---

1. Le thème de l'absence est repris dans plusieurs ouvrages récents. « L'Europe est comme morte, le silence et l'absence », écrit, au terme d'une analyse de trente ans d'intégration européenne, Jean-François DENIAU (L'Europe interdite). « Absente à elle-même, l'Europe est également absente des grands événements du monde », remarque de son côté Maurice LE LANNOU (Europe, Terre promise).

Essais, nous intéressent plus par les questions qu'ils posent que par leurs réponses. Pendant plus de deux siècles, la pensée européenne oscille entre ces deux extrêmes, tout en favorisant l'une ou l'autre des alternatives en fonction de l'heure ou de l'événement. Les *philosophes* nous frappent encore par leur attitude de girouettes, tout en indiquant par leurs volte-face inattendues que l'idéologie du progrès et l'intuition du déclin sont issues d'une même situation historique : l'ouverture de l'Europe sur le monde et le déclin concomitant de l'autorité en matière religieuse et culturelle. Théorie du déclin et théorie du progrès sont très largement contemporaines, la liberté de l'esprit autorisant aussi bien la confiance dans la créativité illimitée de l'homme que l'angoisse devant la « dévaluation » définitive de toutes les valeurs.

« Nous sommes dans le temps de la plus horrible décadence », constate Voltaire en 1770. Le philosophe de Ferney aperçoit des phénomènes décadents au sein d'une époque placée dans son ensemble sous le signe des *Lumières.* Le déclin de l'Italie aux xvie et xviie siècles, de l'Espagne au xviie, ne donnent pas lieu à des généralisations aboutissant au mouvement décadent de tout un continent. Au xixe siècle, l'Europe aura ses *hommes malades,* rôle assumé à tour de rôle par l'Empire ottoman, la Russie et l'Autriche-Hongrie. (La Turquie ne s'occidentalise qu'en épousant le style même de la décadence européenne. Que l'on songe aux palais monumentaux que les sultans font ériger vers le milieu du xixe siècle sur les rives du Bosphore : fastes reproduisant la délicatesse « barbare » de l'Orient et la décadence faite architecture de l'Occident.)

Jusqu'au lendemain des guerres napoléoniennes, l'esprit européen hésite entre les tentations du Progrès et les délices illicites du Déclin. George Sand situe en 1828 le grand tournant — le moment où l'idée du Progrès l'emporte sur sa rivale, en 1818. Jusqu'à ce moment-là « on aimait tant les anciens qu'on n'admettait guère l'idée du progrès. On était persuadé que l'esprit de l'homme repasse toujours par les mêmes phases, et ... on croyait plus à la roue qui tourne sur elle-même qu'à la roue qui avance en tournant »[1].

1. *La confession d'une jeune fille,* Paris, 1865, t. i, pp. 179-180.

« Je détruis
Ce que je bâtis !
J'abandonne mon œuvre,
Je ne veux qu'une chose,
La fin —
La fin ! »
Wotan.

WAGNER, La Walkyrie,
acte II, sc. 2.

L'interprétation monarchiste et catholique de la Révolution française; les théories de Malthus; le romantisme; la réaction conservatrice devant la montée des classes ouvrières perçues en tant que « barbarie intérieure » (Lord Macaulay) ; l'affirmation d'une Russie « barbare » face à un Occident exsangue et condamné (Bakounine, Herzen)[1], voici les sources principales du pessimisme européen, du début du XIXe siècle aux futurologies tragiques de Burckhardt et Nietzsche. Pendant ce demi-siècle, l'idée du déclin est très largement minoritaire (exception faite peut-être du romantisme qui est imprégné d'un sentiment tragique du futur). « Il était sans espoir », remarque John Ruskin, en parlant, dans les *Peintres modernes*, de John Turner. Un Chateaubriand tient ainsi progrès et déclin pour les traits complémentaires d'une même époque de transition. La France est alors l'Etat le « plus mûr et le plus avancé » : celui même qui présente les symptômes les plus caractéristiques d'une décadence généralisée.

Dans l'imagerie confuse d'une civilisation en transformation perpétuelle, l'esprit hésite entre l'absolu de deux interprétations opposées. « Si tout ne démontrait pas que la société est entrée dans une crise de régénération, je croirais à l'irrésistible décadence et à la fin de la civilisation », écrit peu avant sa mort

---

1. L'Europe est un « vieillard vénérable qui a beaucoup fait, fera peut-être quelque chose encore, mais qui est vieux », note Herzen en emboîtant le pas à Bakounine et à la première génération des révolutionnaires russes qui pillent la philosophie allemande à la recherche de formules subversives contre l'Ancien Régime tzariste. Il oppose bien entendu la Russie — « jeune vaurien emprisonné » — à l'Europe car elle est, malgré ses déliquescences, porteuse d'avenir.

Proudhon[1]. Parmi les théoriciens du socialisme anarchiste, l'auteur d'une *Philosophie du Progrès* est le seul à se demander à cette époque si le socialisme n'est pas une des maladies d'une société bourgeoise en pleine décomposition. Sa théorie fédéraliste, personnaliste d'une société recréée à partir de ses éléments constitutifs — la commune, la cité — est l'effort de toute une vie pour conjurer les forces obscures d'une fin de civilisation qui entraîne forces du progrès et éléments du déclin dans sa chute. Dans *La ruine du monde antique*, Sorel s'interrogera sur l'avenir du socialisme en comparant les derniers siècles de la culture gréco-romaine avec la phase présente de la civilisation occidentale. L'avènement du socialisme pourrait entraîner une longue période de stérilité comme le christianisme a mis plusieurs siècles pour surmonter le climat de déclin qui a suivi la prise de pouvoir[2]. Dans le sillage des réflexions de Sorel, Edouard Berth qualifie le socialisme utopique et cérébral de son temps d'un aspect décisif de la décadence moderne; il est, selon le théoricien de l'anti-intellectualisme anarcho-syndicaliste, la « dissolution contemporaine poussée à ses dernières conséquences »[3]. Aucun espoir, même celui d'un renouveau socialiste, n'altère la « sensation d'un vide immense et horrible » qu'éprouve l'homme au seuil du XXe siècle[4].

Pendant toute cette période-là, malgré l'éclat du romantisme et l'ascendant croissant du pessimisme de Gobineau, l'idée du déclin est nettement minoritaire. Son statut intellectuel est ambigu. Ce n'est que dans le dernier tiers du siècle qu'elle acquiert de nouveau droit de cité, grâce à l'enseignement de Burckhardt à Bâle et à l'effort de Nietzsche d'interpréter l'œuvre musicale de Wagner en terme de décadence. Cette période se termine par la publication du premier volume du *Déclin de l'Occident*, en 1918, et la grande vague du pessimisme

1. Cité par SWART, *The Sense of Decadence*, p. 103.
2. « On sait, aujourd'hui, que les invasions des Barbares étaient bien peu redoutables : mais le gouvernement romain se trouvait aussi faible que l'Ancien Régime devant les émeutes révolutionnaires; Honorius ressemble à Louis XVI » (*La ruine du monde antique*, Paris, Rivière, 1908, p. 45).
3. Edouard BERTH, *Les méfaits des intellectuels*, Paris, Marcel Rivière, 1914, p. 75.
4. Edouard BERTH, *La fin d'une culture*, Paris, Marcel Rivière, 1927, p. 215.

qui déferle sur le continent, associant vainqueurs et vaincus dans la solidarité d'une même civilisation à la dérive.

Le pessimisme moderne a toujours le *locus* antique sous ses yeux. D'une manière générale, c'est le déclin du monde hellénistique, sanctionné par les invasions barbares et par la chute finale, qui sert de paradigme à la réflexion européenne sur la crise des civilisations. Commenter l'actualité artistique — ou l'évolution des mœurs — en l'analysant à la lumière de la Rome de la *dolce vita* devient monnaie courante. Je ne cite qu'un exemple particulièrement frappant. « Nous vivons un moment fantastique de l'histoire de l'humanité : la mort d'une civilisation », déclare à un hebdomadaire parisien le cinéaste italien Roberto Rosselini. « La civilisation occidentale — ... — va disparaître. C'est très excitant. En l'an 370 après Jésus-Christ, saint Ambroise... prêchait à Rome contre les hommes qui s'habillaient en femmes et les femmes en hommes. Trente ans plus tard, les Barbares étaient là. Notre monde est décadent, de nouveaux barbares viendront mais, en fin de compte, je crois qu'il deviendra meilleur »[1].

Le pessimisme antique : « Tu dois savoir que ce monde est déjà dans son vieil âge. Il n'a plus la vigueur ni la force qui le recommandaient autrefois... Le laboureur dans les champs a moins de vigueur, de même que les marins sur la mer et, dans les camps, les soldats. L'intégrité fait défaut au Forum, la justice au prétoire, la concorde dans les amitiés, l'habileté dans les arts, la règle dans les mœurs », écrit saint Cyprien vers le milieu du IIIe siècle[2]. Deux siècles plus tôt Sénèque a déjà formulé en ces termes ses appréhensions devant un avenir fermé : « Quand viendra le temps où le monde finira par se renouveler, les choses actuelles se détruiront d'elles-mêmes, les astres se précipiteront en désordre les uns sur les autres, et la nature tout entière ayant pris feu, tout ce qui brille en ce moment par son harmonie, sera consumé par un seul feu. »

Parmi les causes du déclin, ce sont les thèmes bien connus du pessimisme moderne qui reviennent le plus souvent chez

1. ROSSELINI : J'ai choisi d'être utile, *Le Nouvel Observateur*, du 10 au 16 février 1975.

2. Cité par Santo MAZZARINO, *La fin du monde antique*, Paris, Gallimard, 1973, pp. 38-39.

les auteurs antiques (« païens » ou chrétiens) : la décadence des arts (Petrone), de l'éloquence (Tacite, Quintilien), des mœurs (Cicéron), les effets débilitants de la prospérité, du luxe (Polybe) et, surtout, l'absence d'hommes véritablement grands et la massification concomitante de la société (Cicéron, Polybe).

DÉCLIN ET IDÉOLOGIE FASCISTE

L'histoire du pessimisme européen ne saurait être identifiée durablement avec un courant quelconque de la pensée politique moderne. Un théoricien de la droite monarchique tel que Joseph de Maistre n'hésite pas à confondre, certes, le recul des forces conservatrices avec le déclin de toute une civilisation (« Je meurs avec l'Europe », se lamente-t-il en 1819)[1]. Chez un Sorel, cependant — théoricien d'un anarcho-syndicalisme se réclamant aussi bien de Proudhon que de Marx —, l'élaboration d'une théorie active du prolétariat a pour toile de fond l'alternance de *corsi* et de *ricorsi* en histoire. La théorie marxiste ignore la notion du déclin ou plutôt la tient pour un phénomène partiel — alors que la théorie du déclin englobe tous les secteurs d'une civilisation donnée dans son mouvement général —, le déclin d'une classe encore dominante dans l'ombre de laquelle une autre classe rassemble les forces vives de l'avenir.

Si l'idée du déclin ne se situe donc « congénitalement » ni à gauche, ni à droite, le pessimisme profond de l'idéologie fasciste est à relever ici : pessimisme qui éclate au grand jour dans la préface de Mussolini au *Prince* de Machiavel et qui, dans l'Allemagne hitlérienne, remet la notion anachronique de *ragnarök*. Il ne s'agit pas de la dénonciation somme toute tactique de la décadence du capitalisme, du parlementarisme, mais du pressentiment des futurs échecs du mouvement nazi lui-même.

Un incident rapporté par Albert Speer dans ses mémoires éclaire admirablement le pessimisme qui sous-tend l'idéologie

1. En commentant le destin tragique de Marie-Antoinette, BURKE constate la fin de l'esprit de chevalerie en France et en conclut au déclin inévitable de notre continent : « ... l'âge de la chevalerie est passé. Celui des sophistes, des économistes et des calculateurs lui a succédé : la gloire de l'Europe est à jamais éteinte », *Réflexions sur la Révolution française*, Paris, Nouvelle Librairie nationale, p. 123.

hitlérienne. Jeune architecte marqué par la lecture, quelques années auparavant, de Spengler, Speer présente deux maquettes différentes de la tribune du Zeppelinfeld[1] dont Hitler lui commande la construction. La première maquette représente l'édifice tel qu'il doit être au moment de son inauguration. La seconde, par contre, essaie de l'imaginer sous forme de ruines, tel qu'il pourrait être après quelques siècles d'abandon. Dans l'entourage de Hitler, l'idée qu'un jour les monuments du Reich hitlérien pourraient être voués à l'oubli passe pour « blasphématoire ». « Le seul fait d'avoir imaginé une période de déclin pour ce Reich à peine fondé et qui devait durer mille ans fut considéré par beaucoup comme scandaleux »[2].

A l'opposé des dignitaires de son régime, Hitler trouva que l'idée relevait d'une « logique lumineuse ». Aussi ordonna-t-il de construire non seulement le Zeppelinfeld, mais les édifices les plus importants du Reich selon la « loi » implacable des « ruines ». (On sait qu'un jour il s'exclama : « Nous disparaîtrons peut-être. Mais nous entraînerons avec nous tout un monde. »)

« Dans son effort pour abolir les valeurs chrétiennes et retrouver les sources spirituelles de la « race », c'est-à-dire du paganisme nordique, le national-socialisme a dû nécessairement s'efforcer de ranimer la mythologie germanique », écrit Mircea Eliade[3]. « Or, dans la perspective de la psychologie des profondeurs, pareille tentative était proprement une invitation au suicide collectif : car *l'eschaton* annoncé et attendu par les anciens Germains est la *ragnarök*, c'est-à-dire une « fin du monde » catastrophique; elle comporte un combat gigantesque entre les dieux et les démons, qui s'achève par la mort de tous les dieux et de tous les héros et par la régression du monde dans le chaos. »

1. Lieu de réunion dans la banlieue de Nuremberg où se célébraient les grandes fêtes de l'Empire hitlérien.
2. Voir Albert SPEER, *Au cœur du Troisième Reich*, Paris, Fayard, 1971, pp. 80-82. Les mémoires de Speer permettent de mesurer l'influence du *Déclin de l'Occident* sur une certaine jeunesse allemande. « Le livre de Spengler... m'avait convaincu que nous vivions dans une période de décadence, dont les symptômes, inflation, décadence des mœurs, impuissance de l'Etat, rappelaient l'époque du Bas-Empire romain », p. 24. Plus tard, il identifiera Hitler avec l'*imperator* qui seul peut réfuter les « sombres prédictions de Spengler ».
3. Mircea ELIADE, *Mythes, rêves et mystères*, Paris, Gallimard, 1957, p. 25.

« Nous sommes à bout de souffle, rien ne renaîtra plus de nous dans les formes que nous connaissons, la force de création ne reprendra en Europe qu'après de terribles dissolutions », s'écrie le héros de Drieu La Rochelle dans *Une femme à sa fenêtre*[1]. « Il y a quelque chose qui finit irrémédiablement », lit-on encore dans *Drôle de voyage*. « L'art, le sexe, donnent des signes de détresse. » L'engagement de Drieu du côté des fascismes européens s'explique par le désir de surmonter la « grande fatigue » qu'il accuse de ses insuffisances grâce à une nouvelle « barbarie » élémentaire. « Je suis fasciste parce que j'ai mesuré les progrès de la décadence en Europe »[2].

L'antisémitisme virulent de Céline a pour arrière-fond la vision d'une décomposition sociale généralisée. Je cite un passage choisi au hasard dans *L'école des cadavres* : « Nous disparaîtrons corps et âme dans ce territoire comme les Gaulois, ces fols héros, nos grands dubonnards aïeux en futilité, les pires cocus du christianisme. Ils nous ont pas laissé vingt mots de leur langue. De nous, si le mot « merde » subsiste ça sera bien joli. »

GOBINEAU OU SPENGLER ?

Le 19 mars 1912, Arnold Toynbee fait la route de Khandara à Palaikastro, à la pointe orientale de la Crète. En contournant le contrefort d'une montagne, il se trouve devant les ruines d'une villa, qui avait dû être évacuée par ses occupants au début de la guerre turco-vénitienne de 1645-1669. « En Angleterre », écrit Toynbee en se souvenant plus tard de cette révélation, « une maison de campagne de l'époque de Jacques Ier aurait été, à coup sûr, aussi pleine de vie en 1912 qu'elle avait été en 1645... Des vers de la *Toccata of Galuppi* de Robert Browning me trottait alors dans la tête et, en un éclair, il m'est venu à l'esprit que l'Empire britannique pourrait subir le même sort que l'Empire vénitien »[3].

Tous les éléments d'une philosophie pessimiste de l'histoire

1. Pierre DRIEU LA ROCHELLE, *Une femme à sa fenêtre*, Paris, Gallimard, 1930.
2. Pierre DRIEU LA ROCHELLE, *Le Français d'Europe*, Paris, Gallimard, 1933.
3. *L'Histoire*, Paris, Elsevier, 1964, p. 482.

sont réunis dans ce bref passage de l'historien britannique : les ruines d'une civilisation engloutie ou arrêtée; le pouvoir évocateur de l'analogie; l'idée que toutes les civilisations sont mortelles; le pressentiment de la fin lointaine de la civilisation occidentale. La fin prend ici la forme d'un « chant de cygne » étiré sur plusieurs siècles; elle est en même temps le prélude à un renouveau, l'histoire se composant d'un nombre indéfini de cycles plus ou moins analogues. (Toynbee dénombre vingt-six civilisations « achevées ». Spengler tient compte de sept civilisations ayant parcouru toutes les phases d'un cycle qui va du printemps de la culture à l'hiver de la civilisation, en passant par l'été et l'automne : le moment même où le théoricien du déclin prend conscience du fait que l'apogée de l'ordre culturel se situe derrière lui.)

Toynbee n'est pas le seul voyageur à être frappé par la valeur analogique des ruines de civilisations disparues. Le *locus classicus* du mythe du déclin est le récit de voyage d'un « touriste » français qui, publié en 1791, contribuera une génération plus tard à l'éveil de la sensibilité romantique : *Les ruines* de Volney. « Que sont devenues tant de brillantes créations de la main de l'homme ? Où sont-ils ces remparts de Ninive, ces murs de Babylonie, ces palais de Persépolis, ces temples de Balbeck et de Jérusalem ?... J'ai visité les lieux qui furent le théâtre de tant de splendeur, et je n'ai vu qu'abandon et solitude. » Les sites qu'il visite évoquent dans son esprit, à titre prospectif, les ruines des capitales culturelles ou politiques de son temps. « Qui sait si sur les rives de la Seine, de la Tamise ou du Zuydersee, là où maintenant, dans le tourbillon de tant de jouissance, le cœur et les yeux ne peuvent suffire à la multitude des sensations; qui sait si un voyageur comme moi ne s'assoiera pas un jour sur de muettes ruines, et ne pleurera pas solitaire sur la cendre des peuples et la mémoire de leur grandeur ? (*Les ruines*, Paris, 1824, pp. 4-9).

« Où est Carthage ? où est Ninive ? » se lamente Delacroix qui tient le XVIe siècle pour le point culminant du grand cycle de la peinture européenne. La « perpétuelle décadence » dont il est témoin date de ce moment-là. L' « ouragan » qui déferle sur le XIXe siècle déposera peut-être de « nouveaux germes » sur le sol épuisé de notre civilisation. Les « éternelles alternatives de grandeur et de misère » qui donnent à l'histoire sa configuration ont besoin de plusieurs siècles pour que le *nouveau* succède à l'*ancien* épuisé[1].

En 1919, alors que « les circonstances qui enverraient les œuvres de Keats et celles de Baudelaire rejoindre les œuvres de Ménandre... sont dans les journaux », Paul Valéry reprend à son compte les évocations prophétiques de Volney. Les noms « beaux » et « vagues » d'Elam, Ninive, Babylone font surgir de la mémoire du futur les ruines de Londres, Paris, Berlin. « Nous autres civilisations, nous savons maintenant que nous sommes mortelles »[2].

Sommes-nous, en tant qu'humanité, les descendants d'une création unique ? Ne succédons-nous pas à une première civilisation disparue à jamais ? Et les hommes de l'avenir n'auront-ils pas pour ancêtre un nouvel Adam et une nouvelle Eve ? se demande Jules Verne dans L'*éternel Adam* au terme de sa vie. Les habitants de Hars-Iten-Schu ignorent l'existence d'un *avant* civilisateur jusqu'à ce qu'ils découvrent le fragment du journal d'un rescapé de l'humanité présente, disparue dans un naufrage planétaire. « En vérité, nous commencions à nous habituer à notre épouvante. A mesure que nous avancions, nous pointions notre route sur les cartes et nous disions : « Ici, c'était Moscou... Varsovie... Berlin... Vienne... Rome... Tunis... Tombouctou... Saint-Louis... Oran... Madrid... », mais *avec une indifférence croissante* et, l'accoutumance aidant, nous en arrivions à prononcer *sans émotion* ces paroles, en réalité si tragiques », dit le chroniqueur qui parcourt en bateau les hauts lieux de la planète engloutie sous les eaux[3]. Le *locus classicus* du mythe du déclin féconde l'humus fragile du lieu commun.

Un autre mythe se développe en interprétation philosophique/scientifique de l'histoire : le mythe de l'âge d'Or. Ici, ce n'est pas la civilisation qui est le sujet de l'histoire, mais l'humanité prise dans son ensemble. Le déclin de celle-ci s'accomplit en fonction d'une trajectoire unique, le processus de dégradation commençant au lendemain pour ainsi dire de la création.

1. *Journal*, Inscriptions du 2 septembre 1854 et du 13 janvier 1857.
2. La crise de l'esprit !, dans *Variété I*, Paris, Gallimard, 1924, p. 27.
3. L'éternel Adam, *Hier et demain*, Paris, Librairie Hachette, 1967, p. 246. Mes italiques.

(Une troisième théorie du déclin, particulièrement répandue au siècle des Lumières, présente l'histoire comme l'alternance de périodes de régénération et de régression, sans subordonner le mouvement pendulaire à des lois historiques intelligibles.) Si Gobineau est le représentant principal de ce courant, un Ernest Flammarion, un Jacques Soustelle ou un Claude Lévi-Strauss donnent à la théorie de l'entropie son prolongement jusqu'à nos jours.

« La chute des civilisations est le plus frappant et en même temps le plus obscur de tous les phénomènes de l'histoire », note Gobineau dans l'*Essai sur l'inégalité des races humaines*. Dans l'ouvrage de ce grand pessimiste, l'inégalité des époques historiques se profile derrière l'inégalité des races. L'histoire est un long processus de déclin qui, grâce à une erreur d'optique propre à l'homme moderne, apparaît comme un phénomène de montée : le lent cheminement de l'homme vers l'ère de l'unité : le *one world*, la pensée planétaire. Elle évolue à partir des trois grandes races qui composent l'humanité et dont le mélange progressif aboutit à deux phénomènes à première vue contradictoires : la création des civilisations et l'abâtardisation progressive du capital biologique initial. L'homme va vers la fin et il arrivera « dégradé », suggère Gobineau. Grâce à une métaphore darwinienne, il ajoute que l'homme ne descend pas du singe; au contraire il va vers lui.

Chez Gobineau, le mythe de la race s'appuie sur un mythe personnel pittoresque. Il trace les origines de sa famille — famille de commerçants bordelais qui possède des terres et des seigneuries — à travers Ottar Jarl, un viking conquérant, jusqu'à Odin et le temps originel de la mythologie nordique[1]. Il n'en souffre pas moins de cette fatigue biologique dont D. H. Lawrence et Drieu La Rochelle deviendront, un siècle à peine plus tard, les analystes incomparables.

Astronome et auteur bien connu d'ouvrages de vulgarisation scientifique, Ernest Flammarion devient, à la fin du siècle, le poète de la *dernière tribu* qui, mourant de faim et de froid sur les rivages d'une mer desséchée, met fin à une aventure qui, de chute en chute, conduit l'humanité à l'extinction. L'humanité

1. *Histoire d'Ottar Jarl*, Paris, 1879.

n'est d'ailleurs rien d'autre qu'une boule misérable jetée dans un « tas de cendres ». « Le monde commence sans l'homme et s'achèvera sans lui », déclame Lévi-Strauss dans *Tristes tropiques*. Le théoricien de l'anthropologie structurale tient la Création pour le seul moment vraiment grand de l'histoire. La « première démarche » de l'homme est la seule qui soit « entièrement valable ». Dans ses ouvrages, le mythe de l'âge d'Or — lié à celui du Bon sauvage — acquiert le statut d'une discipline scientifique : l'ethnographie.

LE HÉROS DE L'ÉPOPÉE DU DÉCLIN

Le déclin a, comme le renouveau — la Renaissance ou la révolution — ses héros, ces êtres exemplaires qui incarnent par leurs actes la tentation majeure de leur temps.

Le héros du déclin est-il le grand destructeur qui défait de l'intérieur l'ordre d'un édifice patiemment construit par plusieurs générations de héros fondateurs ou, au contraire, rassemble-t-il les forces encore saines pour faire reculer, du moins momentanément, les menaces qui pèsent sur le cercle étroit et fragile de la civilisation ? Est-ce Néron ou Marc Aurèle ? Ou, plus près de notre temps, Hitler ou de Gaulle ?

Dans les années 1930, l'éditeur de Drieu La Rochelle annonce une biographie de Marc Aurèle. La figure de l'empereur philosophe qui guerroie sans fin sur les frontières septentrionales de l'Empire contre l'envahisseur barbare, sans jamais lui infliger des pertes décisives, est le « défenseur » par excellence de l'Occident[1]. Le sens du devoir et l'échec de son action font de lui l'archétype du *pessimiste actif*, le même pessimisme qui définit la mission du général de Gaulle dans *Les chênes qu'on abat...* d'André Malraux. Le personnage de ce fragment des *Antimémoires* se compare au héros du *Vieil homme et la mer* de Hemingway. Comme ce dernier, il échoue dans sa mission : « Je n'ai rapporté qu'un squelette. » Soustraire la France au climat du déclin, voici ce qu'il avait tenté. « J'ai tenté de (la)

1. Citons encore le célèbre poème du Hongrois Andor KOSZTOLANYI, *Marcus Aurelius*.

dresser contre la fin d'un monde. Ai-je échoué ? D'autres verront plus tard. Sans doute assistons-nous à la fin de l'Europe.» En proie au nihilisme, l'Europe est condamnée à mourir car « aucune civilisation ne peut vivre sans valeur suprême. Ni peut-être sans transcendance ». De Gaulle — le de Gaulle du mythe dont Malraux est l'architecte — croit-il lui-même à la mission qu'il s'assigne ? « Pourquoi faut-il que la vie ait un sens... ? », se demande-t-il, en répétant la question du romancier qui élève le fait historique au niveau de la légende.

Au-delà du présent, c'est l'histoire romaine qui apporte au poète décadent l'iconographie du déclin. Je ne mentionne qu'en passant l'œuvre de Pétrone, maintes fois pillée par les cinéastes qui mettent en scène nos *dolce vita* modernes. Les figures des grands empereurs des derniers siècles de l'Empire proposent des analogies saisissantes avec les Nérons et Caligulas de notre temps[1]. Potentat ivre de sang et de chaos, Néron illustre l'esthétisme barbare d'un règne sans finalité. *Algabal* de Stefan George[2] met en scène le prêtre-roi qui s'isole dans un empire souterrain où règne une terreur psychologique prémonitoire de la torture de la gestapo. (Plus tard, Camus empruntera encore à l'histoire de la Rome antique Caligula, le symbole de l'arbitraire totalitaire.) Le xixe siècle débute par l'intronisation des héros vertueux de la République romaine. Un siècle plus tard, ce sont les empereurs de la décadence qui prennent la place des Brutus et des Horace. *En moins de cent ans, l'Europe parcourt, dans l'imagination de ses écrivains, plusieurs siècles d'histoire romaine.* C'est une belle illustration de la notion de l'accélération du temps.

Le xxe siècle fait appel au héros anonyme pour crier son désespoir devant le déclin : *l'homme sans qualités ; le petit homme* impuissant devant le pouvoir impersonnel du monde moderne; l'homme sans nom (« K » dans le château de Kafka »[3]), ou

---

1. Dans *Le faux Néron (Der falsche Nero)*, de Lion FEUCHTWANGER, Hitler porte la toge de l'empereur romain.
2. Il s'agit de Héliogabale.
3. D'après Gustav Janouch, Kafka a analysé les problèmes de son époque en termes de décadence : « Si tout était détruit, nous aurions atteint du coup le point de départ d'une nouvelle évolution possible. Mais nous n'en sommes pas encore là. Le chemin qui nous a conduits jusqu'ici a disparu et, avec lui, également

encore l'homme jeté dans un monde visqueux et saisi par un sentiment irrésistible de nausée. (Antoine Roquentin est l'homme du déclin, tout comme les personnages de Becket, anti-héros d'un anti-théâtre tourné vers le néant ou l'apocalypse.)

LE MYTHE DE JULIEN

Le mythe de Julien — de l'empereur philosophe qui tente d'arrêter l'affaiblissement intérieur de l'Empire en rétablissant l'hellénisme dans sa splendeur d'autrefois, mérite un examen particulier ici. C'est Gibbon, l'historien de la *Décadence et de la chute de l'Empire romain,* qui en jette les fondements à la veille de la Révolution française. Cet « homme extraordinaire » (Gibbon) qui s'élève, grâce à ses qualités morales et intellectuelles, à son courage et au respect dont il entoure la notion antique de l'homme et de la cité, est le premier grand homme d'Etat de l'Empire depuis la mort d'Alexandre Sévère. S'il n'échappe pas à la « contagion de son siècle » et en partage parfois le fanatisme, il est le héros authentique de l'esprit du pluralisme. Pendant son règne éphémère, il abolit le « système de despotisme oriental que Dioclétien, Constantin et les patientes habitudes de quatre-vingts années avaient établi dans l'Empire »[1]. Il congédie l'armée d'espions, d'agents et de délateurs que son prédécesseur a engagés à son service « pour assurer le repos d'un seul homme, au dépens de celui de tous les citoyens de l'empire »[2]. Victime de l'illusion esthétique — il est l'adorateur de l'Empire païen des dieux — il fonde son éthique politique sur le polythéisme et le respect fondamental des libertés humaines. Malgré sa supériorité sur ses adversaires chrétiens, c'est l'échec devant l'histoire qu'il incarne. Il n'arrête pas le déclin qui, après sa mort inutile, reprend sa marche.

Chez Benoist-Méchin, l'Apostat devient le vrai réformateur

---

toutes les perspectives d'avenir qui nous étaient communes jusqu'à présent. Nous ne vivons plus qu'une longue chute sans espoir... Nous ne vivons pas dans un monde *détruit,* nous vivons dans un monde *détraqué* » (Gustave JANOUCH, *Conversations avec Kafka,* Paris, Les Lettres nouvelles, p. 135.

1. Edward GIBBON, *Histoire de la décadence et de la chute de l'Empire romain,* traduit par M.-F. GUIZOT, Paris, Maradan, 1812, t. IV, p. 355.

2. *Ibid.,* p. 353.

de l'époque hellénistique. « ... Julien savait que si les dieux l'avaient conduit jusqu'à cette terrasse surélevée (Benoist-Méchin dramatise constamment le récit), c'était pour empêcher le monde de périr, de céder à ce vertige du néant auquel il semblait sur le point de succomber. Avec l'aide d'Hélios, il le saisirait à pleins bras pour lui insuffler une vie nouvelle. Il régénérerait les âmes, reconstruirait les temples, relèverait les sanctuaires »[1]. Ce n'est pas seulement l'espérance des milieux aristocratiques et intellectuels du paganisme qu'il incarne, mais l'esprit des libertés et des responsabilités locales. Il n'y a pas d'avenir inéluctable, proclame-t-il en prenant le contre-pied d'une évolution historique séculaire. Mais, si le talent et la pureté du cœur sont de son côté, la victoire appartient au camp chrétien, sorti fortifié d'une longue période de persécution. Héritier de Marc Aurèle dont il a longuement médité l'exemple, il laisse une œuvre inachevée, falsifiée, la tolérance dont il avait fait preuve dans la conduite des affaires étant présentée désormais comme l'intolérance.

Chez Louis Rougier — auteur de *Celse contre les chrétiens*, récemment réédité, Julien est le défenseur ultime du « miracle grec ». « La plus belle définition de l'hellénisme se trouve dans l'ouvrage que Julien écrivit contre les chrétiens, où il met en parallèle les bienfaits du génie hellène avec l'apport du génie hébreu »[2]. En examinant la réaction païenne sous l'Empire romain, Rougier oppose le « Dieu de Celse », un « dieu patricien, celui des âmes fières qu'on prie debout et le front haut », au Dieu des « Galiléens » (terme par lequel Julien désigne les chrétiens). Le vrai débat entre les païens de l'Empire christianisé et les chrétiens est le débat entre une religion polythéiste et par conséquent tolérante, et une religion par excellence exclusive d'autres croyances. Malgré le culte qu'il voue au « Soleil invincible », Julien devient le héros du relativisme et, sur le plan politique, de l'Empire « républicain » respectueux des lois de la cité. Face à la notion orientale, despotique de l'Empire[3],

1. *L'empereur Julien ou le rêve calciné, 331-363*, Paris, Librairie académique Perrin, 1977, p. 260.
2. *Celse contre les chrétiens*, Paris, Copernic, 1977, p. 29.
3. ... Celse n'avait pas tort, qui diagnostiquait dans le triomphe de la religion nouvelle la ruine du monde antique (p. 101).

Julien est le précurseur du renouveau païen qui, à travers le néo-paganisme de la Renaissance, impose au monde à venir la nécessité d'un pluralisme vital.

UNE UTOPIE MODERNE ?

> « *Si une révolution menée à la fin est une régénération, une révolution manquée est une cause d'affaissement et de décadence.* »
>
> PROUDHON, Les Majorats littéraires.

Maladie de la durée qui fait miroiter la promesse de longues rémissions et qui donne aux civilisations l'illusion de plusieurs siècles d'existence larvée entrecoupée de Renaissances, le déclin est peut-être la dernière en date de nos utopies. Elle apparaît — pour être aussitôt dénoncée —, dans le grand roman d'époque de Thomas Mann, *La montagne magique*. Dans l'isolement d'un sanatorium suisse pour tuberculeux — qui tient lieu d'île, symbole des utopies de tout temps —, une petite communauté représentative de la société européenne à la veille de la « Grande Guerre » fait l'expérience du déclin. La tuberculose est la métaphore d'une maladie insidieuse de la civilisation qui imprègne la vie quotidienne par ses règles minutieuses. Entièrement vécu, le mal avance, recule, régresse, sans jamais lâcher sa proie. Le malade, qui croit l'avoir maîtrisé, est entièrement soumis à son pouvoir, et ceci d'autant plus qu'il obtient sa coopération, voire sa complicité. La tuberculose, comme toutes les maladies de la civilisation, dépend de l'assentiment tacite du malade, propose Mann. La guerre qui éclate met fin à cette suspension initiatrice du temps, l'illusion du déclin — le temps long, infiniment clément — se brisant contre l'intrusion de l'événement.

Une civilisation peut-elle s'installer dans le déclin, le transformer en durée et, en l'apprivoisant, en faire une nouvelle finalité ? Plus d'un commentateur moderne tire de l'histoire de l'Empire romain l'espoir d'un déclin occidental doux et ensoleillé. Je cite à témoin un ouvrage du « pape » de la futurologie américaine, Herman Kahn, qui souligne le fait que la civilisation hellénistique a duré, envers et malgré tout, bien quelques siècles. Pendant cette période-là, les gens vivaient « relativement bien » et accomplissaient des « choses remarquables ». Il ajoute : « Si une culture et une société syncrétiques « occidentalistiques » peuvent se développer à partir de l'expérience occidentale aussi bien que la culture hellénistique le fit à partir de l'hellénique, nous pourrons nous estimer satisfaits »[1].

En guise de conclusions, citons une phrase particulièrement lucide de Nietzsche. « De la part des philosophes et des moralistes, c'est abuser de croire échapper à la décadence du seul fait que l'on prend parti contre elle. Il n'est pas en leur pouvoir d'y échapper : ce qu'ils choisissent comme moyen, comme planche de salut, n'est en fin de compte également qu'une manifestation de décadence. »

Renvoyer dos à dos théorie du déclin et théorie du progrès — le refus sans motif aussi bien que l'adhésion complaisante —, voici la seule attitude qui s'impose, ni l'une ni l'autre n'offrant des possibilités réelles pour permettre à l'Europe de s'engager dans un avenir qui n'est pas, pour paraphraser Denis de Rougemont, *leur* affaire.

1. Herman KAHN et B. Bruce BRIGGS, *A l'assaut du futur*, Paris, Laffont, 1973, p. 114.

LIVRE III

le mythe de la société nouvelle

remarques préliminaires

L'écrivain utopique est avant tout un constructeur. La démarche de romancier qu'il adopte pour transformer un projet théorique en expérience vécue ne modifie en rien le théoricien qui modifie de main de maître les rapports humains en fonction d'une idée. L'univers du mythe n'est pourtant pas étranger au constructivisme utopique. La présentation d'Icarie, par Etienne Cabet, comme une « seconde *Terre promise*, un *Eden*, un *Elysée* », ou encore comme « un nouveau *Paradis terrestre* », n'a donc rien de surprenant. Cabet fournit une description idyllique de sa cité idéale en préambule de son « roman » : « Arbres, fruits, fleurs, animaux de toute espèce, tout y est admirable; les enfants y sont tous charmants, les hommes vigoureux et beaux, les femmes enchanteresses et divines... Les crimes y sont inconnus : tout le monde y vit dans la paix, les plaisirs, la joie et le bonheur »[1]. Cabet n'est pas le seul écrivain utopique à moderniser, à adapter à la morale du travail, le mythe de l'âge d'Or. Du fond de sa prison, il s'arme des « lumières » du mythe pour esquisser la géométrie sociale d'une théocratie universelle organisatrice : « L'impiété, les fraudes, les mensonges, les querelles s'enfuiront, les agneaux ne craindront pas le loup, ni les troupeaux le lion, les tyrans apprendront à régner pour le bien du peuple, l'oisiveté cessera en même temps que le rude labeur, car divisé entre tous le travail est un jeu »[2].

Le jeune Bostonien qui s'endort, dans l'utopie « militariste » d'Edward Bellamy *(Looking backwards)* pour se réveiller au début du xxie siècle a pour guide une future Bostonienne, la « fille glorieuse d'un âge d'Or renouvelé »[3]. William Morris, qui rêve d'une perfection anti-autoritaire et oppose au roman utopique de Bellamy l'idylle d'une nouvelle Angleterre moyen-âgeuse, compare son utopie à un « vaste jardin » — le « Paradis terrestre » — et la race nouvelle qui l'habite, à la « seconde enfance de la planète »[4]. Dans *Walden Two*, le dictateur behavioriste de Skinner qui donne à son projet de perfection une base scientifique salue l'« aube de l'âge d'Or » qui pointe enfin sur le ciel de l'espérance[5]. Avant d'examiner le renouveau du mythe édénique chez Novalis et, pour préparer notre analyse du mythe chez Marx, chez Morris, examinons brièvement le *Locus Classicus* des conjectures édéniques modernes, Virgile.

L'ÂGE D'OR ET LE « SAUVEUR »

Chez Hésiode, l'âge d'Or se situe comme on le sait, à l'origine de l'aventure humaine. C'est à Virgile, le poète de la

1. Etienne CABET, *Voyage en Icarie*, réimpression anastatique de l'édition de Paris, au Bureau populaire, 1848, Préface de Henri DESROCHES, p. 3.
2. Cité par Luigi FIRPO dans son Introduction à la traduction française de la *Cité du Soleil* (Genève, Droz, 1972), p. xxxv.
3. Edward BELLAMY, *Looking backwards*, Boston et New York, Riverside Paper Series, 1890, p. 420.
4. William MORRIS, *News from Nowhere or an Epoch of Rest*, Londres, Routledge & Kegan Paul, 1970, p. 116.
5. B. F. SKINNER, *Walden Two*, New York, Macmillan, 1971, p. 91.

célèbre *Quatrième Eglogue*, que le visionnaire collectiviste ou socialiste d'un âge d'Or industriel doit s'adresser s'il veut introduire dans sa futurologie un âge d'Or à venir. Chez Virgile, la nostalgie d'un premier âge de perfection s'enrichit de deux traits profondément novateurs : l'avènement d'une nouvelle race humaine et l'apparition d'un être providentiel, le Sauveur, l' « enfant chéri des dieux » qui renouvelle de fond en comble l'expérience humaine grâce à ses qualités de *leadership*. « Il est venu ce dernier âge prédit par la sibylle de Cumes », écrit Virgile; « le grand ordre des siècles épuisés recommence : déjà revient Astrée, et avec elle le règne de Saturne; déjà du haut des cieux descend une race nouvelle. Cet enfant dont la naissance doit bannir le siècle de Fer et ramener l'âge d'Or dans le monde entier, daigne, chaste Lucine, le protéger ! »[1].

LE SAUVEUR CHRÉTIEN DE NOVALIS

> *« Patience seulement : il viendra, il faut qu'il vienne le temps sacré de l'éternelle paix, où la nouvelle Jérusalem sera faite capitale du monde. »*
>
> NOVALIS, L'Europe ou la Chrétienté.

Examinons à titre d'appui, comme étape décisive, mais nullement unique, de l'actualisation, au seuil de l'époque moderne, de la tradition virgilienne de l'âge d'Or, le messianisme poétique de Novalis. Dans *L'Europe ou la Chrétienté*, le poète des *Hymnes à la nuit* annonce la venue d'un « nouvel âge édénique au regard sombre et infini », le « temps grandiose de la réconciliation »[2]. Il réunit, en prévision de ce temps, les

---

1. *Œuvres, Les Bucoliques, Eglogue IV*, pp. 80-83.
2. « Jamais je n'ai vu ainsi le pur éclat de la jeunesse », écrit Friedrich von Schlegel en relatant, dans une lettre adressée en février 1792 à son frère August Wilhelm, ses premières conversations avec Novalis; « il m'a développé ses opinions avec intensité et avec feu l'un des premiers soirs : qu'il n'y a dans le monde point de Mal, absolument rien de mauvais, et que tout de nouveau s'approche l'âge d'Or », voir *Les romantiques allemands*, présentés par Armel GUERNE, Paris, Desclée de Brouwer, 1963, p. 274.

signes précurseurs d'une nouvelle Europe chrétienne. « Tout n'est qu'indication, à l'état brut et sans nulle cohérence; mais l'œil historique y perçoit une universelle Individualité, une Histoire nouvelle et une nouvelle Humanité »[1]. Comme chez Virgile, l'âge d'Or projette sur la scène de l'histoire — et en vue de son abolition nouvelle — un type d'homme inconnu jusqu'ici[2]. Et, comme dans la *Quatrième Eglogue*, c'est un « Sauveur », un « pur génie », qui accomplira le passage de l'âge de Fer présent dans l'âge d'Or qui s'approche.

L'avènement d'un âge d'harmonie futur est désormais lié à l'action « ponctuelle » d'un Sauveur providentiel (le *novus dux*) et à l'apparition d'un nouveau type d'homme, l'*homme nouveau*. Le Sauveur donnera naissance à tous les Sauveurs individuels (le Duce, le Führer, le Caudillo, le leader maximo) et collectif (l'élite saint-simonienne, le Parti bolchevique, le prolétariat, etc.), alors que l'homme nouveau peuplera les haras où l'on mettra au point l'homme germanique nouveau ou bien l'on organisera l'éducation de l' « homme communiste » en vue d'une Terre promise somme toute déjà atteinte...

LE MONDE NOUVEAU DE L'ÂGE D'OR

> « ... la mission de ma vie semble devoir être de préparer la population du monde entier à comprendre l'énorme importance de la seconde création de l'humanité. »
>
> Robert OWEN,
> The Life of Robert Owen, by Himself.

« Le Rubicon entre le Vieux Monde immoral et le Nouveau Monde moral est définitivement franchi », écrit Robert Owen dans le premier numéro de *The New Moral World*. « C'est... le grand avènement du monde, la deuxième venue du Christ... La première venue du Christ était la révélation partielle de la

---

1. NOVALIS, Europe ou la Chrétienté, dans *Œuvres complètes*, t. I, Paris, Gallimard, 1975, p. 319.
2. « L'esprit de Dieu flotte sur les eaux; et c'est une île céleste, demeure des hommes nouveaux et réceptacle de vie éternelle, qui la première apparaît dans les vagues qui se retirent », *ibid.*, p. 317.

Vérité à quelques-uns... La seconde venue du Christ fera connaître la Vérité au plus grand nombre... Le temps est par conséquent arrivé quand le *milleneum* tant attendu va commencer »[1]. Déjà en 1826, devant les sociétaires de la Communauté d'Egalité, à New Harmony, il a annoncé le début d'une ère nouvelle. Se situant à la frontière de deux créations, le Sauveur a pour mission de libérer l'humanité — en commençant par un groupe d'êtres élus — des institutions qui ont, depuis le début des temps historiques, limité son existence : la propriété privée, la religion et le mariage. New Harmony, ce berceau d'un nouvel âge d'Or, est à proprement parler à mi-chemin entre le passé et l'avenir. Mais l'avenir — le *milleneum* — arrive comme « un voleur dans la nuit ». D'un instant à l'autre, il peut faire basculer le présent du côté d'un âge d'harmonie de mille ans... Transformer l'homme en transformant son environnement, voici l'impératif du message owenien.

Il arrive à Owen de penser cependant que l'avenir a déjà commencé[2]. En rédigeant sa Déclaration de l'Indépendance mentale, en 1826, il s'inspire de la Déclaration d'Indépendance américaine en 1776. La *New Harmony Gazette* fête l'avènement de l'an 1 et date ses éditions à partir de la « Première Année de l'Indépendance mentale ». Les numéros de 1827 sont datés de la « Seconde Année de l'Indépendance mentale » mais, comme c'est souvent le cas en matière de journalisme millénariste, la publication harmoniste a cessé de paraître avant le début de la troisième année...

1. Cité par J. F. C. HARRISON, *Robert Owen and the Owenites in Britain and America*, p. 133.

2. « Le jour de votre délivrance est arrivé », annonce Owen aux habitants de New Harmony; « unissons donc nos cœurs et nos mains pour étendre cette délivrance d'abord à ceux qui sont près de nous, pour inclure progressivement tous ceux qui sont plus loin, jusqu'aux limites les plus éloignées de la planète », *ibid.*, p. 106. Dès 1817, OWEN proclame prophétiquement que : « CETTE GÉNÉRATION NE MOURRA PAS TANT QUE TOUT N'AURA PAS ÉTÉ ACCOMPLI. » (Cité par William E. WILSON, *The Angel and the Serpent. The Story of New Harmony*, Bloomington, Indiana University Press, 1964, p. 95).

« *Nous sommes un peu agités ici par nombre de projets de réforme sociale. Pas un homme sachant lire et écrire qui n'ait dans la poche de son gilet le brouillon d'une nouvelle communauté.* »

Lettre de Ralph Waldo Emerson
à Thomas Carlyle, 1840.

Voyage en Icarie est peut-être la première utopie à être conçue comme un programme d'action potentiel, un projet de société à servir de constitution à la cité idéale de l'avenir. Les projets de réforme sociale dont parle Emerson qui héberge le futur auteur de *Walden*, Henry David Thoreau, sont, dans le Nouveau Monde, en proie à une ferveur messianique inouïe, les documents fondateurs d'autant d'expériences pratiques en utopie. Weitling, Cabet et nombre de réformateurs fouriéristes emboîtent le pas à Owen pour mettre en pratique leur projet de renouveau. Grâce à l'esprit d'utopie en éveil, le mythe impose le modèle d'un premier âge d'Or sur l'événement. Le discours prononcé par Charles Dana devant la New England Fourier Society de Boston en 1844 est à citer ici : « Notre but ultime n'est rien de moins que le Ciel sur Terre, la transformation de cette planète, exhalant aujourd'hui des vapeurs pestilentielles et dominée par des climats profondément hostiles à l'homme, en une demeure de beauté et de santé, ainsi que la restitution à l'humanité de l'image divine depuis si longtemps perdue et oubliée »[1]. L'image divine perdue et oubliée est, sans doute, celle d'un premier âge de bonheur et d'unité. (Remémorée périodiquement, à vrai dire, par les plus grands poètes de l'Occident.)

Wilhelm Weitling, dont l'influence sur le jeune Marx — et le jeune Bakounine — est bien connue, joue également un rôle de premier plan parmi les réformateurs qui veulent transformer le « jardin » de Jefferson en un vaste laboratoire social. Auteur de plusieurs pamphlets millénaristes, Weitling fait rééditer à New York, dans la collection de son *Arbeiterbund*, le petit traité du « réformateur » suisse Andreas Dietsch, *Le Reich millénaire*

---

1. Charles DANA, *Association and Its Connection with Education and Religion*, Boston, Benjamin H. Greene, 1844, pp. 25-26.

(Das tausendjährige Reich). En rédigeant la constitution de la colonie que Dietsch avait fondée dans l'Iowa, Communia, et dont il supervise de New York les premiers pas (il n'y en aura pas beaucoup d'autres), il s'inspire très largement de sa visée messianique. Je cite à titre d'exemple ces phrases tirées d'un discours qu'il a prononcé devant les sociétaires de Communia : « Nous sommes arrivés ici le jour du Vendredi Saint. Le samedi suivant nous avons enterré le vieux Judas de la discorde et le dimanche, le jour de Pâques sanctifié de l'*Arbeiterbund*, nous avons fêté la résurrection à la gloire éternelle de notre bonne cause »[1].

L'ÂGE D'OR ET LE SOCIALISME

Dans les doctrines du socialisme, la notion de l'âge d'Or se confond avec le projet de société « scientifique », industriel et organisateur qu'il propose. C'est un écrivain socialiste « mineur » que je cite pour illustrer la visée paradisiaque du credo socialiste, car il exprime une idée généralement répandue avec une netteté qui fait parfois défaut aux théoriciens principaux du mouvement : « Que le siècle d'Or ait existé dans les temps primitifs, je le veux bien, mais ce qui nous importe à nous, c'est le moyen de le faire renaître, et de concilier l'application des principes de justice et d'égalité sociale, avec les progrès des sciences et de l'industrie »[2].

Une identification par trop absolue du socialisme moderne avec une vision sans relevance historique suscite chez Sorel, et surtout chez Edouard Berth, une condamnation sans appel du socialisme « utopique » et « édénique » : « Le socialisme rêve d'une société sans contrainte, une société où le droit, la propriété, la famille et l'Etat auraient disparu, pour faire place à « une entière communauté de biens et d'amours ». Ce serait le régime polynésien — et vous pouvez aller au fond de tous les systèmes, socialistes, communistes, anarchistes, vous ne trouverez, en dernière analyse, rien d'autre que le rêve d'un retour à

1. Cité par Carl WITTKE, *The Utopian Communist*, p. 256.
2. F. VILLEGARDELLE, *Histoire des idées sociales avant la Révolution française, ou les Socialistes modernes, devancés et dépassés par les anciens penseurs et philosophes*, Paris, 1846, p. 46.

cet état de nature qui caractérise la vie du Polynésien, c'est-à-dire, au fond, que le socialisme, avec ses variantes innombrables, n'est qu'une négation pure et simple de la civilisation, un aspect de la décadence moderne, la dissolution contemporaine poussée à ses dernières conséquences et passant à la limite »[1].

L'ÂGE D'OR ET LA DROITE : JOSEPH DE MAISTRE

L' « idolâtrie des commencements » dont font preuve les théoriciens du socialisme caractérise aussi bien la pensée de la gauche que celle de la droite. Nourrie de la même aspiration à l'unité — mais mobilisant des secteurs parallèles de la sensibilité postrévolutionnaire — la droite monarchique et catholique participe, elle aussi, à l'idéal de perfection sociale de l'âge d'Or. Pour Joseph de Maistre, ainsi, l'histoire n'est rien d'autre que le cheminement de l'humanité, par le détour du mal et du péché, vers la redécouverte progressive des lois d'une « science primitive » perdue. L'intégration du thème du « triomphe final des origines » dans la « pensée réactionnaire » est cependant moins heureuse que sa naturalisation en territoire socialiste. « Ainsi qu'en témoigne la fortune du marxisme, on gagne toujours, sur la place de l'action, à placer l'absolu dans le possible, non point au début mais au terme du temps », remarque à ce sujet E. M. Cioran. « Maistre le situa dans le révolu »[2].

LE DOUTE DE DOSTOÏEVSKI

Obéissance sans bornes, dépersonnalisation absolue, voici les principes clés du chigaliovisme, ce système élaboré par le « théoricien » du groupe de Verkhovensky dans les *Démons* de Dostoïevsky. Présenté comme un créateur de systèmes dans le genre de Fourier, mais plus « audacieux » et plus « fort que l'inventeur du phalanstère », Chigaliov a pour point de départ théorique la liberté illimitée de l'individu. Si c'est au despotisme le plus total qu'il aboutit en parachevant son système, c'est en quelque sorte involontairement, et sans que ce système

---

1. Edouard BERTH, *Les méfaits des intellectuels*, Paris, Rivière, 1912, pp. 74-75.
2. E. M. CIORAN, *La pensée réactionnaire*, Paris, Fata morgana, 1977, p. 37.

de concentration cesse d'actualiser le rêve obsédant du « paradis terrestre ». (« Ce que je propose (c'est) le paradis, le paradis terrestre, répète Chigaliov, et il ne peut y en avoir d'autre. ») Un dixième des hommes vivant au sein de la nouvelle société édénique jouira d'une liberté sans limites ; les neuf autres dixièmes seront abaissés au rang du troupeau : « Maintenus dans une soumission sans bornes, ils atteindront, en passant par une série de transformations, *à l'état d'innocence primitive*, quelque chose comme l'*Eden primitif*, tout en étant astreints au travail »[1].

Le mythe de l'âge d'Or comme justification des formes modernes de l'esclavage ! Les méfaits d'une telle manipulation du mythe à des fins « pragmatiques » ne sont qu'apparents. On peut en effet se demander si l'âge d'Or n'a pas pour fonction essentielle de dévaloriser systématiquement le présent, l'histoire, de « démasquer » ces figures de l'imperfection qui ont pour nom l'individu et la liberté... Car, face à l'absolu, les créations de l'homme ne font pas le poids. La comparaison tourne immanquablement à l'avantage du mythe. Celui-ci devient de manière naturelle l'instrument d'une critique sociale qui se veut aveniriste, sans attaches avec le monde des contingences, comme si ce point de vue ne représentait pas une autre réalité infra-historiques, à proprement parler totalitaire.

SUR LA STRUCTURE DE CE LIVRE

La notion de la Fin absolue, et l'absolu d'un Nouveau Commencement, voici la clé de voûte de la futurologie owenienne, cabétienne, fouriériste. Elle est aussi la pierre angulaire de la futurologie marxienne, comme nous le verrons tout à l'heure.

Si, d'une manière générale, le « merveilleux révolutionnaire » de Bakounine et des théoriciens libertaires (et « autoritaires ») du socialisme reste profondément tributaire du mythe, le merveilleux esthétique du romantisme, du décadentisme, de la modernité en procède de manière évidente. Le culte de l'inconnu

---

1. Fedor DOSTOÏEVSKI, *Les démons*, Paris, Gallimard, 1955, collection de la Pléiade.

— et l'expérience poétique placée sous le double signe de l'aventure et de l'illimité (Apollinaire) — infléchit la créativité artistique vers une finalité humaine universelle. C'est peut-être William Blake qui exprime le mieux la vocation messianique du poète : « La nature de mon œuvre est visionnaire ou imaginative; il s'agit d'une tentative de restaurer ce que les anciens avaient appelé l'âge d'Or» (*Vision du jugement dernier*). Les mythes centraux de la modernité réunissent dans un même schéma mobilisateur, et ceci au gré de transpositions dont nous ne manquerons pas de souligner l'importance, la notion de l'apocalypse et de l'idylle, même si les modernités idéologiques et artistiques, en fin de compte, poursuivent des voies parallèles, et souvent imprévisibles.

Age d'Or et idéologie; âge d'Or et modernité artistique, voici les deux orientations majeures de ce Livre.

Le premier chapitre a pour objet l'examen des notions de l'avenir et de la société nouvelle dans la pensée de Karl Marx, choisi ici en raison de sa volonté de se soustraire à l'empire du mythe.

Le chapitre II présente, à travers ses figures essentielles, la mythologie du renouveau telle qu'elle préside à l'élaboration de la culture artistique moderne.

la société nouvelle :
mythe et science
dans la pensée de Karl Marx

« Jusqu'ici on a pensé que la création du mythe chrétien sous l'Empire romain n'avait été possible que parce que la rotative n'avait pas encore été inventée. Mais c'est juste le contraire : la presse quotidienne et le télégraphe qui répandent les inventions de la presse en quelques secondes dans le monde entier fabriquent plus de mythes en un seul jour qu'il ne s'en produisait autrefois en un siècle », écrit Marx en juillet 1871 à Kugelmann. Non seulement il est conscient du rôle que joue le mythe dans le monde moderne, mais il formule, dès 1852, dans *Le 18 Brumaire de Louis Bonaparte*, une théorie compréhensive du mythe politique. Examinons l'interprétation marxienne du mythe en préambule à l'analyse des fondements mythiques de la pensée de Marx entreprise ici à titre d'exemple.

« Les hommes font leur propre histoire, mais ils ne la font pas arbitrairement, dans les conditions choisies par eux, mais dans des conditions directement données et héritées du passé. La tradition de toutes les générations mortes pèse d'un poids très lourd sur le cerveau des vivants. Et même quand ils semblent occupés à se transformer, eux et les choses, à créer quelque chose de tout à fait nouveau, c'est précisément à ces époques de crise révolutionnaire qu'ils évoquent craintivement les esprits du passé, qu'ils leur empruntent leurs noms, leurs mots d'ordre, leurs coutumes, pour apparaître sur la nouvelle scène de l'histoire sous ce déguisement respectable et avec ce langage emprunté »[1].

1. Karl MARX, *Le 18 Brumaire de Louis Bonaparte*, Paris, Ed. Sociales, 1976, p. 15.

C'est en obéissant aux lois de l'histoire qui veulent que le nouveau se manifeste sous des formes empruntées au passé, en fidélité aux archétypes qui servent de fil conducteur aux périodes historiques qui se répètent[1], qu'un Luther prend le masque de l'apôtre Paul et que la Révolution française « se drape successivement dans le costume de la République romaine, puis dans celui de l'Empire romain ». La Révolution de 1848 ne sait « rien faire de mieux que de parodier tantôt 1789, tantôt la tradition révolutionnaire de 1793 à 1795 »[2]. En procédant aux emprunts qui donnent à l'événement — et aux acteurs qui le façonnent — une identité de façade, tout un peuple « se trouve brusquement transporté dans une époque abolie » et fait apparaître les « anciennes dates, l'ancien calendrier, les anciens noms, les anciens édits tombés depuis longtemps dans le domaine des érudits et des antiquaires... »[3].

Magnifier les « nouvelles luttes », exagérer dans « l'imagination la tâche à accomplir », retrouver l'esprit de la révolution, voici la fonction historique du mythe politique. Mais si Cromwell et le peuple anglais empruntent à l'Ancien Testament « le langage, les passions et les illusions nécessaires à leur révolution bourgeoise », une fois leur véritable but atteint, le mythe est écarté pour laisser apparaître les forces qui ne peuvent jusque-là avancer que masquées. De la même manière, en se drapant dans le costume romain, en se servant de la « phraséologie romaine », Camille Desmoulins, Danton, Robespierre et leurs amis accomplissent une tâche — l'instauration de la société bourgeoise — dont ils ne peuvent pas proclamer ouvertement la finalité.

S'agit-il, dans les expériences dont Marx dresse l'inventaire, de l'emploi plus ou moins conscient du mythe de la part d'un groupement d'hommes, d'un parti ou d'une classe, pour dissimuler ses véritables objectifs, ou de manifestations historiques de caractère répétitif qui, d'une époque à l'autre, révèlent la structure mythologique du devenir humain ? Tout en reconnaissant la valeur opérationnelle du mythe dans l'histoire, Marx en limite la validité dans le temps. Si, d'une manière générale, il admet que

1. Les termes « archétype » et « répétition » ne sont pas, bien entendu, de Marx !
2. Karl MARX, Le 18 Brumaire de Louis Bonaparte, pp. 15-16.
3. Ibid., p. 17.

toutes les situations révolutionnaires de l'histoire européenne ont été régies jusqu'ici en fonction d'un même archétype, il nie d'avance le caractère mythique des révolutions futures. Celles-ci ne tireront pas leur poésie du passé, mais de l'avenir, écrit-il en oubliant qu'au fond de tout avenir se cache la puissance du passé prêt à se révéler. « Les révolutions antérieures avaient besoin de réminiscences historiques pour se dissimuler à elles-mêmes leur propre contenu. La Révolution du XIXe siècle doit laisser les morts enterrer leurs morts pour réaliser son propre objet »[1].

Qu'est-ce qui permettra aux révolutions prolétariennes d'échapper à l'emprise que le mythe a de tout temps exercé sur les mouvements révolutionnaires ? De délivrer l'histoire des aspirations sociales de « toute superstition à l'égard du passé » ? Leur faculté d'exercer une attitude critique envers tout ce qu'elles entreprendront, en interrompant « à chaque instant leur propre cours », en revenant constamment sur « ce qui semble déjà être accompli », en recommençant à nouveau si les premières tentatives ne répondent pas aux objectifs qu'elles s'étaient fixés, répond Marx.

Mais peut-on échapper, du simple fait d'exercer à l'égard de sa propre action une attitude critique sans complaisance, à ce qui dans l'histoire se répète avec une obstination aussi évidente ? Œdipe ne devient-il pas l'assassin de son père parce qu'il veut échapper à tout prix à la fatalité qui le menace ? S'il pouvait rompre la chaîne qui fixe à jamais son rôle historique, Robespierre ne cesserait-il pas d'être du même coup Robespierre ? Une révolution qui n'aurait rien en commun avec les révolutions passées serait-elle encore une révolution ?

Examinons, pour répondre à cette question, la futurologie marxienne.

MARX ET LA PENSÉE PROSPECTIVE

Les considérations de Karl Marx sur la société de l'avenir ne constituent que quelques pages — non sans redites — dans l'œuvre qui englobe quarante ans de travaux scientifiques,

---

1. Karl MARX, *Le 18 Brumaire de Louis Bonaparte*, p. 18.

pamphlets politiques, articles ou lettres personnelles. L'étude des civilisations du passé qu'il a analysées en fonction de leur « mode de production » et de leur organisation sociale n'y tient qu'une place à peine plus importante. En tant qu'économiste ou sociologue — homme de science ou révolutionnaire —, Marx s'attache avec une exclusivité presque totale à l'étude du seul présent : présent qui prend dans son esprit la forme d'un « mode de production » spécifique à notre temps, le capitalisme. Ce mode, qu'il approche sous l'angle de sa structure et de son fonctionnement, ne l'intéresse cependant que dans la mesure où il lui apparaît périssable, transitoire et condamné; dans la mesure où il doit s'éclipser en faveur d'un nouveau « mode de production », le socialisme.

Ce présent est montré dans son pouvoir — ou sa nécessité interne ? — de transformation. Or, l'examen d'une création collective perçue dans son devenir revêt inévitablement l'allure d'une enquête prospective.

Tournée vers l'avenir, la pensée de Marx est-elle réellement prospective ? Prédit-il, en s'appuyant sur les signes d'une transformation radicale de la société qu'il déchiffre, l'avenir de l'homme, de la société, de la civilisation occidentale ? Entrouvre-t-il devant l'imagination occidentale éprise de l'inconnu, de l'inaccompli et de l'inconquis, un horizon nouveau ? Elargit-il, affermit-il la démarche d'une disposition d'esprit assez neuve qui ne veut connaître que pour mieux créer, ou pour approfondir le sens de son engagement ?

Pour Marx, l'avenir — qu'il s'interdit d'aborder, fût-ce « à reculons » — est le domaine de l'*inévitable*, de l'*inéluctable*. Son étude ne peut être que l'affirmation à haute voix des secrets que susurre, à voix basse, l'Histoire. Il rompt avec la tradition d'anticipation qui le porte. A l'encontre d'une pensée socialiste confiante dans le pouvoir ultime de l'amour et dans l'exigence fondamentale de la justice, *il ne suscite pas d'espoir*. *Il prodigue des certitudes*. Il confond le « il sera ainsi » de la prophétie, avec le « je veux qu'il soit ainsi » de la passion révolutionnaire. L'avenir, qu'il se refuse de décrire tout en le décrivant, a pour lui une réalité plus profonde que le passé. Affaibli par l'usure de la tradition, le passé ne fait que libérer l'homme alors que l'avenir l'engage dans une voie ferme et contraignante. L'anticipation du futur naît chez Marx d'une volonté d'action inébranlable et d'autant plus exigeante qu'elle est transposée sur le plan de l'action collective d'une classe ouvrière en voie de formation.

Marx parle de l'avenir en se refusant les différentes approches à la portée de la main : l'utopie, l'analogie et les différentes méthodes d'extrapolation fondées sur l'outil d'analyse des sciences sociales naissantes. Son attitude est antiprospective. Il n'a que des sarcasmes à l'égard de ses contemporains qui prétendent connaître l'avenir.

Marx n'évite pas pourtant les pièges contre lesquels il veut se prémunir. Je citerai deux textes qui établissent l'ambiguïté de sa position.

Le premier est extrait d'une adresse destinée au Conseil général de l'Association internationale des Travailleurs (*La guerre civile en France*) et date de 1871. Dans ce texte, en résumant l'expérience décisive de la Commune de Paris, Marx remarque que la « classe ouvrière n'espérait pas de miracles de la Commune. Elle sait que pour réaliser sa propre émancipation, et avec elle cette forme de vie plus haute à laquelle tend irrésistiblement la société actuelle en vertu de son propre développement économique, elle aura à passer par de longues luttes, par toute une série de processus historiques, qui transformeront complètement les circonstances et les hommes. Elle n'a pas à réaliser l'idéal, mais seulement à libérer les éléments d'une société nouvelle que porte dans ses flancs la vieille société bourgeoise qui s'effondre. Dans la pleine conscience de sa mission historique et avec la résolution héroïque d'être digne d'elle dans son action, la classe ouvrière peut se contenter de sourire des invectives grossières des laquais de la presse et de la protection sentencieuse des doctrinaires bourgeois bien intentionnés qui débitent leurs platitudes d'ignorants et leurs marottes de sectaires, sur le ton d'oracle de l'infaillibilité scientifique »[1]. La ligne que doit suivre le prolétariat est toute tracée, les tâches à entreprendre se précisant par l'autorévélation successive des moments qui composent la lutte ouvrière. Il n'y a pas de but à atteindre; il n'y a que le réveil progressif à un destin préordonné. Il n'est pas étonnant donc que Marx s'en prenne, dans la préface de la

1. Karl MARX, *La guerre civile en France*, Paris, Ed. Sociales, 1969, pp. 68-69.

seconde édition du *Capital,* à ses critiques, en l'occurrence comtiens, qui lui reprochent de négliger la rédaction d'un programme précis à l'usage du mouvement socialiste. « *La Revue positiviste* m'accuse d'un traitement métaphysique de l'économie, de me confiner à une analyse purement critique de faits précis, au lieu de composer des recettes (comtiennes, peut-être ?) pour la cuisine où mijote le futur. »

Point de programme *pratique,* car comme le précise le passage cité ci-haut de *La guerre civile en France,* le prolétariat ne manquera pas de puiser dans sa créativité la réponse à l'exigence de l'heure. Au lendemain de la Révolution d'Octobre qui porte au pouvoir un lecteur fervent de l'œuvre marxienne (face à un problème nouveau, « Illitch consultait toujours Marx », dira plus tard Kroupskaïa, sa veuve), Lénine reconnaît que la page de l'économie socialiste est restée d'une blancheur déconcertante. « Je ne connais pas de socialiste qui se soit occupé des (questions d'organisation de l'économie socialiste); rien n'a été écrit là-dessus ni dans les manuels des Bolchéviks, ni dans ceux des Menchéviks. » Les recherches de Marx ne vont pas dans la direction de l'élaboration même sommaire d'une politique économique postrévolutionnaire.

Le second texte de Marx qui nous intéresse ici provient des remarques qu'il a formulées au sujet d'un programme du parti ouvrier allemand (un programme *pratique)* et qui est connu sous le titre de *Critique du Programme de Gotha* (1875). Citons un passage où se décante la vision d'un *pas encore* confiant et élégiaque : « Dans une phase supérieure de la société communiste, quand auront disparu l'asservissante subordination des individus à la division du travail et, par suite, l'opposition entre le travail intellectuel et le travail corporel; quand le travail sera devenu non seulement le moyen de vivre, mais encore le premier besoin de la vie; quand, avec l'épanouissement universel des individus, les forces productives se seront accrues, et que toutes les sources de la richesse coopérative jailliront avec abondance — alors seulement on pourra s'évader une bonne fois de l'étroit horizon du droit bourgeois, et la société pourra écrire sur ses bannières : « De chacun selon ses capacités, à chacun selon ses besoins ! » »

Nous voici transportés dans un monde qui a su briser l'enchantement de l'histoire. Les thèmes centraux de la futurologie marxienne sont aisément reconnaissables; mais le penseur qui récuse, au nom de l'honnêteté révolutionnaire, la méthode prospective n'évite pas le langage de la prophétie.

Quelles sont les étapes de l'imagination anticipatrice de Marx ? Quelles sont les prévisions essentielles auxquelles aboutit celle-ci ? Enfin, quelle est la méthodologie prospective qui définit les grands axes de la « futurologie » marxienne ? C'est à ces questions que nous répondrons sommairement dans la prochaine section de ce chapitre.

PROSPECTIVE ET MATÉRIALISME HISTORIQUE : LES PRÉVISIONS DE MARX

Pensée engagée, messianique et par conséquent anxieusement ouverte sur tout indice du grand « chambardement », le marxisme ne sépare pas l'analyse de la société *en devenir* des mécanismes qui l'engagent dans une spirale ascendante. Du premier écrit de sa jeunesse jusqu'aux grands fragments de sa vieillesse, Marx reste pour ainsi dire à la hauteur de l'avenir. Ses prévisions varient peu au fil des années. La transformation technologique, économique ou culturelle du siècle ne modifie pas les données d'une science de l'avenir comme acquise d'avance. Marx, observateur de l'avenir, se préoccupe avec une insistance égale des trois grands chapitres du roman du futur.

La première période prévisionnelle englobe le temps qui reste au capitalisme avant qu'il ne sombre dans une grande faillite cataclysmique. La durée de cette période n'est pas fixée. Si, dans ses lettres Marx prévoit l'échéance prochaine de la révolution sociale — et se presse de terminer le premier volume du *Capital* avant que le déluge approchant ne le prive du loisir indispensable[1] — dans ses écrits théoriques, il ne chiffre jamais le délai imparti au capitalisme agonisant. Selon l'*Introduction de la Critique de l'économie politique* (1859), qui a ici une importance capitale, « jamais une société n'expire avant que soient développées toutes les forces productives qu'elle est assez large pour contenir », ce qui revient à dire que « jamais des rapports supé-

---

[1]. Terminer le livre « avant le déluge », voici ce qui le préoccupe en particulier en 1857 (lettre du 8 septembre).

rieurs de production ne se mettent en place avant que les conditions de leur existence ne soient écloses dans le sein même de la vieille société ». Le délai dont dispose le capitalisme ne saurait être chiffré, même s'il porte en lui les signes infaillibles de l'usure et de la déchéance.

La seconde période est celle de la rénovation révolutionnaire. Elle est la culmination de la lutte des classes et consacre la victoire définitive de la classe ouvrière. Avec la révolution, ce n'est pas une étape particulière de l'histoire européenne qui se clôt, mais toute la « préhistoire de la société humaine ».

La troisième période est celle par conséquent de la Société nouvelle. Ere de plénitude sans précédent, elle ne connaît pas de progression linéaire, bien que Marx discerne en elle une phase inférieure (qui correspond au temps mesuré de la dictature du prolétariat) et une phase supérieure, *début et fin à la fois* car, dépourvue de toute source de conflits, elle ignore le principe même du changement.

Les prévisions elles-mêmes font état d'une mutation parfois lente, parfois dramatique de l'homme — de ses aptitudes et de ses activités —, de l'économie, de la société, de la culture. Je résumerai ici en quelques points les prévisions essentielles de Marx, en commençant par l'avenir de l'homme malgré le peu d'égard que l'auteur du *Capital* témoigne envers lui.

1 / Victime d'un système d'exploitation fondé sur l'institution de la propriété privée, dominé et ne se dominant pas lui-même, l'homme réalisera une véritable *reconquête ontologique* (*Selbstveränderung*). Obligé de se prostituer sur le marché du travail il est devenu un véritable marchand d'humanité. Il est, au dire du « jeune Marx », un être intellectuellement et physiquement déshumanisé. Or, si dans la phase terminale du capitalisme, le processus de déshumanisation doit s'accélérer, sous le communisme, l'homme dépossédé rentrera en possession de ses dons.

Nous venons de nommer l'homme communiste, ou l'*homme nouveau*[1]. Trois traits complémentaires permettent de cerner son visage : l'universalité, la totalité et la désaliénation (ou rehuma-

---

1. Pour une analyse en profondeur de l'homme nouveau, voir pp. 143-157.

nisation)[1]. L'*universalité* : c'est en brisant ses particularités que l'homme réalisera pleinement sa vocation d'universalité; ou encore, en transposant dans l'existence « concrète », c'est-à-dire économique et sociale les libertés qui sont aujourd'hui limitées au seul ordre politique. La *totalité* : contrairement à l'homme spécialisé de l'univers capitaliste, l'homme futur ne sera plus mutilé par la division du travail. L'homme total développera harmonieusement tous les dons qui sommeillent en lui et se formera à tous les métiers, intellectuels ou physiques[2]. La *désaliénation* : enfin, l'homme désaliéné réconciliera son humanité ou, selon les termes des manuscrits de 1844, il retournera à lui-même : « En tant que suppression *positive* de la propriété privée, donc de l'auto-aliénation humaine, le communisme est la réappropriation réelle de l'essence humaine par l'homme et pour l'homme. C'est le retour complet de l'homme à lui-même en tant qu'être pour soi, c'est-à-dire en tant qu'être *social, humain*, retour conscient et qui s'accomplit en conservant toute richesse du développement antérieur. »

Si l'aliénation naît de l'institution de la propriété privée, comme l'affirme Marx, l'histoire est l'histoire de l'homme aliéné. La critique du capitalisme a pour arrière-fond une critique fondamentale du phénomène de la civilisation. Sa fin prévue doit par conséquent permettre la récupération d'un mode de vie an-historique, archaïque et nécessairement... mythique. Dans la figure de l'*homme nouveau*, le moderne réactualisera l'homme du passé profond tout en préservant certains aspects de l'acquis historique.

2 / L'autochangement de l'homme culminera dans la mutation du *travail* en tant qu'expression de l'humanité de l'homme. Dans le régime de la propriété privée le travail est « extérieur » à l'ouvrier; ce dernier se nie dans son travail au lieu de s'y affirmer. Le travail n'est pas la satisfaction d'un besoin, mais

1. Je traduis le concept négatif de l'aliénation *(Entfremdung, Verfremdung, Entäusserung)* en terme positif. Le « retour aux origines » est un acte affirmateur, au même titre que les autres conquêtes de la révolution sociale.
2. Marx n'hésite pas à parler d'une société future où les hommes iraient à la pêche le matin, à l'usine l'après-midi pour réserver la fin de la journée à la culture philosophique.

seulement un moyen de satisfaire un besoin en dehors du travail. Sous le communisme, de simple « moyen de vivre », le travail deviendra le « premier besoin d'existence ».

3 / La dernière phase de la société bourgeoise en sursis sera marquée par l'aggravation des conflits qui déchirent le tissu social. L'exacerbation des antagonismes prendra la forme de deux processus évolutifs : la disparition des classes situées entre les pôles extrêmes de la bourgeoisie industrielle et la classe ouvrière, ces deux étant séparés par un abîme (polarisation) et la misère croissante d'une majorité écrasante de la population (paupérisation). (Thèses du *Manifeste communiste*, reprises et reconfirmées dans le chapitre XXXII du *Capital* : « Tendance historique de l'accumulation capitaliste). »

Cette ultime phase sera également marquée par l'*autodestruction du système capitaliste*. Irrésistiblement entraîné dans un processus de mécanisation (modernisation), l'entrepreneur capitaliste détruira, par sa réussite même, la source du profit qui le fait vivre. (« Loi tendancielle de la baisse du taux du profit. »)

4 / Les tendances répertoriées sous 3 / et 4 / aboutiront à une *situation révolutionnaire* dont l'issue est en quelque sorte acquise d'avance. Le prolétariat, largement majoritaire, est poussé à la révolte par une misère devenue insupportable et ceci au moment où la bourgeoisie, atteinte dans les fondements mêmes de son pouvoir, ne peut plus lui opposer une résistance adéquate. La tragédie occidentale du maître et de l'esclave se termine. (Et se termine par un *happy end*.) *A une fin absolue succède un nouveau commencement*.

5 / Dans l'après-révolution immédiate, le prolétariat imposera sa dictature sur une société frappée d'hébétude et insuffisamment affranchie de ses instincts de domination (et d'obéissance). Le renforcement du pouvoir de l'Etat sera suivi par la *disparition progressive de l'Etat* (son « dépérissement »).

6 / Abolition de la propriété privée; dépérissement de l'Etat, cet instrument au service d'une lutte impitoyable des classes menée « d'en haut »; relâchement des conflits qui dressent les

classes les unes contre les autres dans une société hiérarchisée. La *société sans classes* qui s'instaure réalise le rêve millénaire d'un corps social uniforme et homogène. Les hommes deviendront égaux : libres et semblables. Libres : égaux et différents, proposent Bakounine et les adversaires anarchistes de Marx. Marx s'aligne sur leur position en déclarant la mort de l'Etat, mais il récuse la différence qui est pour lui le synonyme de la *distance*. Il ignore ou préfère ignorer la notion de pluralisme; il abolit, dans sa république, toute stratification, toute différenciation pour substituer la subordination à la coordination.

7 / Citadin impénitent, Marx n'a pas de sympathie pour la vie des campagnes et la « stupide idylle paysanne » chère aux poètes romantiques (tous réactionnaires !). L'*abolition de l'opposition entre la ville et la campagne* devient, dès lors, partie intégrante de son projet utopique. « L'opposition entre la ville ne peut exister que dans le cadre de la propriété privée. Elle est l'expression la plus flagrante de la subordination de l'individu à la division du travail, de la subordination à une activité déterminée qui lui est imposée. Cette subordination fait de l'un un animal des villes et de l'autre un animal des campagnes, tout aussi bornés l'un que l'autre, et fait renaître chaque jour à nouveau l'opposition des intérêts des deux parties », remarque-t-il, avec Engels, dans *L'idéologie allemande*[1]. Or, tout ce qui divise est mauvais et doit disparaître. Aussi cette exigence figure-t-elle dans le programme en dix points qui clôt la deuxième partie du *Manifeste communiste* : « Combinaison du travail agricole et du travail industriel; mesures tendant à faire graduellement disparaître la distinction entre la ville et la campagne »[2].

8 / Une exigence jumelle est issue de la même logique : l'*abolition de l'opposition entre le travail manuel et le travail intellectuel*. Cette mesure suppose le « développement en tous sens des individus » énoncé dans la *Critique du Programme de Gotha*. Le

---

1. Karl MARX et Friedrich ENGELS, *L'idéologie allemande*, Première partie, Paris, Ed. Sociales, 1970, pp. 82-83.
2. *Manifeste du Parti communiste*, p. 46.

pari antidichotomique (bourgeoisie et prolétariat, ville et campagne, travail intellectuel et travail manuel) est lancé; le grand renversement des signes est annoncé.

9 | La marche de l'humanité vers l'unité. — Dans le *Manifeste communiste*, Marx et Engels préconisent la disparition progressive des « démarcations nationales » et des « antagonismes entre les peuples ». La liberté du commerce, la création d'un marché mondial des produits industriels et l'uniformisation de la production sont autant de signes précurseurs d'une entente mondiale (d'une paix éternelle) à venir.

10 | Le crépuscule du sentiment religieux : dans les demeures philosophales de l'athéisme marxien, la place de Dieu est vacante. Affranchi de la pesanteur de la préhistoire, l'homme n'a plus besoin d'*opium* pour affronter la terreur de la vie. D'où viendront les valeurs dans un monde sans religion ? Marx ne répond pas à cette question. Sans doute fait-il confiance au pouvoir législatif du système matérialiste qu'il élabore et qui tient lieu chez lui de certitude.

11 | La dernière grande prévision a trait à l'unification de la culture — de la sphère de la pensée, de l'art et, dans sa quotidienneté, de la vision du monde que chacun adopte pour interpréter et assimiler l'événement. La culture historique est aristocratique et bourgeoise, affirme Marx; elle est particulière alors que la culture est la sphère par excellence où doit se faire valoir le principe de l'universalité[1]. Par suite de la disparition des classes, la culture s'universalisera. C'est ce qui ressort d'un passage du *Manifeste communiste* : « Les idées, les conceptions et les notions des hommes, en un mot leur conscience change avec tout changement survenu dans leurs conditions de vie, leurs relations sociales, leur existence sociale. » La révo-

---

1. Rappelons à titre d'appui un passage de l'*Introduction à la Critique de l'Economie politique* pour éclaircir les rapports entre les mouvements socio-économiques et les mouvements des idées : « Le mode de production de la vie matérielle domine en général le développement de la vie sociale, politique et intellectuelle. Ce n'est pas la conscience des hommes qui détermine leur existence, c'est au contraire leur existence sociale qui détermine leur conscience. »

lution sociale qui secouera la société dans ses assises économiques sera nécessairement la révolution des représentations du monde. Ni Marx ni Engels ne reviennent dans leurs écrits ultérieurs au problème d'une conscience et d'une culture socialistes. Ils se contentent d'affirmer que la rupture avec les idées traditionnelles sera la « plus radicale » possible.

12 | La réconciliation de la pensée et du réel : cette percée de la philosophie qu'annonce la onzième thèse sur Feuerbach, la transformation du monde qui fait sortir la pensée du bourbier où elle s'est enlisée.

Les thèses conjecturelles que nous venons de présenter occupent une place centrale dans la pensée de Marx; au-delà de la tendance prospective d'une philosophie économique et sociale *engagée*, elles résument dans ses lignes essentielles, cette philosophie dans toute son ampleur.

Quelle est la valeur d'anticipation de ces postulats saisis dans ce qu'ils ont d'absolu et d'intransigeant ? Résistent-ils à l'épreuve d'un siècle d'événements — événements sur lesquels ont assez largement pesé les espoirs qu'ils ont suscités et les actions politiques et syndicales qui s'en sont réclamées ?

Dans les coins de la terre où les idées de Marx sont devenues dominantes — et, à l'occasion, vécues —, l'*homme nouveau* impose-t-il son règne millénaire ? Possède-t-il la formation encyclopédique qui seule lui permet de s'épanouir ? Participet-il de plein droit à tous les ordres de la vie privée et publique, spirituelle et matérielle ? L'aliénation est-elle dépassée ? Le travail transcendé ? L'abolition des grandes dichotomies vicieuses de la ville et de la campagne, du travail intellectuel et du travail manuel aboutit-elle à une affectation saine et équilibrée de toutes les bonnes volontés ?

La grande révolution sociale initiée aux Etats-Unis, en Angleterre, en France et en Allemagne s'étend-elle à son tour sur les pays qui n'acquièrent leur maturité économique que sur le tard[1] ? Dans les pays capitalistes, le capitalisme se meurt-il

---

1. C'est dans ces pays, les plus développés industriellement, que la révolution mondiale devrait connaître, selon Marx, ses débuts. La Russie ne figurait pas sur sa première liste. Je cite ici, pour la petite histoire, une lettre sans date de Marx

des effets de la paupérisation progressive de la société ou de la loi tendancielle de la baisse du profit ?

Répondre à toutes ces questions dépasse la portée de cette étude; aussi ne tenterai-je pas de suivre la fortune de quelques-unes des anticipations esquissées plus haut. Je laisserai au lecteur le soin d'éprouver l'efficacité prédictive des thèses que je serai obligé de laisser de côté, en fonction de ses idées et de son expérience. Pour rester fidèle au but que je me suis proposé, j'examinerai maintenant les méthodes de Marx, qui éclairent nécessairement les raisons de l'échec, et parfois de la réussite, de sa démarche conjecturelle.

ANTICIPATION PAR SYSTÈME
ET STRUCTURE PRÉVISIONNELLE DU MYTHE :
LA NATURE DE LA MÉTHODOLOGIE MARXIENNE

Dans sa biographie de Marx, l'écrivain américain Robert Payne relate un épisode qui jette une nouvelle lumière sur la création du système marxien. En séjour chez son ami Kugelmann à Hanovre, en 1867, Marx est pris d'une étrange passion pour la copie d'un buste de Zeus retrouvé dans les fouilles entreprises quelque temps auparavant dans la ville italienne d'Otricoli. Il croit ressembler au *législateur* de la Grèce antique. Pour accentuer cette ressemblance, perçue tant par Kugelmann

à Kugelmann dans laquelle le fondateur du socialisme scientifique ironise sur la traduction russe du *Capital* : « Un éditeur de Saint-Pétersbourg m'a surpris, il y a quelques jours, en m'apprenant que la traduction russe du *Capital* est sous presse... C'est une ironie du destin que les Russes que j'ai sans cesse combattus depuis vingt-cinq ans m'aient toujours « protégé ». En 1843-1844, à Paris, les aristocrates russes me fêtaient. Mon livre contre Proudhon (1847) ainsi que le livre paru chez Duncker (1858) ne se sont nulle part mieux vendus qu'en Russie, et c'est en Russie que va paraître la première traduction en langue étrangère du *Capital*. Mais il ne faut pas exagérer; l'aristocratie russe passe sa jeunesse dans les universités allemandes ou à Paris; elle se passionne pour toutes les idées extrémistes de l'Occident, mais c'est par *gourmandise*; une partie de l'aristocratie française au xviiie siècle en faisant autant. *Ce n'est pas pour les tailleurs et les bottiers,* disait Voltaire de ses propres lumières. D'ailleurs cela n'empêche pas ces Russes de devenir des canailles, dès qu'ils entrent au service de l'Etat... » Le seul exemple d'*imprévision* qui supporte la comparaison avec l'exemple que nous venons de citer est une déclaration de Lénine, quelques semaines avant l'écroulement du tsarisme, dans laquelle il affirme qu'il ne verra pas poindre, de son vivant, l'aube de la révolution en Russie.

que par la maisonnée, il laisse pousser, à partir de cette date, sa barbe et sa chevelure. Dès Noël de la même année, une relique du buste orne le bureau de son appartement londonien de Maitland Park Road. Il invite les hôtes à découvrir dans le maître du lieu, le législateur des temps modernes.

Marx vient de corriger les épreuves du premier volume du *Capital*, le seul achevé et publié de son vivant. La tentation olympienne efface chez le révolutionnaire vieillissant qui croit avoir établi les assises scientifiques de sa volonté de révolte, la tentation méphistophélique de sa jeunesse. Il incarne le principe d'un ordre nouveau par-delà l'esprit de révolte qui doit périr avec la destruction de l'Ancien Régime. *La Révolution n'appartient plus à l'ordre du refus mais à l'ordre de la pensée qui se veut acte.* Il vient d'apercevoir, inscrit dans un système dont il a en même temps déchiffré le fonctionnement, les principes éternels du changement social. En partant de la transformation des « forces de production », il a parcouru tout l'édifice qui a pour nom société et qui est, pour le non-initié, le seul aspect visible du monde construit. Dans les catacombes des sociétés, il a découvert le secret de tout élan créateur et du processus grâce auquel le corps social le sublime.

En partant d'un nombre assez limité de faits qu'il qualifie de décisifs, Marx retrouve la totalité sociale et historique et les lois qui la régissent. Voici la base — l'ensemble des « forces » et des « rapports de production »; — voici la structure complexe de l'édifice; et enfin, voici l'appareil qui transmet du bas vers le haut l'impulsion vitale et qui retrouve le chemin des profondeurs, seules déterminantes. Le système social est ainsi mis à nu : démasqué et, par là, dominé.

Or, tout système dont le bâti est clairement énoncé est un mécanisme prévisionnel. On appelle système un « ensemble d'éléments, matériels ou non, qui dépendent réciproquement les uns des autres de manière à former un tout organisé ». A cette définition du *Vocabulaire technique et critique de la philosophie*, Bertrand de Jouvenel ajoute la remarque suivante : « Tout ensemble social forme système : il est vrai, puisque tautologique, que les états futurs d'un système sont connus en puissance si la dynamique d'un système est parfaitement connue. Fréquent dans les sciences est le cas où nous avons une connaissance *macroscopique* de la dynamique et donc des états futurs. L'idée que c'est là le bon mode de prédiction, amorcée par Saint-Simon, développée par Auguste Comte, triomphe avec Marx »[1].

Marx pratique-t-il la *prévision par système* ? Ceci semble être clairement le cas pour les prévisions concernant la première période du devenir historique : le crépuscule du capitalisme. Un certain nombre de prévisions d'ordre économique que nous n'avons pas relevées dans notre énumération — telles que la tendance à l'accumulation des moyens de production ou à la productivité croissante du travail — sont « systémiques », fondées sur l'examen des facteurs économiques à l'œuvre et la tendance d'évolution à long terme.

Les conjectures relatives au spasme révolutionnaire (la seconde période) sont présentées comme « systémiques », bien que les tendances économiques de la première période n'aboutissent pas inévitablement à la conflagration prédite.

Enfin, les *prévisions formulées en vue de la troisième période, celle du socialisme, ne découlent nullement du système mis en place par Marx*.

Pour prédire l'autodestruction du capitalisme, Marx pratique un procédé de prévision par système qui lui est propre. Parlant de la vie sous le communisme, il abandonne cette pratique pour anticiper par voie de rupture. La prévision systématique et la prévision prophétique ne sont pas homogènes. La prévision du nouveau ne peut pas être l'appendice de l'analyse du connu.

Examinons de plus près les *deux ordres prévisionnels de Marx, l'un scientifique, l'autre prophétique et mythique*.

« Tous les mouvements historiques furent jusqu'ici des mouvements de minorités ou accomplis dans l'intérêt des minorités. Le mouvement prolétarien est le mouvement spontané de l'immense majorité, au profit de l'immense majorité. Le prolétariat, la couche la plus basse de la société actuelle, ne peut se soulever, se redresser, sans faire voler en éclats toute la

---

1. Bertrand de JOUVENEL, *L'art de la conjecture*, Monaco, Editions du Rocher, 1964, p. 99.

superstructure des couches qui constituent la société officielle »[1].
Par ces phrases, Marx et Engels établissent, dans le *Manifeste
communiste*, la spécificité, l'originalité de la classe ouvrière. Le
comportement du prolétariat n'est pas conforme à l'ontologie
sociale des *classes montantes* qui ont toujours œuvré pour imposer
leur hégémonie. « Si le prolétariat, dans sa lutte contre la bourgeoisie, se constitue nécessairement en classe, s'il s'érige par
une révolution en classe dominante, et comme classe dominante,
détruit par la violence l'ancien régime de production, il détruit
en même temps que ce régime de production, les conditions
de l'antagonisme des classes, il détruit les classes en général, et
par là même sa propre domination en tant que classe. »

En s'émancipant, le prolétariat ne s'érigera pas en une
nouvelle classe dominante. En tant que classe montante, il
prépare, il est vrai, de nouvelles forces de production au sein
de la société bourgeoise, mais ici, l'analogie avec la bourgeoisie montante cesse. Brisant la chaîne qui veut que toute classe
montante devienne, au moment de la prise du pouvoir révolutionnaire, le détenteur d'un pouvoir politique établi, *le prolétariat ne suivra pas le modèle séculaire : il agira autrement.* Dans un
célèbre texte daté de 1843, *Contribution à la critique de la philosophie du droit de Hegel* — alors qu'il n'a encore entrepris aucune
étude systématique des problèmes économiques de la société
moderne et n'a par conséquent acquis aucune connaissance
de la condition ouvrière —, Marx *érige en dogme une intuition
qu'il n'abandonnera jamais plus* : le lendemain de sa révolution vic-
torieuse, le prolétariat n'agira pas en tant que classe dominante.

Qu'est-ce qui permettra à l'Allemagne de rejoindre l'avant-
garde des nations modernes ? Qu'est-ce qui lui permettra de
s'émanciper ? se demande Marx dans ce document clef. La
constitution d'une classe dont les « *chaînes* sont *radicales* » et
qui ne fait pas partie de la société au même titre que les autres
formations sociales. Cette classe représente une « catégorie
qui est la dissolution de toutes les catégories, une sphère qui
possède un caractère universel de par ses souffrances univer-
selles et qui ne revendique pas un droit *particulier*, parce que
l'injustice perpétrée contre elle n'est pas une *injustice particulière*,

---

1. *Manifeste du Parti communiste*, p. 34.

mais *l'injustice absolue*. Cette sphère ne peut plus se réclamer d'un titre *historique*, mais seulement du titre d'homme; ... Enfin cette sphère ne peut s'émanciper sans s'émanciper de toutes les autres sphères de la société et émanciper par-là toutes celles-ci; elle constitue en un mot la *perte totale* de l'homme, et ne peut donc se reconquérir elle-même que par la *reconquête totale de l'homme*. Cette dissolution de la société, envisagée comme une catégorie sociale particulière, c'est le *prolétariat* »[1].

Pour la première fois, la montée d'une nouvelle classe n'entraîne pas la création d'une société hiérarchisée, polarisée et déchirée par la lutte des classes. Cette anticipation ne se fonde pas sur une base empirique, mais sur une intuition d'essence mythique. Elle est sans rapport avec le système d'interprétation déterministe qui est la condition de la prévision par système. Les recherches auxquelles il consacrera la seconde moitié de sa vie n'apporteront pas, elles non plus, les appuis empiriques qui lui font défaut. La prédiction de la conduite atypique du prolétariat n'a pas ses origines dans la démarche de l'économiste et du sociologue. Prophétique, elle tire sa valeur prédictive de la puissance du mythe.

En effet, si l'idée de la « reconquête totale de l'homme », en partant de la « perte totale » de cette qualité, est incompatible avec les prémisses d'une prévision systématique, elle n'innove pas par rapport à l'attente des eschatologies religieuses ou séculaires d'origine judéo-chrétienne.

L'examen plus approfondi de la *Contribution à la critique de la philosophie de droit de Hegel* révèle une sensibilité apocalyptique et la représentation de *la bourgeoisie et du prolétariat confrontés dans l'absolu d'un face à face eschatologique*. Les sociétés historiques ignorent la polarisation totale des forces sociales dont Marx fait la précondition de la révolution à venir. La division sociale dont il parle est la division dont le mythe est le porteur. Le bourgeois du texte est une figure de mythe, tout comme le prolétaire, incarnations des forces du Mal et du Bien, l'un succédant à l'autre par le renversement brutal des fortunes. (Comme dans les eschatologies, chez Marx, c'est le Bien qui

1. Karl MARX, *Contribution à la critique de la philosophie du droit de Hegel*, Paris, Aubier-Montaigne, 1971, pp. 91-101.

succède au Mal.) Regardons la première apparition de cette représentation dualistique, mythique : « Pour que la *révolution d'un peuple* et l'*émancipation d'une classe particulière* coïncident, pour qu'une certaine *condition* passe pour la condition de la société entière, il faut que réciproquement tous les vices de la société se concentrent en une autre classe; il faut qu'une certaine catégorie sociale soit celle du scandale universel, l'incarnation de la limitation universelle; une sphère sociale particulière doit être tenue pour le *crime notoire* de toute la société, de sorte que la libération soit générale. Pour qu'un état soit *par excellence* l'état de la libération, il faut que réciproquement un état soit manifestement l'état de l'asservissement. La signification négativement universelle de la noblesse et du clergé français a conditionné la signification positivement universelle de la *bourgeoisie*, la classe directement limitrophe et la plus opposée »[1]. Tout se passe comme si Marx, dont la doctrine vise l'absorption des dichotomies, créait lui-même, par la polarisation à outrance des situations de conflit, les dichotomies à abattre.

Le portrait du bourgeois en tant que représentant du Mal ne serait pas conforme au mythe si le bourgeois n'était pas dépeint comme un être infiniment séduisant et doué d'une créativité inentamée. Malgré le verdict historisant qu'il prononce le *Manifeste communiste* contient peut-être l'éloge le plus flatteur du bourgeois qui ait jamais été formulé : « C'est (la bourgeoisie) qui, la première, a montré ce dont l'activité humaine était capable. Elle a créé de tout autres merveilles que les Pyramides d'Egypte, les aqueducs de Rome, les cathédrales gothiques; elle a mené à bien de tout autres expéditions que les Invasions et les Croisades. » Qui ont les premiers découvert les Amériques et circumnavigué l'Afrique et établi les premières voies de communication modernes ? Les bourgeois. Qui a ôté à l'industrie sa base nationale et accompli l'interdépendance généralisée des nations ? Le bourgeois. Qui est-ce qui œuvre pour la « mondialisation » de la littérature et des productions d'esprit ? Qui établit les fondements de l'Etat moderne par la centralisation économique et politique ? Encore, le bourgeois. Mais

---

1. *Contribution à la critique de la philosophie du droit de Hegel*, p. 93.

son plus grand fait, c'est la création de forces productives sans précédent : « La bourgeoisie, au cours d'une domination de classe à peine séculaire, a créé des forces productrices plus nombreuses et plus colossales que ne l'avait fait tout l'ensemble des générations passées. La mise sous le joug des forces de la nature, le machinisme, l'application de la chimie à l'industrie et à l'agriculture, la navigation à vapeur, les chemins de fer, les télégraphes électriques, le défrichement de continents entiers, la navigabilité des fleuves, des populations jaillies du sol : quel siècle antérieur aurait soupçonné que de pareilles forces productives sommeillaient au sein du travail social ? »[1]. Ces conquêtes sont certes contrebalancées par les méfaits du matérialisme bourgeois : l'exploitation « ouverte, éhontée, directe, aride » de l'ouvrier par l'entrepreneur capitaliste ; la réduction des liens sociaux et familiaux à de simples intérêts d'argent; la transformation de la dignité personnelle en une simple « valeur d'échange »; la substitution de la liberté du commerce aux « libertés durement acquises » à travers l'histoire. Malgré cela, jusqu'au début du XIXe siècle, le bilan n'est pas seulement positif : il fait du bourgeois un précurseur du révolutionnaire prolétarien dans la mesure où il brise, d'une certaine façon, le déterminisme de la « préhistoire ». Même dans sa phase du déclin la créativité de la bourgeoisie elle-même reste très considérable. Mais elle échappe à son contrôle et devient destructrice, comme la « créativité » de l'apprenti sorcier.

Pourquoi le bourgeois devient-il, du moteur du progrès qu'il était à l'origine, l'ennemi même du processus qu'il a déclenché ? Parce que sa tâche historique est accomplie, répond Marx dans une lettre à Engels : « La vraie mission de la société bourgeoise, c'est la création du marché mondial, du moins dans ses grands traits, ainsi que d'une production qui dépend du marché mondial... Cette mission semble achevée depuis la colonisation de la Californie et de l'Australie et l'ouverture du Japon et de la Chine » (1860). Dans d'autres textes, l'argument qu'il avance est différent : les forces de production nou-

---

1. *Le Manifeste du Parti communiste*, p. 26.

velles qui sont apparues contredisent les rapports de production bourgeois ; la propriété bourgeoise des forces de production devient incompatible avec ces nouvelles forces de production.

Du créateur incomparable de la veille, le bourgeois devient, par le truchement de la pensée dialectique, le vilain. Du représentant du Bien, l'incarnation du Mal. Les arguments de Marx justifient-ils l'inversion brutale des signes ? Ce passage d'un extrême à l'autre est-il possible ailleurs que sur l'échiquier du mythe ?

La montée de la bourgeoisie en tant que classe avait pour cause son irrésistible créativité. Marx donne de nombreux exemples de cette créativité. Quelle sera celle du prolétariat ? Quelles sont les forces de production que le prolétariat élabore dans le sein de la société capitaliste ? Quel sera le prolongement des formes bourgeoises de la créativité sous le communisme ? Marx ne fournit somme toute aucune réponse claire à ces questions. *L'absence de références probantes à la nature de la créativité prolétarienne est une des grandes lacunes de l'argument marxien.* Ou doit-on considérer la transformation des rapports de production bourgeois (la socialisation des biens) comme une forme particulière de créativité ? Le prolétariat poursuivra-t-il tout simplement l'œuvre entreprise par la bourgeoisie au niveau de la modernisation de l'économie ? Dans ce cas, la rupture annoncée sur le plan de la vie sociale, politique et culturelle reposera sur la *continuité de l'appareil producteur*. Or, selon le système dialectique de Marx, tout mouvement de la superstructure qui n'est pas déclenché au niveau de la base, de l'infrastructure, est inauthentique, irréel.

Dernière question : est-ce la fin de l'aliénation — la reconquête de l'universalité, de la totalité perdue — qui est la contribution du prolétariat à la collectivité humaine ? Fondée, en tant que prophétie, sur la persuasion cachée du mythe ? Le prolétaire est-il l'homme rétabli dans son patrimoine ancestral ?

Quel est le rôle que joue le mythe dans le grand dessein d'anticipation marxien ?

Celui qui parle de l'avenir s'astreint à raconter une histoire. Les moins poètes des futurologues contemporains, les techniciens américains de l'avenir, se mettent à construire des scénarios, c'est-à-dire de véritables récits épiques[1]. Et il n'y a pas d'histoire qui n'ait pas été déjà racontée par d'autres conteurs dans d'autres circonstances et qui n'ait pas son origine dans l'univers des mythes et contes populaires. Pour parler de l'avenir, le poète doit se remémorer le mythe de Prométhée — qui est le premier mythe de Marx. Pour créer l'homme du futur, Wagner se souvient, dans l'*Anneau du Nibelung*, de Siegfried, le héros des sagas germaniques. Il n'est pas étonnant qu'épris du futur, Marx court lui aussi, même inconsciemment, au mythe. En tant que chercheur scientifique, il amasse les matériaux d'une théorie scientifique du devenir ouvrier. En tant que « futurologue » — celui qui parle de futur —, il devient conteur et son écrit s'enrichit des données statistiques qu'il a recensées aussi bien que des fragments du mythe.

« Une analyse adéquate de la mythologie diffuse de l'homme moderne demanderait des volumes. Car *laïcisés, dégradés, camouflés*, les mythes et les images mythiques se rencontrent partout : il n'est que de les reconnaître », remarque Mircea Eliade[2].

Dans l'anticipation marxienne, l'élément mythique est laïcisé, dégradé et camouflé, bien qu'il joue un rôle extrêmement important et notamment dans sa structure eschatologique. Du point de vue formel, cette anticipation se présente comme une synthèse particulière, mais nullement unique, de mythes et de discours scientifiques. Nous pourrions observer à ce propos, avec Georges Sorel, qu'il s'agit de « savoir quels mythes ont, aux diverses époques, poussé au renversement des situations existantes; les idéologies n'ont été que des traductions de ces mythes sous des formes abstraites »[3].

1. Les prévisions des ventes d'une entreprise présupposent des acteurs — les vendeurs de son produit et les consommateurs — et une scène, le marché, où s'affrontent, dans le drame quotidien de la compétition, les différentes marques.
2. Mircea ELIADE, *Mythes, rêves et mystères*, Paris, Gallimard, 1957, p. 33.
3. Georges SOREL, *Matériaux pour une théorie du prolétariat*, Paris, M. Rivière, 1929, p. 337.

Quels sont les mythes qui fécondent l'idéologie marxienne ? Citons encore Mircea Eliade pour résumer le contenu mythique essentiel de la pensée de Marx : « ... quoi que l'on pense des velléités scientifiques de Marx, il est évident que l'auteur du *Manifeste communiste* reprend et prolonge un des grands mythes eschatologiques du monde asiatico-méditerranéen, à savoir : le rôle rédempteur du Juste (l' « élu », l' « oint », l' « innocent », le « messager », de nos jours, le prolétariat), dont les souffrances sont appelées à changer le statut ontologique du monde. En effet, la société sans classes de Marx et la disparition conséquente des tensions historiques trouvent leur plus exact précédent dans le mythe de l'âge d'Or qui, suivant des traditions multiples, caractérise le commencement et la fin de l'Histoire. Marx a enrichi ce mythe vénérable de toute une idéologie messianique judéo-chrétienne : d'une part, le rôle prophétique et la fonction sotériologique qu'il accorde au prolétariat; de l'autre, la lutte finale entre le Bien et le Mal, qu'on peut facilement rapprocher du conflit apocalyptique entre Christ et Antéchrist, suivi de la victoire définitive du premier. Il est même significatif que Marx reprend à son compte l'espoir eschatologique judéo-chrétien d'une fin absolue de l'Histoire... »[1].

L'analyse dense d'Eliade appelle plusieurs remarques.

L'opposition du prolétaire et du bourgeois — et la mutation brusque qu'elle préfigure — renouvelle le pari eschatologique des hérésies gnostiques et des révoltes de type anarchiste du Moyen Age et de l'âge de la Réforme. Avec les prophètes de l'Apocalypse religieuse ou séculaire, Marx admet que tout en constituant le Mal essentiel, le capitalisme assure en même temps le passage nécessaire à l'avènement du communisme. Le Bien ne se réalise que par la voie du Mal. La « reconquête totale de l'homme » a pour prix la perte préalable de toute humanité. Le « saut de l'empire de la nécessité dans l'empire de la liberté », annoncé par Marx et Engels, correspond à la transformation de la *civitas Terrena* en une *civitas Dei*.

---

1. Mircea ELIADE, *Mythes, rêves et mystères*, p. 24.

La mission du prolétariat correspond, de son côté, à la mission du *peuple élu*. « Le marxisme n'est pas seulement la doctrine du matérialisme historique et économique, par sa dépendance complète aux facteurs économiques; il est aussi la doctrine de la délivrance, de la vocation messianique du prolétariat, de l'annonce de la société parfaite dans laquelle l'homme ne sera plus soumis à ces lois de l'économie », écrit Nicolas Berdiaev dans son analyse pénétrante des sources du communisme russe[1]. Dans le schéma eschatologique de la révolution socialiste, le prolétariat devient l'agent de la délivrance humaine; « on lui assigne une propriété messianique, c'est sur lui que sont transférées à présent les prérogatives du peuple élu de Dieu, il est le nouvel Israël. L'antique conscience hébraïque est ici sécularisée ». Dans la Russie de Lénine, le mythe du prolétariat se substitue au mythe déchu du peuple, du moujik, du bandit justicier[2]. « Une sorte d'identification se produit du peuple russe avec le prolétariat, du messianisme russe avec le messianisme prolétarien. » Les mythes eschatologiques prérévolutionnaires cèdent la place à un nouveau mythe : celui de la fondation[3]. L'épopée révolutionnaire se mue en mythe conservateur. Et dans la mission révolutionnaire du prolétariat russe réapparaît, sous une forme nouvelle, le mythe russe de la « Troisième Rome ».

Le mythe fournit le principe d'ordonnancement du témoignage scientifique de Marx. Il crée le cadre de ses analyses économiques, sociologiques, de ses réflexions sur le rôle de l'Etat, de l'idéologie et de la culture. Il féconde sa philosophie de l'histoire qui donne à sa vision sa cohérence et ses accents prophétiques.

Pour dégager l'aspect mythique de la philosophie de l'his-

1. Nicolas BERDIAEV, *Les sources et le sens du communisme russe*, Paris, Gallimard, 1951, pp. 189-190.
2. Autant de mythes bakouniniens. Il s'agit de la victoire des mythes marxiens sur les mythes populistes russes, repris et adaptés à une sensibilité anti-autoritaire anarchiste, par Bakounine.
3. La commémoration de l'anniversaire de la Révolution d'Octobre sert de renouvellement chaque année, sous la forme d'un nouveau commencement, de l'épopée révolutionnaire. En Chine, la *longue marche* s'est d'emblée imposée comme le mythe de fondation de la Chine nouvelle. Dans l'Italie de Mussolini, la *marche sur Rome* a joué un rôle tout à fait comparable.

toire marxienne, je reprends brièvement l'analyse de la dichotomie ville-campagne et de sa résorption par la création de la communauté socialiste.

Dans *L'idéologie allemande*, Marx et Engels affirment — sans pour autant faire état des recherches qui leur permettent de dégager des thèses aussi définitives — que « l'opposition entre la ville et la campagne fait son apparition avec le passage de la barbarie à la civilisation, de l'organisation tribale de l'Etat, du provincialisme à la nation, et elle persiste à travers toute l'histoire de la civilisation jusqu'à nos jours »[1]. C'est dans la ville, monstrueuse et parasitaire, sevrée de la campagne dont l'abêtissement reste sans égal, qu'apparaît pour la première fois « la division de la population en deux grandes classes, division qui repose directement sur la division du travail et les instruments de production ». L'opposition entre la ville et la campagne présuppose encore l'existence de la propriété privée. « Elle est l'expression la plus flagrante de la subordination de l'individu à la division du travail, de la subordination à une activité déterminée qui lui est imposée »[2]. Liée aux institutions qui fractionnent l'expérience humaine et polarisent la société, « l'abolition de cette opposition... est l'une des premières conditions de la communauté ».

Ce passage met en lumière la structure tripartite de l'histoire vue par Marx. L'aliénation — et la destruction de la communauté — la propriété privée, la division du travail, la division de la société en classes antagonistes, ne caractérisent pas toute l'histoire. Elles apparaissent au moment où s'opère la séparation de la ville de la campagne.

Cette rupture est précédée par une période de commencement, indifférenciée et dominée par un climat de solidarité et d'harmonie sociales. Il s'agit d'une période de confiance et de plénitude humaines. L'homme n'est pas encore aliéné de la nature, de ses semblables et surtout, il n'est pas encore réduit à un fragment de son potentiel humain. Cette première période qu'Engels a appelée le communisme primitif ou archaïque, est un véritable *Age d'Or*. (Le terme ne figure pas, bien entendu,

1. *L'idéologie allemande*, pp. 81-82.
2. *Ibid.*, p. 82.

dans la terminologie de Marx. Mais l'âge du communisme archaïque est décrit en termes de l'âge d'Or.)

Le temps historique — dans ses parties écoulées, se compose de deux périodes — ou âges — distincts : un premier âge archaïque et un second âge : celui de la civilisation. (Ce terme signifiant « division » aussi bien que « déracinement ».) Au milieu du XIXᵉ siècle, l'humanité est parvenue au terme du deuxième âge. Et Marx d'annoncer la venue d'un *troisième âge* — celui d'un nouveau commencement. Ce troisième âge réactualisera, quoique à un niveau plus élevé, le temps de la création. Les traits qui le caractérisent sont les mêmes que Marx et Engels utilisent pour décrire, négativement, l'âge d'Or : la fin de l'aliénation; la re-création de la communauté par l'abolition des classes, de la propriété privée, de la division du travail, de la séparation entre la ville et la campagne, etc.

MYTHE ET RENOUVEAU :
L'ALCHIMIE DES TROIS ÂGES

Trois remarques, pour terminer, sur la symétrie qualifiée, partielle et néanmoins fondamentale, des âges historiques, mythiques qui cernent, en aval et en amont, l'âge présent, l'âge des civilisations[1], mais aussi sur la notion de la *rupture* qu'elle implique et, enfin, sur le rôle que pourrait jouer la mystique juive dans la formation de la pensée marxienne.

La symétrie des âges nᵒ 1 et nᵒ 3. — « Le système nouveau » vers lequel tend la société moderne sera la « renaissance *(a revival)* dans une forme supérieure *(in a superior form)* d'un type social archaïque », écrit Marx à Vera Zassoulitch[2]. L'homme actualise-t-il, à des niveaux différents, dans des formes « inférieures » et « supérieures » le même projet mythique ? C'est ce que suggère Marx dans la lettre que je viens de citer et c'est ce qu'affirme encore Friedrich Engels lorsqu'il écrit dans *L'origine de la famille* : « Ce sera une *reviviscence* — mais sous une

1. Le deuxième âge a, lui aussi, une structure tripartite, fondée sur la succession des trois modes de production distincts, les modes antique, féodal et capitaliste.
2. Karl MARX et Friedrich ENGELS, *Sur les sociétés précapitalistes,* Textes choisis de Marx, Engels et Lénine, Paris, Ed. Sociales, 1970, p. 332.

forme supérieure — de la liberté, de l'égalité et de la fraternité des antiques gentes »[1].

Marx ne se donne pas la peine d'élucider la manière dont la société nouvelle reproduira, mais à un niveau supérieur, les traits d'une société archaïque ou primitive. Il se contente d'intégrer dans le même modèle, en suivant la tradition juive du messianisme politique, le Commencement et la Fin. Pour les mystiques juifs, comme le remarque Gerschom G. Scholem dans son étude sur *Le messianisme juif*, la Fin est conçue cependant de façon infiniment plus riche que le Commencement. « L'utopie se fonde toujours sur le passé pour stimuler les espoirs de restauration. Elle trace une courbe qui débute avec le rétablissement d'Israël et le royaume de David, réalisant ainsi le royaume de Dieu sur la terre, et se termine par le retour de la condition paradisiaque... Mais il y a plus. Car déjà dans l'utopie messianique d'Isaïe, la Fin est conçue de façon infiniment plus riche que le Commencement »[2].

La symétrie des « ruptures ». — La période révolutionnaire qui sanctionne le déclin de l'Ancien Régime — du deuxième âge — constitue, entre deux *éons*[3], une véritable rupture. L'avènement d'un âge *radicalement nouveau* a pour corollaire, à l'aube des temps historiques — au moment où s'institue la société de classe dont nous vivons l'agonie —, une première rupture fondatrice d'époque, un monde *radicalement ancien* précédant l'âge médian des antagonismes.

L'âge présent — le deuxième âge —, s'ouvre sur un événement dont l'histoire n'a pas gardé la trace mais qui est l'acte fondateur de plusieurs millénaires de division sociale : l'exploitation. On ne connaît pas le nom du premier homme qui a exploité son semblable. L'acte qu'il commet est cependant le modèle de tous les actes qui constituent l'histoire de l'exploitation à travers le temps.

En réfléchissant à l'archétype perdu de l'exploitation, Marx intègre dans sa vision, implicitement, le mythe du péché ori-

---

1. Mais peut-on réellement appliquer la notion de l'*Aufhebung* au mythe ?
2. Gershom Scholem, *Le messianisme juif. Essais sur la spiritualité du judaïsme*, Paris, Calmann-Lévy, 1974, p. 38.
3. La distinction entre « éon présent » et « éon à venir » plonge ses racines dans les écrits des prophètes, remarque Scholem (*op. cit.*, p. 28).

ginel[1]. « Dans les écrits marxistes traitant de la religion, nous trouvons toujours que le fait primordial et le plus effectif de la vie humaine est l'exploitation, l'oppression. C'est là leur mythe fondamental, tout en découle et tout y revient... La foi de Marx dans l'exploitation, comme fait fondamental et déterminant de la vie sociale peut être assimilée à la doctrine chrétienne du péché originel. L'exploitation d'un homme par un autre, voilà le péché originel qui contamine toute l'histoire mondiale, toute la pensée, toute la foi, toute l'idéologie »[2].

MYTHE ET LA NOTION DE L'AVENIR « INÉLUCTABLE »

La pensée prospective de Marx se situe dans le prolongement de deux perspectives. La première perspective est historique; elle prend son départ dans les origines du monde économique moderne et se dirige vers l'avenir par la projection mi-raisonnée, mi-intuitive des tendances observées[3]. La seconde perspective

1. Voir ce mythe chez Bakounine, pp. 26-27.
2. *Le marxisme et la religion*, Paris, « Je sers », 1931, p. 20.
3. Dans la seconde partie du *Manifeste communiste*, MARX et ENGELS résument en dix points leur programme en vue de la Révolution communiste. Ce programme, qui ne se présente pas sous la forme d'une anticipation mais d'une volonté d'action, a une valeur prédictive certaine. Reproduisons-le à titre d'information, avec, indiqués entre parenthèses, quelques commentaires brefs : 1. Expropriation de la propriété foncière et affectation de la rente foncière aux dépenses de l'Etat. 2. Impôt lourd progressif. (Très largement réalisé.) 3. Abolition de l'héritage. (Largement réalisé par des droits de succession de plus en plus élevés.) 4. Confiscation des biens de tous les émigrés et rebelles. 5. Centralisation entre les mains de l'Etat, au moyen d'une Banque nationale, dont le capital appartiendra à l'Etat, et qui jouira d'un monopole exclusif. 6. Centralisation entre les mains de l'Etat, de tous les moyens de transport. (Mise en œuvre à la veille de la première guerre mondiale dans les pays d'Europe centrale.) 7. Multiplication des manufactures nationales et des instruments de production; défrichement des terrains incultes et amélioration des terres cultivées, d'après un plan d'ensemble. (Mesures entreprises dans plusieurs pays capitalistes de dimensions plus modestes.) 8. Travail obligatoire pour tous; organisation d'armées industrielles, particulièrement pour l'agriculture. 9. Combinaison du travail agricole et du travail industriel; mesures tendant à faire graduellement disparaître la distinction entre la ville et la campagne. (En voie de réalisation dans la mesure où les travaux agricoles se mécanisent et les modes de vie s'harmonisent par la modification des habitudes — (consommation, etc. —, et la diffusion de certaines formes de culture de masse — télévision, etc. —, mais ce point a sa part d'utopie.) 10. Education publique et gratuite de tous les enfants. Abolition du travail des enfants dans les fabriques tel qu'il est pratiqué aujourd'hui. Combinaison de l'éducation avec la production matérielle, etc. La première mesure est réalisée très largement; la seconde, intégralement.

est historisante et mythique; elle part d'un avenir *inconnu* par l'assemblage des matériaux des rêveries eschatologiques et des utopies du xixᵉ siècle. Comme la perspective de l'histoire, elle est, elle aussi, prospective et rétrospective à la fois. Mais le passé qu'elle inclut dans son schéma évolutif n'est pas le passé de l'histoire, mais le passé profond : le passé du mythe. Marx ne parle pas du communisme primitif, temps du *social* indifférencié et collectiviste, en tant qu'historien. (Les textes que je cite de *L'idéologie allemande* sur la société avant la division du travail en témoignent avec suffisamment d'éloquence.) Il est, pour utiliser le terme de Friedrich Schlegel, un « prophète rétrospectif ». Mais dans ses réflexions, les deux perspectives s'emboîtent l'une dans l'autre, se prolongent et se complètent. Marx — et le lecteur — se déplacent de l'une à l'autre sans être conscients de quitter le territoire de la science pour fouler du pied le terroir du mythe et peuvent rebrousser le chemin avec la même innocence. Le discours scientifique devient le porteur de la parole prophétique alors que l'économiste, le sociologue de l'avenir, abandonne les chemins à peine entrouverts par sa discipline et cherche refuge dans les lieux inavouables du mythe. La prévision se mue en impératif éthique : l'avenir et la volonté deviennent matériaux d'un même exercice de l'esprit. Marx prédit l'avenir vers la réalisation duquel tend sa volonté. La prévision ne tire désormais son succès — sa justification — que du succès de la volonté révolutionnaire.

Les « sciences » actuelles de l'avenir s'inspirent-elles du modèle marxien ? Existe-t-il un héritage prospectif marxien fondé sur la valeur d'anticipation du matérialisme historique ?

La plupart des prévisions modernes[1] appartiennent à ce que nous pourrions appeler la prévision sectorielle. Elles isolent un type d'activité privilégiée (de la « révolution biologique » à l'avenir des investissements et des télécommunications en passant par l'avenir démographique) et projettent les tendances qui le caractérisent jusqu'à une date précise, de préférence une année-symbole : 1984 ou l'an 2000. Marx ne méconnaît pas le détail, mais sa prévision — qui se libère de la gravitation du

---

1. J'inclus dans ce terme les travaux prospectifs de Gaston Berger aussi bien que les « futuribles » de Bertrand de Jouvenel et les différentes écoles d'anticipation américaines.

calendrier prévisionnel — a l'avantage d'être globale. Partant d'une totalité préétablie, il va vers le détail qui confirme son hypothèse, et, rassuré, retourne au concept de la totalité. L'ambition de son projet lui confère un prestige intellectuel et un pouvoir de séduction incontestables. Mais le système qu'il construit fait dévier la pensée prévisionnelle de sa pente naturelle. A l'encontre de la conjecture moderne, méfiante à l'égard des absolus, la pensée de Marx va droit au but fixé d'avance. Sur son chemin, tracé par la géométrie de l'esprit, il ne tombe sur nulle croisée inopportune, sur nulle bifurcation gênante. Sa topologie futuriste ignore les voies parallèles, les culs-de-sac, les dédales du doute, les labyrinthes de l'inconnu. Le voyageur peut planifier le déplacement d'avance; même s'il ignore l'heure de l'arrivée.

Marx ignore-t-il l'idée d'alternatives ?

Le *Manifeste communiste* s'ouvre par une affirmation célèbre : « L'histoire de toute société jusqu'à nos jours est l'histoire de la lutte des classes. » Où cette lutte aboutit-elle ? A la victoire de la classe montante, répond le marxiste d'aujourd'hui. Or, la réponse initiale de Marx contient, elle, une alternative : « Homme libre et esclave, praticien et plébéien, baron et serf, maître de jurande et compagnon — en un mot, oppresseurs et opprimés, en perpétuelle opposition, ont mené une lutte ininterrompue, tantôt secrète, tantôt ouverte, et qui finissait toujours *soit* par une transformation révolutionnaire de toute société, *soit* par la ruine commune des classes en lutte »[1]. D'autre part, Marx est conscient de ce qui, dans un siècle marqué par les réalisations extraordinaires de la science et de l'industrie, pourrait servir de présage à la fin prochaine de la civilisation occidentale. Il aperçoit clairement des « symptômes de désagrégation dépassant même les terreurs bien connues de l'Empire romain tardif »[2].

Marx et Engels entrevoient ici clairement l'éventualité d'un match nul historique, d'une défaite de la classe qui est, dans une situation donnée, le porteur du progrès. Mais dans l'ensemble de leurs textes, l'alternative s'efface et le choix se fixe sur l'issue *inévitable* et heureuse de la lutte qui oppose le prolétariat à la

1. *Manifeste du Parti communiste*, p. 20 : mes italiques.
2. Die Revolution von 1848 und das Proletariat, dans K. *Marx als Denker, Mensch und Revolutionär*, Berlin, 1928, p. 41.

bourgeoisie. La pensée prospective se transforme-t-elle aussi en parole prophétique ? L'avenir, d'incertain, d'aléatoire et d'*ouvert*, devient inévitable et *fermé*.

La pensée prospective peut-elle se réconcilier avec le concept « intouchable » d'un avenir fermé ? Peut-elle ignorer la valeur des analogies historiques et l'urgence d'événements imprévus ? Peut-elle exclure de son camp d'observation des facteurs qui n'ont pas encore été — et pour cause — répertoriés ou des forces dont la dynamique n'obéit pas aux lois connues et cataloguées ? (Celui qui prédit un avenir inéluctable ne peut pas céder au doute ni se poser la question : « Que se passera-t-il si, malgré tout... ? ») Peut-elle se permettre de dévaloriser ce qui se produit malgré les prévisions en le réduisant au niveau d'un accident sans lendemain ? Ni Marx — ni d'autres prophètes du XIXe siècle — n'ont prévu la menace atomique, la surpopulation de la planète, la pollution ou la rupture possible de certains équilibres écologiques. Ce n'est pas Marx, mais Nietzsche qui a dit que le XXe siècle sera celui des nationalismes. Ce n'est pas Marx, mais Burckhardt qui a mis en garde ses correspondants contre le césarisme centralisateur, bureaucratique de l'âge des « terribles simplificateurs ». C'est Tocqueville qui a prédit la montée et le rôle mondial de deux puissances neuves, l'Amérique et la Russie. — L'avenir inéluctable ne rend-il pas inévitable l'erreur de calcul et l'oubli ?

Toute pensée prospective authentique représente la synthèse de plusieurs types de démarches : la recherche de l'inconnu, l'interrogation de l'histoire pour retrouver les analogies structurelles vitales ; l'évaluation des tendances politiques, sociales, économiques, écologiques à l'œuvre ; l'analyse de la solidité (de l'usure) des croyances et des institutions qu'elles supportent ; et surtout, la mesure des hommes dont la volonté et les aptitudes expriment les potentialités d'une époque en gestation.

De par ses analyses sectorielles, institutionnelles, Marx participe à la création de la pensée prospective. Mais la tendance scientifique de sa méthode est déviée par l'empire croissant du mythe et de la volonté révolutionnaires. L'affaiblissement de l'appareil scientifique est cependant amplement compensé par le pouvoir d'une eschatologie sécularisée qui en démultiplie l'attrait et l'emprise affective.

le prophète rétrospectif[1] : culture moderne et mythe du renouveau

> « *La démocratie, qui ferme le passé à la poésie, lui ouvre l'avenir.* »
>
> Alexis de TOCQUEVILLE,
> De la démocratie en Amérique.

Le terme *moderne* désigne le pluralisme expérimental d'un art de transition dont l'horizon est constitué par l'anticipation de l'avenir et par une attitude de censure et de discrimination à l'égard du passé : le rejet du temps historique en faveur du temps mythique. Son histoire est aussi un chapitre de la mythologie des temps présents. L'avenir est avant tout le temps merveilleux d'un nouveau commencement. Le passé est le passé d'un art académique, officiel, mais ses racines plongent dans le temps de l'art primitif, archaïque, ou dans le temps toujours renouvelé de l'enfance. Le présent participe au passé — il est alors dominé par la figure mythologique du Philistin, du bourgeois, par les puissances de l'argent et par les valeurs de l'utilitarisme bourgeois — et à l'avenir dont l'art seul dévoile l'empire fantastique. En faisant éclater le cadre d'une expérience à facettes multiples — esthétique, sociale, politique —, l'artiste moderne vise la recherche de valeurs neuves sur lesquelles fonder la condition humaine. Est moderne, donc, la poursuite des *possibles* en art par opposition à la créativité conçue en termes du seul *nécessaire* — « limitation » à laquelle se condamne l'art traditionnel. Est moderne ce que Jean Dubuffet appelle l'organisation « horizontale » de l'activité culturelle, la diversité se substituant à la

---

1. C'est par ce terme que Friedrich Schlegel désigne l'historien romantique, promoteur du culte nouveau du Moyen Age. — Ce chapitre a paru sous forme d'essai dans *Esprit* (mars 1977).

structure « verticale », hiérarchique des cultures artistiques sélectives, « fédéralistes » ou « centralisatrices ».

En reprenant cette définition succincte du phénomène moderne que j'ai proposée ailleurs[1], j'attribue à l'artiste moderne une conscience historique toute particulière : celle par laquelle il « entre dans l'avenir », même si l'avenir doit évoquer, pour quelques-uns, l'image d'une dégradation inexorable. « C'est nous modernes, nous les premiers, qui savons que toute agglomération d'hommes et le mode de culture intellectuelle qui en résulte doivent périr »[2], note Arthur de Gobineau en 1855. Malgré le pessimisme de Gobineau, cette conception de l'avenir donne aux vestiges du passé — et aux tâches que l'artiste doit malgré tout accomplir — un fil organisateur, un ordre hiérarchique nouveaux. Et Gobineau d'annoncer l'ère de la dernière grande synthèse des forces vives qui sont encore à l'œuvre ici et là, « l'ère de l'unité ».

La conscience historique que Gobineau attribue aux modernes redéfinit la notion de tradition et l'appréhension du futur. Le regard que l'on jette sur le passé n'est plus sélectif. Au lieu de se fixer sur quelques secteurs privilégiés du patrimoine culturel de l'humanité, il embrasse l'ensemble des civilisations qu'il amalgame, par le travail patient de plusieurs générations, en une vision unique et indissoluble. Le style international traduit dans le langage de l'art l'idéal qui apparaît aux savants dans l'unité de la science et aux prophètes de l'écologie, dans la conscience d'un monde *un*. L'ère moderne s'inaugure par la découverte des civilisations (Danilevsky, Spengler, Kroeber, Sorokin, etc.). A *l'éclectisme d'adoption* du XIXᵉ siècle succède *l'éclectisme d'expérimentation et de création* du XXᵉ siècle. En même temps, derrière le foisonnement multiforme des mouvements artistiques, se cimente la mystique irréversible de l'unité.

Quelle est la notion de l'avenir ouvert ? Quels sont les rapports entre les mythes de l'art et les grands mythes politiques et sociaux de notre temps ? Comment le primitivisme moderne — et le décadentisme — propagent-ils le culte de l'avenir sous la forme d'une

---

1. *Le marxisme devant la culture*, Paris, PUF, 1975.
2. Arthur de GOBINEAU, *Essai sur l'inégalité des races humaines*, Paris, Pierre Belfond, 1967, p. 40.

nostalgie des temps à venir ? Quels sont les rapports entre la sensibilité moderne et la sensibilité anti-autoritaire qui se manifestent aussi bien dans les doctrines de l'anarchisme individuel et terroriste que dans la philosophie du beau geste ? C'est à ces questions que le présent essai veut répondre, en s'attachant en particulier à la mythologie romantique, libertaire, de Shelley et de Wagner.

DE LA PRÉFIGURATION DE L'AVENIR...

« Michael Robartes se remémore la beauté oubliée et lorsqu'il l'enferme dans ses bras, il serre contre lui la délicatesse qui s'est depuis longtemps effacée de ce monde. Ce n'est pas cela. Pas cela du tout. Je désire serrer dans mes bras la *beauté qui n'est pas encore apparue dans ce monde* » (*Portrait* de l'artiste). Par ce commentaire d'un poème de Yeats, James Joyce esquisse l'ouverture de l'écriture vers l'avenir. Vers un avenir ouvert, merveilleux et tout empreint de mystère. L'artiste doit-il adresser son message à un homme nouveau ? Non à l'homme « tel qu'il est », mais à l'homme « tel qu'il devrait être » ? Paul Klee n'hésite pas à répondre à cette question par l'affirmative. Dans la mythologie de l'art moderne, l'homme nouveau dont Prométhée est le « parrain » n'est pas un inconnu. Avec Siegfried, le héros du drame wagnérien, il acquiert droit de cité dans la république provisoire de la modernité.

« Personne ne sait ce qui va arriver demain », écrit, au seuil de l'ère moderne de la poésie, Walt Whitman ; les « années du moderne » sont les « années de l'inaccompli ». Pour Wassily Kandinsky, il n'y a pas d'art véritablement moderne qui ne referme en soi la « puissance de l'avenir ». Dire « je suis » au lieu de « je fus » et, par là, s'engager dans la voie de l'avenir, voici la tâche de l'art du xxe siècle. Dans l'*Almanach du Blaue Reiter*, il s'oppose à limiter de quelque façon que ce soit l'horizon de l'art : « Il serait présomptueux de définir ce qui a déjà été atteint ou le but ultime du mouvement » ; une pareille tentative ne peut qu'être punie par la « perte cruelle et immédiate de la liberté ».

Durement éprouvé par l'esprit matérialiste du xixe siècle, l'art est désormais menacé par les « germes du désespoir et d'incrédulité » qui envahissent l'âme et qui engendrent la tentation du néant. La liberté illimitée fait naître la peur devant l'avenir. « Tout est permis », observe Kandinsky ; et en art, le « tout est permis » nihiliste fait tomber toutes les défenses naturelles de la forme, le sacré dont elle tient son autorité. Guetté par la manipulation de plus en plus effrénée des médias et par une culture de masse de plus en plus envahissante, l'art s'expose au danger de perdre son identité, de se « dé-définir », remarque le critique d'art américain Harold Rosenberg. Aujourd'hui, seul le fait qu'elle se trouve inclue dans l'histoire de l'art permet d'identifier l'œuvre. L'objet d'art ne survit qu'en tant qu' « objet angoissé ».

Devenu « maître de son art », l'artiste saura-t-il résister à l'angoisse d'une nouvelle situation existentielle ? Le « tout est permis » esthétique ne l'amènera-t-il pas à chercher le salut dans une nouvelle allégeance, comme le suggère Thomas Mann dans son *Docteur Faustus* ?

... AU CULTE DE L'INCONNU

> « *Pitié pour nous qui combattons toujours aux frontières de l'illimité et de l'avenir.* »
>
> Guillaume APOLLINAIRE,
> La Jolie Rousse.

> « *Je sentis en moi des êtres neufs pleins de dextérité Bâtir et aussi agencer un univers nouveau.* »
>
> Guillaume APOLLINAIRE,
> La Petite Auto.

> « *Sache que je parle aujourd'hui*
> *Pour annoncer au monde entier*
> *Qu'enfin est né l'art de prédire.* »
>
> Guillaume APOLLINAIRE,
> Les Collines.

Un esprit épris d'avenir peut-il subir aussi le poids, la fascination de l'histoire ? L'avenir n'est-il pas la sphère de l'*inaccompli*, pour utiliser le terme de Walt Whitman cité plus haut ? Plus que pour l'histoire, le moderne se passionne pour la philosophie de l'histoire, cette théologie moderne qui établit la juste balance entre le passé et le devenir de l'humanité. Il salue d'un coup de chapeau les grandes constructions théologiques de Saint-Simon, Hegel et Marx, mais va tout droit, en réalité, aux mythes eschatologiques judéo-chrétiens — et aux prophéties de Giacchino da Fiore — qui en fixent la structure. En dernière analyse, sa philosophie de l'histoire n'est qu'une *mystique du changement* qui prolonge l'espoir des hérésies gnostiques et anarchistes du Moyen Age et de l'âge de la Réforme.

Cette mystique joue dans le développement de l'art moderne le même rôle qu'a joué dans l'avènement des modernités scientifique, idéologique, politique et économique, l'idée — ou le mythe — du Progrès. (L'idée du progrès n'a pas eu d'influence durable sur la théorie de l'art. Elle domine cependant les exégèses jdanoviennes et postjdanoviennes de l'art soviétique.)

Pour le moderne, l'art est un pont vers l'avenir. Vers un avenir inconnu. Il ne s'agit donc pas de l'avenir fermé de l'idéologie ou de la pensée déterministe.

« Il faut être absolument moderne. » Dans la lettre à Paul Demeny[1] que la postérité connaît sous le nom de la *Lettre du voyant*, Rimbaud identifie le moderne avec l'exploration de la face cachée du monde et de la poésie. Cette lettre est le bréviaire d'une véritable *religion de l'inconnu*. « Inspecter l'invisible et entendre l'inouï » devient la mission même du poète. Ce dernier « définirait la quantité d'inconnu s'éveillant en son temps dans l'âme universelle... ». Dans l'accomplissement de sa tâche, le poète éprouvera la valeur de formes techniques poétiques nouvelles; aussi Rimbaud affirme-t-il que « les inventions d'inconnu réclament des formes nouvelles ».

Affranchir la poésie de toute trace d'épigonisme; la débarrasser des scories d'une quotidienneté insoutenable, mais aussi débarrasser l'image du futur des stéréotypes déterministes, voici la tâche du poète moderne. Vaincre la tentation d'un avenir clos en rejetant tout compromis avec le présent. « Le moderne ne

1. Voir la lettre du 15 mai 1871, dans *Œuvres complètes*, Paris, Gallimard, 1951, coll. de la Pléiade, pp. 253 à 257. La recherche du nouveau au fond de l'inconnu se poursuit parfois sous la forme d'une exploration d'un soi inconnu. C'est dans ce sens que Gauguin s'adresse à Emile Bernard en 1889 : « J'espère que cet hiver vous verrez de moi un Gauguin presque nouveau, je dis presque parce que tout se tient et que je n'ai pas la prétention d'inventer quelque chose de nouveau. Ce que je désire, c'est un coin de moi-même encore inconnu. »

s'accommode du présent que lorsqu'il aperçoit les emblèmes d'une nouvelle primitivité, d'une seconde innocence fondée sur une nature artificielle, comme c'est le cas de certains artistes *pop* américains pour qui les objets quotidiens d'une civilisation technologique surgissent d'un tréfonds de... barbarie. »

Pour le poète, l'avenir est un avenir inconnu. Mais celui qui parle de l'avenir doit raconter une histoire. Et il n'y a point d'histoire qui n'ait pas été déjà racontée par d'autres dans d'autres lieux, qui n'ait pas son origine dans l'univers des mythes et des contes populaires. Pour raconter l'avenir, le poète doit raconter le passé. Pour parler de l'homme de l'avenir, Shelley doit donc parler de Prométhée — comme Wagner se souviendra de Siegfried en créant le premier héros du futur. Dans ces « poèmes », nous assistons à la découverte de l'ancien mythique dans le tréfonds de l'inconnu; cette découverte coïncide avec la sécularisation des mythes judéo-chrétiens du règne millénaire du Juste sous le double patronage du romantisme et du socialisme anarchiste. Le retour aux « sources de l'art » devient la pierre angulaire d'une profession de foi « prospective » et « progressiste ».

Un siècle plus tard, Wassily Kandinsky parle en termes analogues de l'exploration du futur : seul le lien qu'il établit avec le passé permet à l'artiste de jeter un pont vers l'avenir. Il est entendu, cependant, que le passé n'éclaire que le tronçon initial de sa route : « On a vu Isadora Duncan nouer le lien qui rattache à la danse grecque la danse de demain. Un motif identique avait poussé les peintres à se tourner vers les primitifs. Ce n'est, bien entendu, pour l'un et l'autre art, qu'une étape de transition »[1].

SHELLEY ET LE MYTHE DES TROIS ÂGES

« Les poètes sont les miroirs gigantesques que la futurité projette sur le présent », écrit Shelley dans *Une défense de la poésie* (1821). Ils sont les hérauts qui annoncent la naissance d'un monde nouveau, les agents d'une « influence qui n'est pas subie, mais qui se porte en avant ».

1. Vassili KANDINSKY, *Du spirituel dans l'art et dans la peinture en particulier*, Paris, Denoël-Gonthier, 1969, p. 159.

Shelley est un des premiers poètes « engagés »; le satanisme de sa révolte se nourrit de la philosophie individualiste du premier théoricien de l'anarchisme moderne, William Godwin. (Il lâche, sur une plage anglaise, un jour, de petits ballons lumineux chargés de sentences godwiniennes; certains passages du *Prométhée délivré* répandent également le credo de Godwin.) Il renouvelle le mythe de l'âge d'Or libertaire et fait du poète son prophète attitré.

Le poète fait partie d'une avant-garde de militants visionnaires dont l'œuvre préfigure l'avenir social. « Les grands écrivains de notre âge sont les compagnons et les précurseurs d'un changement encore insoupçonné de notre condition sociale ou des opinions qui la cimentent », écrit Shelley. (Dans la France contemporaine, Saint-Simon attribue au poète un rôle de législateur et, depuis lors, la « fonction poétique» fait partie intégrante des projets de reconstruction sociale. « L'art est l'avant-garde de la société », note Proudhon. Et, bien qu'il ait subordonné la création artistique à l'idée sociale — seule déterminante —, il affirme dans *De la Justice dans la Révolution et dans l'Eglise* qu' « il faut que (l'artiste) soit prophète, qu'*il dise l'avenir*, que de sa parole inspirée, il éclaire ses contemporains ».)

Mais de quel avenir le poète est-il le prophète, le précurseur ? Chez Shelley, le « Juif errant » du romantisme libertaire[1], le mythe social et politique du Troisième Age séculaire n'est encore ni diffus, ni camouflé. L'âge nouveau dont il attend l'avènement est, à bien compter, le troisième âge de l'humanité. Un âge à proprement parler sans Dieu et sans Maître. Cet âge ne diffère du premier âge, dont il perpétue l'innocence, que par la voie qu'il emprunte pour se purifier du Mal — du péché originel et de l'histoire : alors que l'innocence du premier âge était le fruit de l'ignorance, celle de l'âge à venir sera fondée sur la science et le savoir.

---

1. Depuis son adolescence, le poète anglais est hanté par la figure d'Ahasvérus. Le Juif errant du mythe est, comme Prométhée, un rebelle qui prend fait et cause pour l'humanité souffrante contre la tyrannie. Ahasvérus est, avec Prométhée et avec Satan, le patron-saint de l'esprit de révolte anarchiste ou anarchisant. Il est intéressant de noter que Proudhon fait sien le culte romantique du Satan qui sera pour Bakounine le premier « libre-penseur », et l'archétype de la révolte anarchiste. Sorel et, plus près de nous, l'anarchiste espagnol Durruti se reconnaissent comme le Juif errant du socialisme libertaire.

Shelley vit dans l'attente des grands cataclysmes qui signaleront la rupture de l'histoire et le passage du règne du Mal dans le règne du Bien. Aussi prévoit-il le renouvellement des temps, la régénération de l'homme, comme une succession de contraires : la lumière jaillit de la nuit profonde de la superstition ; la liberté naît de l'oppression la plus brutale. La création a pour prix la destruction. La devise de Proudhon, *destruam et aedificabo*, pourrait être aussi la sienne. Le mythe révolutionnaire qu'il associe avec ses errances d'*outcast* préfigure étrangement l'« amorphisme » de Bakounine et sa vision de conflagration universelle. L'un et l'autre promettent le retour à un Paradis terrestre comme ultime étape d'une épopée révolutionnaire « exemplaire ». L'avenir selon Shelley est l'avenir selon le mythe : « Laissons la hache / frapper la racine, et l'arbre-poison sera abattu / ... / Un jardin apparaîtra, dépassant / en beauté l'Eden fabuleux. »

WAGNER, BAKOUNINE ET LE MYTHE DE L'HOMME NOUVEAU

Le Wagner révolutionnaire — l'insurgé de Dresde, l'auteur de pamphlets anarchistes tels que *L'art et la révolution* et l'initiateur de *L'anneau* — veut régénérer l'humanité par l'art et l'art par la révolution. Son double projet s'élabore dans l'unité du mythe : le mythe de l'homme nouveau et une cosmogonie mi-prospective mi-rétrospective.

« Regarde bien Wotan, il nous ressemble à s'y méprendre », écrit Wagner à son ami Roeckel au sujet de *L'anneau*. « Il est la somme d'intelligence du temps présent, tandis que Siegfried est *l'homme attendu, voulu par nous*, qui doit se faire lui-même par notre anéantissement, l'homme le plus parfait que je puisse imaginer »[1]. Siegfried est le héros exemplaire qu'il est allé chercher dans l'univers pur de la saga scandinave et dont il transcrit les traits en remémorant l'épopée brisée de Bakounine, héros de la révolte anarchiste[2]. Siegfried et Bakounine sont des enfants, des

1. Cité par Marcel DOISY, préface à *L'or du Rhin*, Paris, Aubier-Flammarion, 1968, p. 29.
2. Parmi les commentateurs, c'est George Bernard Shaw qui pousse le plus loin l'identification du héros wagnérien avec le personnage du « grand révolté ». Il n'hésite pas à parler, en analysant *L'anneau*, de « Siegfried Bakounin » ou de

héros-enfants qui renouvellent un monde usé grâce à leur force innocente et leur créativité illimitée[1].

Héros anarchiste, Siegfried crée, par ses actes exemplaires, une véritable mythologie de libération et d'action révolutionnaires. Il s'affranchit de la tutelle de Mime, symbole d'une vieille civilisation, et rejette l'univers dont il est le défenseur inepte. Wotan salue en lui l'homme libre et l'incarnation de l'esprit libertaire : « Celui que j'aime / je le laisse libre de ses actes / qu'il réussisse ou qu'il échoue, / *il est son propre maître*; seuls des héros peuvent m'être utiles »[2].

L'homme du futur — l'anarchiste — cesse-t-il d'être la figure du mythe, l'homme du passé profond de la saga ? « Wagner parle la langue des *temps lointains*, lointains dans le passé, comme dans l'avenir, pour révéler *tout ce qui fut jadis* et *tout ce qui sera un jour* », observe à ce propos Thomas Mann. (Ce n'est pas par hasard que George Bernard Shaw a qualifié le *Prométhée délivré* de Shelley d'une « tentative anglaise pour créer *L'anneau* ».) Siegfried ne devient libre, n'entre en possession de ses dons — et ne reforge l'épée —, qu'en retrouvant ses racines. En apprentissage chez Mime, ce maître incapable, il presse le gnome de questions au sujet de ses origines; qui est son père, qui est sa mère ? Dès qu'il apprend le secret de sa naissance, Siegfried devient lui-même et par là l'homme du futur. Il s'exclame aussitôt : « Que je suis heureux / d'être devenu libre / sans rien qui me lie et me contraigne ! »[3]. Le passé devient la révélation de l'inconnu par l'acte libérateur du héros.

« jeune Bakounin ». Le « jeune anarchiste » du drame est un « portrait pris sur le vif » de l'anarchiste russe. Mais Wagner n'a-t-il pas proclamé en 1849 que sa tâche était de « semer la révolution partout où il passait » ? (Voir George Bernard SHAW, *The Perfect Wagnerite. A Commentary on the Nibelung's Ring*, New York, Dover, 1967.)

1. Dans le livret de *Siegfried*, le héros apparaît comme « l'enfant », « l'enfant héroïque », « le héros juvénile » ou encore « l'adolescent sublime ». Les biographes n'ont pas manqué de relever le caractère enfantin de Bakounine; dans son autobiographie *(Ma vie)*, WAGNER lui-même souligne ce trait. — Il faut également rapprocher l'aspect juvénile de l'homme du futur du culte de l'art enfantin qui accompagne l'art moderne le long de son cheminement vers l'avenir.

2. Richard WAGNER, *Siegfried*, Paris, Aubier-Flammarion, 1971, p. 151. Mes italiques.

3. *Ibid.*, p. 75.

L'enfance exemplaire du héros ouvre l'horizon de l'art sur cette autre enfance : celle de l'humanité, du primitif, du sauvage, conçue à l'image de l'explosion de force, de l'ivresse, dionysiaque.

« Pour faire neuf, il faut remonter aux sources, à l'humanité en enfance », proclame Gauguin la veille du second départ pour l'Océanie; le pas décisif est franchi. L'artiste récuse l'héritage grec (« si beau qu'il soit ») et occidental. Il se retourne contre l'Europe, terre devenue infertile[1]. Il cherche le renouveau de l'art — et de la vie — loin du cercle enchanté de la civilisation. « Je ne veux faire que de l'art simple, très simple; pour cela j'ai besoin de me retremper dans la nature vierge, de ne voir que des sauvages, de vivre leur vie, sans autre préoccupation de mon cerveau avec l'aide seulement des moyens d'art primitifs, les seuls bons, les seuls vrais. »

La Bretagne « primitive » et « sauvage » est la première étape d'un retour vers la terre natale de la création. Mais il fait reculer les frontières du côté de la préhistoire. Bientôt, Tahiti même lui apparaît comme trop « civilisé » et son imagination commence à « se refroidir ». Pour sauvegarder le caractère « affirmatif » de sa nouvelle manière, il va plus loin encore, aux îles Marquises, « presque encore anthropophages ». « Je crois que là, cet élément tout à fait sauvage, cette solitude complète me donnera avant de mourir un dernier feu d'enthousiasme qui rajeunira mon imagination et fera la conclusion de mon talent. »

La Bretagne, Tahiti et les îles Marquises sont autant de terres d'avenir; car en se plongeant dans l'archaïque, le peintre garde sa postérité — l'avenir — à l'esprit.

L'influence de Gauguin sur le renouveau primitiviste ne restera pas isolée. Depuis le début du siècle s'exerce sur tout un courant important du mouvement moderne, l'influence

---

1. L'anti-européanisme est un des éléments constitutifs de l'idéologie du modernisme. Lisons la remarque suivante de Franz Marc à Auguste Macke : « Nous devons être courageux et tourner le dos à presque tout ce que nous avons tenu, en bons Européens, jusqu'il y a peu de temps, de précieux et d'indispensable. » Echapper à l'épuisement du « mauvais goût européen » est pour lui le seul choix véritable. (Pour une analyse plus approfondie, voir le chapitre sur « Le primitivisme culturel et l'Europe », dans mon *Intellectuel contre l'Europe*, Paris, PUF, 1976), pp. 73-90.

décisive des premiers grands primitifs de l'Europe contemporaine, Van Gogh, Redon, etc. (sans parler du primitivisme
charismatique du Douanier Rousseau). Une véritable *tradition
primitive* se constitue, alors qu'émerge, petit à petit, une seconde
tradition nouvelle, la *tradition moderne*. Cette dernière remonte
jusqu'au maniérisme et inclut avant tout les précurseurs européens de la modernité, Hölderlin, Büchner, les romantiques, etc.
(Chaque mouvement d'avant-garde recomposera son arbre
généalogique en fonction de ses dettes et de ses interdits.)

La révélation de l'art africain et d'Océanie est cependant le
moment où éclate au grand jour, sur la scène européenne, la
nostalgie de l'avenir; le terrain a été préparé par la découverte
du dessin des enfants et des malades mentaux. De plus, le populisme archaïsant, le culte du Moyen Age (et de la société organique qui a enfanté un art organique) et la pseudo-intemporalité
de l'art populaire ont, par leur coloration anticipatrice, préparé
la sensibilité européenne dans le sens d'un retour multiple aux
« sources ».

LES MÉTAMORPHOSES DU NIHILISME

L'iconoclasme de l'anti-art nihiliste participe-t-il à l'unité du
mythe de renouveau qui permet au décadentisme de dépasser
l'horizon de sa défaite et qui fonde l'autorité des maîtres de la
modernité ? Je chercherai la réponse dans les travaux de Mircea
Eliade sur le sacré de notre temps.

« Depuis le début du siècle, les arts plastiques, aussi bien que
la littérature et la musique, ont connu des transformations si
radicales qu'on a pu parler d'une « destruction du langage
artistique »... En certains cas, il s'agit d'un véritable anéantissement de l'Univers artistique établi. En contemplant certaines
œuvres récentes, on a l'impression que l'artiste a voulu faire
table rase de toute l'histoire de la peinture. » Or, la réduction
des formes et du langage de l'art à l'état de *materia prima*, cette
véritable « régression au Chaos », n'est que la première phase
d'un processus dont le cycle complet correspond à une cosmogonie. (« L'œuvre de deux écrivains les plus significatifs de
notre temps — T. S. Eliot et James Joyce — est traversée dans
toute sa profondeur par la nostalgie du mythe de la répétition

éternelle et, en fin de compte, de l'*abolition du temps* »[1].) Chez beaucoup d'artistes modernes, on sent que la « re-création d'un nouvel Univers doit nécessairement suivre ». Le nihilisme de l'artiste est un signe de fin et de renouvellement des temps; derrière le radicalisme d'une volonté de *renovatio* artistique se dessine le désir de renouveler *ab initio* l'expérience artistique elle-même. Les artistes modernes ont compris qu'un « vrai commencement ne peut avoir lieu qu'après une véritable Fin. Et, les premiers parmi les modernes, les artistes se sont appliqués à détruire réellement *leur* monde, afin de recréer un univers artistique dans lequel l'homme puisse à la fois exister, contempler et rêver ». L'artiste exerce une véritable *fonction anticipatrice* et pour cela son œuvre dépasse le cadre de la re-création de l'univers des formes : « Ce sont surtout les artistes qui représentent les véritables forces créatrices d'une civilisation ou d'une société. Par leur création, les artistes anticipent ce qui arrivera — ... dans les autres secteurs de la vie sociale et culturelle. »

Dans son témoignage sur Brancusi, Eliade relève la « solidarité structurelle » de la sculpture moderne — en l'occurrence l'œuvre du grand sculpteur roumain — et des créations artistiques préhistoriques, paysannes et ethnographiques (la sculpture et les masques africains). « La rencontre avec les créations de l'avant-garde parisienne ou du monde archaïque... aurait déclenché (chez Brancusi) un mouvement d' « intériorisation », de retour vers un monde secret et inoubliable, puisque à la fois monde de l'enfance et de l'imaginaire »[2]. Pour parler la langue de l'avenir, Brancusi réapprend avec l'expérience primordiale d'une « barbarie », d'une « sauvagerie » sans âge.

Un mot enfin sur l'attrait de l'art enfantin sur plusieurs générations de modernes, de Klee, Feininger à Miro, Dubuffet, etc. L'art des enfants révèle, pour le prophète d'une nouvelle Création, la force inculte, inconsciente d'une créativité pratiquement sans limites; il représente la force dionysiaque d'un torrent qui charrie irrésistiblement tous les éléments d'une nouvelle ère de plénitude. « Je veux être comme un nouveau-né ne sachant

---

1. *Le mythe de l'éternel retour*, p. 177.
2. Mircea ELIADE, Brancusi et les mythologies, dans Petru COMARNESCO, Mircea ELIADE et Ionel JIANOU, *Témoignages sur Brancusi*, Paris, Arted, 1967, p. 11.

absolument rien de l'Europe, ignorant les poètes et les modes, je veux être presque un primitif », écrit Paul Klee en 1902. En se rappelant l'atmosphère dans laquelle il avait peint son premier tableau « essentiel », Hans Arp dira plus tard qu'il avait le sentiment de « jouer avec quelques plots d'enfant ». Selon Harold Rosenberg, *dada* lui-même était pour Arp un conte d'enfants, une parcelle du monde innocent de l'enfance. (Pour Max Ernst, le langage « hypnotique » d'Arp mène tout droit vers quelque Paradis perdu.)

RENOUVEAU, DÉCADENCE ET BARBARIE

> « *Le développement de l'art moderne, avec ses tendances d'apparence nihiliste à la décomposition, doit être compris comme un symptôme et un symbole de cette atmosphère de fin et de renouvellement du monde, qui est caractéristique de notre époque.* »
>
> Carl Gustav JUNG,
> Présent et avenir.

L'acceptation de l'idée du déclin peut-elle devenir le programme d'action d'un art dirigé vers l'avenir ? L'idéologie des poètes dits *décadents* nous encourage à répondre par l'affirmative. Elle nous apparaît en effet comme l'inversion assez sommaire du mythe du Progrès et ainsi, comme la gageure suprême d'un « avenirisme à rebours ». Elle indique en même temps le déplacement du centre mythique de la création moderne.

Les premiers romantiques ont tiré leur espoir de renouveau du mythe sécularisé du Salut. Leurs successeurs abandonnent l'interprétation linéaire de l'histoire au profit d'une vision cyclique; aussi leur imagerie s'inspire-t-elle de la succession des saisons (le printemps succède à l'hiver !) et des âges de la vie (enfance, jeunesse, maturité, vieillesse), plus conforme à l'alternance des périodes de flux et de reflux (de *corsi* et de *ricorsi*). Aux mythes eschatologiques de l'Europe romantique — et socialiste — se substitue le mythe de l'éternel retour. L'étude comparée des civilisations met en lumière la trajectoire des cycles artistiques et renforce considérablement le pouvoir de ce mythe. En même temps se répand, comme contrepoids au pessimisme culturel qui naît de l'étude parallèle des civilisations, l'attente du *barbare*, cet « éternel trouble-fête des siècles satisfaits » (Renan), cette « ressource suprême d'une humanité aux abois » (Edouard Berth). (Mais la barbarie n'est pas elle-même devenue « civilisée » ?, se demande Berth, théoricien socialiste, avec Sorel, d'une alternance pendulaire des périodes créatrices.)

« Le moment présent est un processus de transition à distance égale du passé et de l'avenir. Celui qui perçoit de cette façon peut se considérer à juste titre moderne », remarque C. G. Jung. Dépossédé du droit de perpétuer une tradition désuète et retenu en deçà de la Terre inconnue de l'avenir, l'artiste est condamné à s'isoler de la société (qui se sent distancée par une avant-garde aventureuse); mobilisé dans l'anonymat du mythe ou, au contraire, perdu dans l'objectivité impersonnelle des techniques artistiques, il poursuit la voie d'une dépersonnalisation dangereuse.

Le présent est, pour certains, le moment de la déshumanisation (dans le sens où l'entend Ortega y Gasset[1]) et du sacrifice du soi :

— *La déshumanisation* : Je n'aborde qu'un seul aspect d'un processus complexe et insuffisamment débattu : la haine du bourgeois. Depuis le début de l'époque romantique, le Philistin représente, pour l'artiste, la pesanteur du présent. Ce dernier transforme la figure combien insaisissable du bourgeois en personnage mythique. (Et crée le mythe complémentaire, aujourd'hui déchu, de l'artiste maudit.) Ce portrait mythique est au moins partiellement repris par les sciences sociales et les idéologies. Mais en rejetant le bourgeois qu'il porte en lui, malgré son attitude élitiste et sa pensée égalitaire, il porte atteinte à sa propre humanité. Tout semble indiquer que le miroir dans lequel il se regarde lui renvoie l'image du bourgeois. En tuant en lui-même le bourgeois, il se tue.

— *Le sacrifice de soi* : L'esprit des mouvements d'avant-garde est l'esprit même du sacrifice. Parvenu à la fin d'un cycle psychologique dont Renato Poggioli a cerné les lois dans sa remarquable

1. Voir *La Deshumanización del arte e Ideas sobre la Novela*, Madrid, Revista de Occidente, 1925. Curieusement, cet essai d'ORTEGA Y GASSET n'a pas été jusqu'ici traduit en français.

Teoria dell'arte d'avanguardia[1], l'artiste d'avant-garde accepte son échec pour assurer, par son effacement, la réussite de ceux qui viendront après lui, et qui seuls parviendront au seuil de l'avenir. Nous n'exagérons pas en affirmant qu'en abolissant la perspective de l'avenir nous mettons fin à la phase moderne de l'art à brève échéance.

Le romantisme prospectif du moderne rejoint-il l'idéologie de l'anarchisme par la convergeance ultime de deux sensibilités, anti-autoritaire et libertaire ?

Pour Proudhon, pour Kropotkine — comme pour Marx — le romantisme est l'art des « revenants », la consécration de la victoire de la « contre-révolution » littéraire en France. Les attaques libertaires contre l'art en tant que pouvoir sont pourtant si proches de la révolte des poètes romantiques contre le principe d'autorité en matière littéraire que l'observateur impartial doit conclure à leur affinité profonde. Dans la préface de *Cromwell*, Victor Hugo rejette la tyrannie du passé en littérature au même titre que la tyrannie politique. L'artiste idéal n'a « point de maître », de même qu'il « ne laisse point de disciple », affirme Proudhon de son côté; il tire la puissance de son art de l'idéal social de son temps et, avant tout, de sa propre spontanéité créatrice. Ce n'est pas la force de la tradition qui est le fil conducteur de l'histoire de l'art, mais l'attachement de l'artiste véritable à l'idée d'une société juste.

Pour l'anarchiste et pour le romantique — et pour le moderne —, l'artiste est le maître de son art. L'affirmation de la liberté créatrice reste au centre de la tradition libertaire du moderne, du premier manifeste individualiste de Godwin jusqu'aux textes les plus représentatifs de la modernité présente.

L'art est la manifestation de l'autorité au même titre que l'Etat, la police ou les tribunaux, proclame Godwin dès 1793. Plus il se conforme à des lois précises, plus il est lui-même la source de contraintes mutilantes. Les institutions artistiques, le théâtre et le concert réduisent l'exécutant au niveau d'un simple mécanisme. Pour affranchir l'homme de la tutelle de l'art, il propose une double stratégie de libération et de création libertaire. « On a le droit de se demander si des hommes accepteront

---

1. Societa editrice in Mulino, 1962.

encore à l'avenir de répéter des mots et des idées qui ne sont pas les leurs. On peut se demander s'il se trouvera encore des musiciens qui accepteront de jouer les compositions d'autrui... Toute répétition formelle des idées d'autrui m'apparaît comme l'emprisonnement... du libre exercice de l'esprit. Il n'est peut-être pas exagéré de parler à ce propos d'un manque de sincérité qui nous demande d'exprimer sur-le-champ toutes les idées utiles et précieuses qui nous viennent à l'esprit[1]. »

J'emprunte un passage au manifeste libertaire d'un théoricien américain de l'art, Norman O. Brown, pour illustrer l'actualité des thèses godwiniennes : « Nous sommes asservis à une autorité extérieure à nous-mêmes : ... asservis à l'autorité des livres... Cet asservissement aux livres nous oblige à ne plus regarder avec nos propres yeux; nous oblige à regarder avec les yeux des morts, avec des yeux morts... Un sort a été jeté sur nous, le spectre des livres, l'autorité du passé; et pour exorciser ces spectres, nous devons prendre sur nous-mêmes la grande tâche de l'auto-libération magique. » Remarquons en passant que, pour Brown, l'incendie des livres est la forme par excellence de l' « auto-libération magique ».

La libération de l'art des formes héritées du passé passe par l'affirmation inconditionnelle du principe anarchiste de la liberté, déclare Thomas von Hartmann dans l'*Almanach du Blaue Reiter*. La liberté anarchiste est-elle réellement illimitée ? s'interroge Wassily Kandinsky dans les pages de ce même *Almanach*. L'anarchie n'est-elle pas le principe organisateur d'un ordre nouveau plutôt que l'affirmation du simple esprit destructeur ? L'abolition des lois extérieures n'est-elle pas contrebalancée par l'affermissement des lois intérieures ? N'est-ce pas précisément l'agrandissement progressif de l'espace intérieur qui ouvre la voie au renouvellement constant des dons créateurs ? Pour Kandinsky, la *modernité a ses maîtres et ces maîtres n'hésitent pas à affirmer leur autorité*. Pour les « postmodernes », au contraire, toute autorité est mauvaise. Nous assistons — pour combien de temps ? — à l'absolutisation de la notion *anarchique* de la liberté. (Contrairement à la notion *anarchiste* qui enferme la liberté dans un réseau particulier de limites et d'obstacles.)

1. Voir mon étude sur l'*Esthétique anarchiste*, pp. 7-8.

Se déprendre de l'histoire; retrouver, ayant vaincu la tentation d'un éternel présent, le sens d'un va-et-vient incessant entre un passé sans fond et un avenir indéfini; s'éloigner, *des deux côtés*, de la perspective entrouverte par l'histoire, sans se perdre dans la mouvance non balisée du temps mythique, voici le pari du moderne. Car la lumière qui éclaire son chemin est la « lumière du mythe ».

L'avenir renouvelle, sous forme d'un projet à la fois démesuré et modeste, la promesse de l'âge d'Or. Le Troisième Age inclut dans son cycle l'idée d'un retour (conçu toujours sur un plan supérieur). Pour cela, il nous importe peu si Kandinsky s'est libéré ou non de l'influence de la théosophie de Rudolf Steiner en repensant la fonction du rationnel dans l'art. Lorsqu'il affirme, dans *Regards sur l'art*, que notre époque se trouve au seuil d'une « troisième » Révélation[1], il reprend à son compte une idée qui n'a pas besoin de la théosophie pour se propager : l'idée du Troisième Age qui irrigue, depuis la révélation moyenâgeuse de Giacchino da Fiore, l'espoir mythique et social d'un renouveau historique. C'est ce même mythe qui passe par l'entremise de Lessing, Schelling et Hegel, dans les eschatologies séculaires de notre époque et qui forme les assises idéologiques et sociales de l'art moderne.

L'art moderne œuvre, dans l'ordre dispersé du *pluralisme* créateur, pour un projet qui est, malgré sa subjectivité, social; qui englobe l'art, mais s'ouvre sur l'horizon plus large de la société et de la morale : une société et une morale *nouvelles* et qui forment l'horizon *moniste* d'une expérience fondée sur le mythe et par conséquent subordonnée au rêve inatteignable de l'unité. Dans les différentes préfigurations idéologiques et artistiques de l'avenir, c'est le mythe qui nous propose ses métamorphoses infinies.

---

1. Voici la citation complète : « Notre époque, au seuil de la « troisième » Révélation, serait-elle concevable sans la deuxième ? C'est une ramification de l'Arbre originel où « tout commence », Vassili KANDKINSKY, *Regards sur le passé et autres textes, 1912-1922*, Paris, Hermann, 1974, p. 125.

LIVRE IV

l'homme nouveau

remarques préliminaires

Dans un essai[1] fortement tributaire du messianisme « instantané » *(Paradise now)* de la fin des années 1960, Gunther S. Stent, professeur de biologie moléculaire à l'Université de Californie, à Berkeley, prédit la déchéance inéluctable de l'ère du progrès et esquisse le portrait de l'âge de Loisirs, le nouvel âge d'Or postindustriel qui prendra sa succession. L'homme faustien sera remplacé par un nouveau type d'homme, le Polynésien. Grand néo-primitif, gérant l'héritage de vingt-huit siècles d'histoire, le Polynésien s'adonne à la jouissance illimitée de plaisirs esthétiques et matériels que la nature (le monde

---

1. Gunther S. STENT, *The Coming of the Golden Age. A View of the End of Progress*, Garden City, The Natural History Press, 1969.

industriel transformé en décor) lui procure, en consacrant sa créativité à l'établissement de rapports sociaux harmonieux.

La création d'une société nouvelle présuppose chez Stent, et d'une manière générale, l'émergence d'un type d'homme nouveau. Le Polynésien appartient-il à la grande famille de héros anticulturels du primitivisme occidental ? Reconnaît-on, en le regardant de près, les traits du Bon Sauvage, du moujik, sur le visage en portrait-robot, de l'homme nouveau ? C'est ce que nous verrons dans les deux chapitres qui composent ce Livre, séparé du Livre III dans le but de rendre la présentation des grands mythes de la modernité plus claire et plus raisonnée[1].

1. Les deux thèmes sont présentés dans leur interdépendance fondamentale par les auteurs d'un *Cours de marxisme, première année* proprement eschatologique : « Il est difficile sans doute de représenter entièrement ce que sera cette nouvelle société, mais il y a des choses que l'on peut affirmer. Dans la... société communiste, il n'y aura plus de police. Il n'y aura plus de prisons... il n'y aura plus d'armée... Toute idée de contrainte disparaîtra. Les hommes auront tout à fait le sentiment qu'ils sont débarrassés, dégagés de tout ce qui faisait autefois leur servitude. Ce seront des hommes absolument nouveaux. » (Cours rédigé par J. Baby, R. Maublanc, G. Politzer et H. Wallon. Cité par Roger Mucchielli, *Le mythe de la cité idéale*, Paris, puf, p. 168.)

l'homme nouveau

L'homme nouveau a un double statut spirituel et politique[1]. D'une part, il incarne l'alternative chrétienne entre une « vieille » manière de vivre et un mode d'existence entièrement nouveau. D'autre part, il donne aux projets de société utopiques ou révolutionnaires un prolongement « humaniste » fondé sur la créativité d'une pédagogie révolutionnaire patiemment agencée. Intégré dans le discours idéologique moderne, le concept se veut matérialiste et politique. Il n'en bénéficie pas moins de l'espérance du message de saint Paul qu'il laïcise en l'adaptant aux exigences d'une Nouvelle Jérusalem sociale.

Etre abstrait, collectif et anonyme, l'homme nouveau est issu de l'imagination organisatrice de l'esprit utopique. Entièrement socialisé, il est conçu en fonction de la machine sociale dont il est le simple rouage. En même temps, il actualise la mythologie du renouveau et se situe dans le sillage du Bon Sauvage, ce premier critique des civilisations corrompues. L'on pourrait se demander, en effet, comment l'homme actuel — l'homme décadent, fragmentaire et déshumanisé — serait capable de penser l'homme intégral de l'avenir si, du tréfonds de sa mémoire, ne surgissait l'image d'un être primordial vivant au sein d'une communauté harmonieuse. L'utopie, comme le mythe de l'âge d'Or, pense l'homme à travers l'ordre social qui le façonne pour le subordonner à son rêve de perfection. Les

1. Voir la notion libertaire de l'homme nouveau, pp. 39-40, l'homme nouveau dans la pensée de Marx, pp. 100-101 et dans l'œuvre wagnérienne, pp. 131-132.

projets de société nouvelle dont il actualise la logique totalisante et la nostalgie d'une existence purement collective donnent à la figure de l'homme nouveau une cohérence parfaite. Figure à la fois moderne et mythique, il accuse les traits impersonnels d'une société *d'après* l'homme et d'un ordre mythique *d'avant* l'individu. Il nie l'Histoire dont il met en relief l'imperfection et la culture individualiste qu'il prétend dépasser grâce au miracle d'une foi collective sans spiritualité.

L'HOMME NOUVEAU ET LA CITÉ IDÉALE

Peut-on réformer la société et, à plus fort titre, prédire l'avènement d'une ère nouvelle dans l'histoire de l'humanité, sans un changement préalable — ou concomitant — de la nature humaine[1] ? L'innovation sociale n'a-t-elle pas pour condition première la création d'un homme affranchi de l'histoire ? L'évocation de l'homme nouveau confère une grandeur singulière à l'esprit d'utopie. En même temps, elle interdit toute tentative d'innovation à ceux qui croient dans une nature humaine donnée pour toujours. « Celui qui ose entreprendre d'instituer un peuple doit se sentir en état de changer pour ainsi dire la nature humaine, de transformer chaque individu, qui par lui-même est un tout parfait et solitaire, en partie d'un plus grand tout dont cet individu reçoive en quelque sorte sa vie et son être », remarque Rousseau en définissant la fonction créatrice du « législateur »; « d'altérer la constitution de l'homme pour la renforcer; de substituer une existence partielle et morale à l'existence physique et indépendante que nous avons reçue de la nature. Il faut, en un mot, qu'il ôte à l'homme ses forces propres pour lui en donner qui lui soient étrangères, et dont il ne puisse faire usage sans le secours d'autrui »[2]. La

1. « ... la confiance aveugle de cette génération et de celle qui l'a précédée dans les idées modernes, dans je ne sais quel avènement d'une ère dans l'humanité qui doit marquer un changement complet, mais qui, à mon sens, pour en marquer un dans ses destinées, devrait avant tout le marquer dans la nature même de l'homme, cette confiance bizarre que rien ne justifie dans les siècles qui nous ont précédés, demeure assurément le seul gage de ses succès futurs, de ces révolutions si décriées dans les destinées humaines », écrit à ce propos Eugène DELACROIX (*Journal*, lundi le 23 avril 1849).

2. Jean-Jacques ROUSSEAU, *Du contrat social*, dans *Ecrits politiques*, Paris, Garnier, 1968, p. 261.

Société nouvelle a besoin d'hommes nouveaux pour s'affirmer. Elle ne réalisera ses buts qu'en modifiant l'homme actuel par sa socialisation parfaite, en le rendant incapable de vivre sans recours à cette part sociale qui le définit désormais.

C'est à partir d'une logique d'innovation globale que Fichte développe la notion d'une « nation entièrement nouvelle ». L'autarcie — la fermeture des frontières nationales, la cessation de tout échange interétatique, la circulation des biens et des personnes, l'émission d'une monnaie nationale sans cours en dehors des limites territoriales de l'Etat — a pour but ultime, la création d'un nouveau citoyen. « Il est évident que dans une nation ainsi fermée », lit-on dans *L'Etat commercial fermé*, « dont les membres ne vivent qu'entre eux et fort peu avec des étrangers, qui acquiert par suite des mesures indiquées sa façon de vivre, son organisation et ses mœurs particulières, qui aime avec dévouement la patrie et tout ce qui est de la patrie, l'honneur national se développera très vite, à un degré élevé, ainsi qu'un caractère national nettement marqué. *Ce sera une autre nation absolument nouvelle* »[1].

LA RECONQUÊTE
DE LA NATURE ORIGINELLE DE L'HOMME

Derrière la figure abstraite de l'homme de demain se dessine invariablement la silhouette de l'homme d'autrefois dont le mythe seul perpétue le souvenir et qu'il importe de re-actualiser. C'est ainsi que le jeune Marx parle de la « perte totale » de l'humanité de l'homme sous le capitalisme et présente le socialisme comme la « reconquête totale de l'homme » *(völlige Wiedergewinnung des Menschens)*[2]. Création nouvelle, l'homme nouveau est en même temps l'homme intégral, l'homme d'avant la chute. C'est à l'homme total, universel que se réfère Frantz Fanon lorsqu'il invite le Tiers Monde à « recommencer l'histoire de l'homme » en oubliant les crimes que l'Europe a commis contre lui, notamment « l'écartèlement pathologique de ses fonctions et l'émiettement de son unité », et, au niveau

---

1. Johann Gottlieb FICHTE, *L'Etat commercial fermé*, Paris, 1940, III, 8. C'est nous qui soulignons.
2. Karl MARX, *Contribution à la critique de la philosophie du droit de Hegel*, p. 101.

de la société « la brisure, la stratification »[1]. Che Guevara parle, lui, de la « reconquête de sa nature propre » par l'homme, grâce au « travail libéré » et la pédagogie libératrice de la « culture et de l'art »[2].

La reconquête d'une nature humaine en sommeil sous les cendres de l'homme moderne fait partie également de la vision hitlérienne de l'homme. « Tout ce qui s'immobilise, s'arrête, veut demeurer stable, tout ce qui s'accroche au passé (c'est-à-dire le passé historique, remarque l'auteur), tout cela s'étiole et périt. Tous ceux qui écoutent, au contraire, la voix primitive de l'humanité, qui se vouent au mouvement éternel, sont les porteurs de torches, les pionniers d'une nouvelle humanité »[3]. (C'est à cette thèse que fait écho Arthur Rosenberg lorsqu'il parle du Troisième Reich en termes d'un Nouveau Départ de la race aryenne : « Un sentiment vital à la fois jeune et connu aux temps anciens est en train de s'articuler »[4].)

« Ici, nous avons dans une certaine mesure retrouvé l'ancienne dignité du genre humain », note encore dans ses lettres du Nouveau Monde le chantre du Nouvel Adam américain, Michel de Crèvecœur[5]. L'homme nouveau est en train de renaître de son sommeil auquel une histoire plusieurs fois millénaire l'avait condamné. La personnalité est perçue dès lors comme un ensemble complexe où se superposent — en servant en quelque sorte de fondement à l'édifice — « l'innocence originelle » et la « superstructure de caractère » que la société a érigée pour l'étouffer[6]. Tout faire pour que « l'homme

1. Frantz FANON, *Les damnés de la terre*, Paris, Maspero, 1970.
2. Che Ernesto GUEVARA, *Le socialisme et l'homme*, Paris, Maspero, 1970, p. 97. Rapprochons du messianisme tiers-mondiste de Fanon et de Guevara l'eschatologie « froide » du Français Pierre Jalée : « Le socialisme, dans sa conception marxiste, n'est donc rien d'autre qu'une vaste, longue et ambitieuse entreprise de conquête ou de reconquête de l'homme par l'homme. Cette conquête continue s'exprimera notamment dans une culture et une morale nouvelles », *Le projet socialiste. Approche marxiste*, Paris, Maspero, 1976, pp. 149-150.
3. Cf. Hermann RAUSCHNING, *Hitler m'a dit*, Paris, Coopération, 1939, p. 273.
4. Cité par Robert POIS (édit.), *Alfred Rosenberg, Selected Writings*, Londres, Jonathan Cape, 1970, p. 35.
5. Cité par Elise MARIENSTRAS, *Les mythes fondateurs de la nation américaine*, Paris, Maspero, 1976, p. 62.
6. Je reprends ici les termes de Robert OWEN, auteur d'un traité de réforme sociale *(Book of the New Moral World)* et fondateur d'une colonie dans le Mid-West américain où l'homme nouveau devrait prendre son envol, New Harmony.

reprenne possession de sa nature » (Che Guevara), voici le but de l'idéologue du xxᵉ siècle.

Nous voici, grâce à Marx, à Bakounine[1] ou à Samora Machel, au cœur de la mythologie moderne dont l'homme nouveau et la Nouvelle Jérusalem forment des figures essentielles. (« Nous menons une lutte des classes pour créer un homme nouveau », déclare au *Monde* le président mozambiquain, le 27 avril 1976).

En dernière analyse, l'homme nouveau récuse non pas telle forme de société fondée sur l'inégalité, mais toutes les sociétés historiques; non pas l'Europe, mais le phénomène même des civilisations. Citons à l'appui de cette thèse le rêve de Tomo Cheeki, le personnage du drame de Philip Freneau (*Time-Peace*, 1797), qui parle au passé simple d'une nouvelle race humaine qui a succédé à l'humanité dont nous faisons partie : « Ils ne bâtirent pas de villes. Ils semblaient ne pas connaître la discorde et la guerre. L'esprit de justice, la bienveillance et la vertu régnaient parmi eux. Ils marchaient sur les rives de l'Océan; ils résidaient sur les berges verdoyantes de fleuves, et pourtant ils ne sentaient aucun besoin de construire des navires ou de partir à la recherche de nouveaux continents... Un été constant régnait; l'harmonie de la Nature, me semblait-il, n'était troublée ni sur l'Océan, ni dans les forêts, ni dans les cieux »[2]. Cette description renouvelle sans l'enrichir l'imagerie du mythe de l'âge d'Or, le mythe même qui fournit aux grandes utopies de la Renaissance le modèle d'un ordre social indifférencié et l'archétype de l'harmonie vécue.

---

[1]. « Notre mission est de détruire et non de construire; ce sont d'autres hommes qui construiront, meilleurs que nous, plus intelligents et plus frais », écrit BAKOUNINE dans la *Confession* qu'il adresse au Tzar et dans laquelle il éclaire les fondements philosophiques et psychologiques de son action, Paris, PUF, 1974, p. 126.

[2]. Cf. Elise MARIENSTRAS, *op. cit.*, pp. 84-85. L'homme pourra-t-il se renouveler sans abandonner l'espace occidental de la culture ? Anti-Européen farouche, Roger GARAUDY répond par la négative : « Changer la vie de l'homme et en même temps changer l'homme lui-même implique une rupture totale avec les modèles occidentaux », *Pour un dialogue des civilisations*, Paris, Denoël, 1977, p. 214.

« L'Américain est un homme nouveau qui agit suivant de nouveaux principes; il doit donc entretenir des pensées nouvelles et se former de nouvelles opinions », note Crèvecœur qui résume avec l'émerveillement du néophyte tous les mythes du Nouveau Monde. « Quel changement vraiment ! Et c'est en conséquence de ce changement qu'il devient un Américain. » Contemporain des fondateurs de la République, Crèvecœur est à l'affût du premier geste, du projet générateur d'avenir, d'un aspect encore inconnu de la grande œuvre de création en cours. En parcourant l'Amérique dont les villes récemment fondées témoignent d'une volonté sans limites, il peut observer à loisir « la société humaine dans ses premiers commencements, alors qu'elle n'est encore qu'une ébauche »[1]. L'émigrant, dont la mémoire petit à petit se libère du fardeau d'une vie européenne anémiée ou criminelle, renaît au sein d'une nouvelle race en voie de constitution. L'Amérique pastorale est décrite à la fin du xviiie siècle comme un « pays vierge » (Virginie), comme un véritable paradis terrestre dont la nature luxuriante est « ornée des effigies de la première innocence ». Selon George Alsop, qui fait de la publicité pour l'Etat de Maryland, les arbres, les plantes, les fruits, les fleuves et les racines mêmes de ce coin de la terre « parlent dans le langage hiéroglyphique de notre situation adamique ou primitive »[2]. L'homme américain — le *homo americanus* — acquiert, grâce au pouvoir formateur d'un milieu édénique, sa véritable stature.

Qu'est-ce qui explique la disparition de l'*homme américain*, ce compagnon éphémère de Jefferson et du Nouveau Monde édénique ? La fin de l'idylle grâce à l'arrivée massive d'un nouveau type d'immigrant à la recherche du seul gain matériel ? La transformation de la « terre vierge » par les progrès de l'industrialisation et l'urbanisation ? Car dès le deuxième tiers du xixe siècle, la quête de l'aventure paradisiaque se déplace sur la carte du continent pour prendre la forme de la mythologie de la Nouvelle Frontière. Un peu partout, le jardin clos

1. Cité par Elise MARIENSTRAS, *op. cit.*, p. 62.
2. Cf. Charles D. SANFORD, *The Quest for Paradise*, Urbana, University of Illinois Press, 1961.

de l'Utopie — la ville expérimentale, la colonie messianique — accueille l'âme fervente à la recherche de la vie parfaite[1]. L'homme nouveau, lui, recule du côté du passé où l'histoire a préséance sur le pouvoir du mythe et où l'avenir perd son immédiateté péremptoire.

L' « UOMO FASCISTA »

Entre l'espérance d'une Amérique puritaine et le surhomme hitlérien — ce produit de la manipulation savante du mythe et une idéologie d'allure pastorale —, l'écart est incommensurable.

« Grâce aux aventures que courent, dans quelques pays... des millions d'hommes... nous avons pu voir, depuis vingt ans, *naître un type humain nouveau*, aussi différencié, aussi surprenant que le héros cartésien, que l'âme sensible et encyclopédiste du xviiie siècle, que le « patriote » jacobin, *nous avons vu naître l'homme fasciste* », note Robert Brasillach, en 1939, de retour d'un bref séjour dans l'Allemagne hitlérienne[2]. Le jeune fasciste — l'*uomo fascista* —, s'appuie sur sa race et sa nation : « Fier de son corps vigoureux, de son esprit lucide, il est l'incarnation de la volonté de renouveau nazi. Transformer l'Allemagne de sorte qu'un « homme nouveau » puisse y naître et y vivre », voici d'ailleurs la volonté déclarée du Führer[3].

Dans ses discours, ce dernier a proclamé à maintes reprises sa volonté de créer les conditions d'un renouveau humain sans précédent. Celui qui ne voit dans le national-socialisme qu'un simple mouvement politique ne comprend rien à ce sujet, répète-t-il aux membres de son entourage. « Le national-socialisme est plus qu'une religion : c'est la volonté de créer le surhomme »[4]. Il ne s'agit pas ici de la Bête blonde nietz-

1. Voir pp. 86-89.
2. Robert BRASILLACH, *Les sept couleurs*, Paris, Editions en Livre de Poche, 1973, p. 156. C'est nous qui soulignons.
3. « Ceux-là même qui n'acceptent point sa domination, auraient tout intérêt... à le bien connaître, fût-ce pour le combattre. Car il est devant eux, il n'en faut pas douter, comme le furent devant d'autres temps le chevalier chrétien, appuyé sur la croix et l'épée, ou le pâle conspirateur révolutionnaire dans ses imprimeries clandestines et ses cafés fumeux — une des incarnations les plus certaines de son époque », *ibid.*
4. Hermann RAUSCHNING, *op. cit.*, p. 273.

schéenne, mais d'un « Homme-Dieu » mi-paysan, mi-guerrier, qui est en train de supplanter l' « Animal-masse » qui a dominé la scène de la République de Weimar. « La création n'est pas terminée, du moins en ce qui concerne l'homme. Du point de vue biologique, l'homme arrive nettement à une phase de métamorphose. *Une nouvelle variété de l'homme commence à s'esquisser*, dans le sens scientifique et naturel d'une mutation. L'ancienne espèce humaine est entrée déjà dans le stade du dépérissement de la survivance. Toute la force créatrice se concentrera dans la nouvelle espèce »[1].

Si la vie de plusieurs générations d'Allemands est nécessaire pour que se régénère dans son ensemble le peuple allemand, Hitler ne doute pas de la réalité de l'homme nouveau dont il cherche à favoriser la formation par une pédagogie révolutionnaire adéquate. « L'homme nouveau vit au milieu de nous », confie-t-il en secret à Rauschning. « J'ai vu l'homme nouveau. Il est intrépide et cruel. J'ai eu peur devant lui. » (Comment ne réprimerions-nous un frisson devant l'évocation de ce type d'homme si un Hitler est saisi d'effroi devant lui ?)

Quels sont les traits du héros nazi, modèle exemplaire dont l'imitation devient la règle pendant les sombres années du Troisième Reich pour que le peuple allemand retrouve la « pureté raciale » des premiers Aryens et renouvelle ainsi le monde héroïque des « Commencements glorieux et créateurs »[2] ?

Brasillach est frappé avant tout, comme nous l'avons vu, par le développement harmonieux du jeune nazi, mais ce développement est fonction de son intégration parfaite au sein d'une nation « une ». « Exactement comme est *une* l'équipe sportive. » Dépouillé de tout particularisme régional, religieux et culturel, il veut « une nation pure, une histoire pure, une race pure ». Fruit d'un brassage qui efface tous les vestiges d'une individualité périmée, il vit à l'heure d'une communauté d'esprit et de volonté. Les jeunes nazis « aiment souvent vivre ensemble, dans ces immenses réunions d'hommes où les mouvements rythmés des armées et des foules semblent les pulsations

---

1. *Ibid.*, p. 272. C'est nous qui soulignons.
2. L' « Aryen » était le modèle exemplaire à imiter pour récupérer la « pureté » raciale, la force physique, la noblesse, la morale héroïque des « commencements » glorieux et créateurs », dit à ce sujet Mircea ELIADE, *Aspects du mythe*, p. 222.

d'un vaste cœur »[1], — l'*uomo fascista* méprise le pouvoir de l'argent et substitue aux valeurs matérielles de la civilisation moderne une transcendance sociale nouvelle.

« L'homme nouveau du Premier Reich qui s'approche ne fournira qu'une seule réponse à tous les doutes et questions : seul, je veux ! », écrit Rosenberg dans *Le mythe du XXᵉ siècle*[2]. Il prend la relève de l'individu qui s'est immolé pour que renaisse en lui l'essence collective d'un peuple uni par la volonté du renouveau. Il vit dans un état de siège quasi permanent, prêt à tout moment à se sacrifier pour l'empire renaissant, fidèle aux valeurs du sol *(Boden)* et du sang *(Blut)*.

L'HOMME SOCIALISTE

Avec la défaite du Troisième Reich et de l'Italie musso-linienne, s'écroule aussi le mythe de l'*uomo fascista*. Le mythe de l'homme nouveau ne disparaît pas pour autant du voca-bulaire idéologique du siècle. Désormais, c'est l'espérance égali-taire, communautaire du socialisme marxiste qui l'incarne, en renouvelant notamment l'image de l'homme total, universel dont le jeune Marx a établi la fiche signalétique dans les manus-crits inédits de 1844. La foi humaniste-collectiviste de Marx restera vivace comme en témoigne un texte plus tardif : « La nouvelle forme de production sociale, si elle doit réaliser la bonne vie, n'a besoin que *(sic !)* d'hommes nouveaux »[3].

Citons en exergue de ce sous-chapitre le lyrisme « humaniste » de Léon Trotsky issu du triomphalisme révolutionnaire de *Littérature et révolution* (1922) : « L'homme deviendra incompa-rablement plus fort, plus sage et plus subtil. Son corps deviendra plus harmonieux, ses mouvements mieux rythmés, sa voix plus mélodieuse. Les formes de son existence acquerront une qualité puissamment dramatique. L'homme moyen atteindra la taille d'un Aristote, d'un Goethe, d'un Marx. Et, au-dessus de ces hauteurs, s'élèveront de nouveaux sommets »[4].

1. Robert BRASILLACH, *op. cit.*, p. 157.
2. Cf. Robert POIS, *op. cit.*, p. 34.
3. Karl MARX, La Révolution de 1848 et le prolétariat.
4. Léon TROTSKY, *Littérature et révolution*, Paris, Union générale d'Editions, 1964, p. 290.

L'éducation — et l'auto-éducation — de l'homme nouveau sera fondée sur la domination par l'homme de sa propre nature, et sur la création d'un environnement social et culturel entièrement contrôlé. Délivré des limitations d'une organisation sociale et politique inique, l'homme donnera à son existence la « richesse, la couleur, la tension dramatique, le dynamisme le plus élevé ». « L'homme devenu libre cherchera à atteindre un meilleur équilibre dans le fonctionnement de ses organes et un développement plus harmonieux de ses tissus; il tiendra aussi la peur de la mort dans les limites d'une réaction rationnelle de l'organisme devant le danger »[1].

Trotsky balaie d'un geste autoritaire les objections qui pourraient faire état d'une nature humaine donnée une fois pour toutes : « Le genre humain, qui a cessé de ramper devant Dieu, le Tsar et le Capital, devra-t-il capituler devant les lois obscures de l'hérédité et de la sélection sexuelle aveugle ? »[2]. Il dénonce les méfaits de l'inconscient, cette zone subalterne où se dissimule la nature, qui cessera de servir d'entrave au développement impérieux de l'être dès qu'elle sera soumise au pouvoir d'une nouvelle conscience supérieure. « L'homme s'efforcera de commander à ses propres sentiments, d'élever ses instincts à la hauteur du conscient et de les rendre transparents... Par là, il se haussera à un niveau plus élevé et créera un type biologique et social supérieur, un surhomme, si vous voulez »[3]. A l'homme nouveau de construire demain « des palais du peuple sur les hauteurs du Mont Blanc et au fond de l'Atlantique » ! (Mais pourquoi l'imagination futuriste de Trotsky ne se satisfait-elle pas de sommets mieux oxygénés et de profondeurs moins solitaires ?)

Ce n'est pas Trotsky, écarté du pouvoir peu de temps après la publication de *Littérature et révolution*, qui fixera les traits définitifs de l'*homme communiste*, nom par lequel on désigne la variante soviétique de l'homme nouveau, mais Lénine et ses successeurs. Réplique du héros fondateur de la nouvelle Russie, c'est un petit homme (un *kleiner Mensch*) qui se dépasse constam-

---

1. *Ibid.*, p. 289.
2. *Ibid.*, Léon TROTSKY, *Littérature et révolution*, Paris, Union générale d'Editions, 1964, p. 289.
3. *Ibid.*

ment grâce à une conscience politique en éveil. Il doit sa « grandeur », la valeur parfaite de son action, à l'assimilation parfaite des doctrines essentielles du marxisme-léninisme. Tous les autres traits du communiste, héros intellectuel par excellence, découlent du fait suprême qu'à l'échelle de la communauté restreinte dont il assume la direction (l'usine, l'atelier, le kolkhoze), c'est lui qui connaît la réponse correcte aux nouvelles situations qui se présentent, remarque Harold Rosenberg dans l'étude qu'il consacre aux « héros de la science marxiste »[1]. Organisateur-né, il adopte vis-à-vis de son environnement — les hommes oscillant entre l'homme d'aujourd'hui et l'homme de demain — l'attitude du berger vis-à-vis de son troupeau. En attendant la transformation définitive de la société, l'homme nouveau est en quelque sorte un précurseur, un être à la fois « moyen » et « exemplaire », égalitaire et foncièrement « élitaire ».

Un demi-siècle plus tard, un théoricien du messianisme tiers-mondiste, Frantz Fanon, intègre l'homme nouveau dans le récit de la « grande nuit » qui s'achève et du « jour nouveau » qui se lève. La grande nuit, c'est la mort de l'homme européen, nié et anéanti par une civilisation technicienne inhumaine. « Quand je cherche l'homme dans la technique et dans le style européens, je vois une succession de négations de l'homme, une avalanche de meurtres »[2]. Inventer l'homme total dont l'Europe a conçu le projet mais qu'elle a sacrifié sur l'autel de ses intérêts matériels, voici la tâche d'un socialisme fondé sur une dynamique totalisante : « Pour l'Europe, pour nous-mêmes et pour l'humanité... il faut faire peau neuve, développer une pensée neuve, tenter de mettre sur pied un homme neuf »[3]. Dans le sillage de Fanon, un Che Guevara salue l'homme nouveau qu'il aperçoit à l'horizon. L'homme du XXIe siècle, dont il tente la description, est un être doué de la « conscience totale de son être social », à la fois parfaitement socialisé et « un individu plus riche intérieurement et beaucoup plus responsable »[4]. Même si l'homme de l'avenir ne correspond

1. Harold ROSENBERG, *The Tradition of the New*, New York, McGraw-Hill, 1965, p. 181.
2. Frantz FANON, *op. cit.*, p. 230.
3. *Ibid.*, p. 233.
4. Che Ernesto GUEVARA, *op. cit.*, p. 105.

pour le moment qu'à une « aspiration subjective et non systématisée », il n'en tient pas moins l'homme nouveau pour un être réel. « Dans cette période de construction du socialisme, nous pouvons assister à la naissance de l'homme nouveau », affirme-t-il[1].

Dans les démocraties socialistes de l'Est européen, l'homme nouveau fait l'objet de mesures pédagogiques et se présente comme une unité comptable réelle. C'est ainsi qu'un Nicolas Ceausescu présente le nouveau « programme de mesures dans le domaine idéologique, politique et culturel-éducatif » que son parti vient d'adopter, comme un ensemble conçu dans le but « d'intensifier le développement de la conscience socialiste et la formation de l'homme nouveau »[2].

LES INSTRUMENTS D'UNE PÉDAGOGIE RÉVOLUTIONNAIRE

L'adaptation à un milieu naturel régénérateur; la mutation biologique telle qu'elle s'inscrit dans le cadre d'une révolution cosmique; l'autotransformation de l'homme dans le cadre d'un processus centralement agencé; la socialisation par la création d'un mécanisme socio-économique, voici les instruments d'une véritable pédagogie révolutionnaire qui a pour but la création d'un type humain nouveau. Nous devons nous limiter ici à l'examen de quelques propositions isolées.

L'adaptation à un milieu naturel régénérateur. — C'est en changeant d'échelle, en se libérant des perspectives étriquées du paysage européen — paysage géographique et paysage culturel, il va sans dire — que l'homme se forme en vue de sa nouvelle aventure, écrit Crèvecœur. L'Européen a « à peine commencé à respirer l'air de notre pays, qu'il bâtit des projets et se donne des buts auxquels il n'aurait jamais pensé dans son propre pays. Là bas, la société surpeuplée empêche beaucoup d'idées qui, ici, peuvent venir à maturité »[3].

1. *Ibid.*, p. 94.
2. « Depuis l'âge de quatre ans, les enfants seront éduqués dans l'esprit du communisme », *Le Monde*, des 26-27 septembre 1976.
3. Cf. Elise MARIENSTRAS, *op. cit.*, pp. 200-201.

La mutation biologique et culturelle. — Le nazi est au sens propre du terme un « éleveur », propose Rauschning qui va au-devant de la pensée secrète du Führer; il protège l'homme comme il protégeait telle variété animale de la décadence par une sélection méthodique, et encourage le processus naturel en cherchant à multiplier les variantes positives. « C'est exactement cela, s'écrie Hitler. A l'heure où nous sommes, toute politique qui n'a pas une base biologique ou des buts biologiques est une politique aveugle »[1].

L'autotransformation de l'homme. — C'est à l'homme lui-même qu'il incombe d'harmoniser son propre être, de « maîtriser les processus semi-conscients et inconscients de son propre organisme... Et dans les limites inévitables, il cherchera à les subordonner au contrôle de la raison et de la volonté. *L'homo sapiens* (c'est-à-dire l'homme actuel, note l'auteur), maintenant figé, se traitera lui-même comme objet des méthodes les plus complexes de la sélection artificielle et des exercices psychophysiques »[2]. Ce processus d'autorégulation sera lui-même réglementé par une politique pédagogique et culturelle centralement agencée. L'esprit de construction sociale et l'auto-éducation sont les « aspects jumeaux » d'un seul processus.

La socialisation par la création d'un mécanisme socio-économique. — Che Guevara conçoit la mise sur pied d'institutions révolutionnaires, un « ensemble harmonieux » de mécanismes : de canaux, d'échelons, d'un « engrenage bien huilé » qui « seuls permettront la sélection naturelle de ceux qui sont destinés à marcher à l'avant-garde et la répartition des récompenses et des châtiments selon les mérites de chacun »[3].

1. Hermann RAUSCHNING, *op. cit.*, p. 274. Dans un discours secret prononcé le 25 février 1939 devant un petit nombre d'officier supérieurs, Hitler parle d'un laborieux processus biologique (de croisements « sélectionnés ») et pédagogique échelonné sur la période du siècle au moins, Joachim FEST, *Hitler*, Paris, Gallimard, 1973, t. I, p. 258.
2. Léon TROTSKY, *op. cit.*, p. 288.
3. Ernesto CHE GUEVARA, *op. cit.*, p. 96.

Parce qu'elle évoque l'avènement d'un nouveau type d'homme à un moment pas trop éloigné du futur, l'histoire de l'homme nouveau s'intègre dans l'histoire des religions et, sous la forme de ses variantes idéologiques, dans l'histoire des mouvements et idéologies politiques. L'homme nouveau ne se situe plus devant nous; il se tient en effet à nos côtés et surtout, derrière-nous.

L'homme nouveau américain est mort, comme est éteinte la race de *l'uomo fascista*. Il se trouve cependant un grand nombre de citoyens américains qui comptent parmi les ancêtres des êtres qui avaient incarné, au seuil de l'époque moderne, la promesse d'un Nouveau Départ humain. Parmi les jeunes gens qui ont servi de modèle aux enthousiasmes messianiques de Robert Brasillach, beaucoup sont probablement en vie. Paisibles retraités de l'Allemagne fédérale, ivrognes invétérés ou criminels de droit commun, ils oublient qu'ils avaient été il y a une quarantaine d'années, au sortir de l'adolescence, des êtres « structurellement neufs ». » L'Histoire de l'espérance ne se sépare pas sous cet angle de l'histoire d'une « illusion ».

Il convient de citer ici les propos de Milovan Djilas qui avait cru, en tant que jeune communiste yougoslave, à la possibilité de créer un homme nouveau. Lors de sa première visite en Union soviétique en 1944, il n'était pas moins frappé par l'identité du Russe soviétique et de l'émigré russe — ou du Russe qui peuple les romans russes du xixe siècle. Il cite à l'appui de sa remarque le récit de Hedrick Smith (auteur d'une introduction dans la vie quotidienne de la Russie d'aujourd'hui, *Les Russes*), qui se voit interdire par l'employé en charge de photographier une station d'essence. Se rappelant que la police avait interdit en 1910 de photographier la gare où reposait le cercueil de Léon Tolstoï, sa femme lui dit : « Tu vois, il n'y a rien de nouveau. C'était la même chose sous les Tsars. Ils sont le même peuple »[1].

En réponse à la question de savoir s'il croit à l'avènement d'un nouveau type d'homme, l'écrivain soviétique Valentin

1. Djilas on Russia, *Encounter*, octobre 1976, p. 57.

Grigorievitch Raspoutine s'exclame : « Comment l'homme nouveau pourrait-il remplacer l'ancien ? Si l'homme veut être entièrement un homme nouveau, il cesse d'être un homme. Comment la nouvelle morale pourrait-elle en remplacer une autre ? La nouvelle morale ne peut exister sans l'ancienne. Et je dis : « Dieu merci ! »[1].

L'histoire de l'homme nouveau — figure d'espérance laïcisée, manipulée au service de la pensée collectiviste — accompagne donc, sans jamais la croiser, l'histoire de l'homme de toujours. Sa figure anonyme, socialisée et privée d'authenticité, ne cessera peut-être pas de hanter l'histoire de demain, même si elle doit rester, pour le plus grand bien de l'humanité, un espoir sans lendemain.

1. Raspoutine à Paris, *Le Monde*, du 19 mars 1979.

mythe et « mort de l'homme »

> « *Le moi n'est pas seulement haïssable : il n'y a pas de place entre un nous et un rien.* »
> Claude LÉVI-STRAUSS, Tristes Topiques.

Depuis plus d'un siècle la peinture, la musique et la poésie, nient l'aspect humain de l'homme[1]. La philosophie moderne tient ce dernier pour un être aliéné, fragmenté, coupé de la nature et de ses semblables et devenant à la fin un étranger à lui-même. Par le truchement de la méthode statistique, les sciences modernes de la société le réduisent à un être « moyen », c'est-à-dire anonyme et dépouillé de tout attribut, le nom ou la mémoire qui pourrait le singulariser aux yeux d'autrui. (A l'homme moyen correspond, en littérature, la dissolution du personnage, ou sa transformation en un spectateur distant et désintéressé.)

L'idéologie de la mort de l'homme est peut-être la dernière représentation mythique négative de l'homme. Il s'agit de toute évidence d'une mort métaphorique, car l'homme « mort » est bel et bien devant nous, en chair et en os[2] — comme sont vivants le Bon Sauvage, son frère et l'homme nouveau, son cousin germain. (La mort de l'homme en tant que forme privilégiée d'une critique sociale radicale s'apparente donc aux primitivismes culturels et fait bon ménage avec les eschatologies séculaires des XIXe et XXe siècles.) Ce qui est mort en lui, c'est un passé en quelque sorte illusoire et accidentel, le trait indi-

---

1. En observant leurs tendances dépersonnalisantes, ORTEGA Y GASSET parle à leur égard d'un véritable processus de « déshumanisation », voir p. 137.
2. Voir sur ce sujet l'essai de Jeanne HERSCH, L'homme est mort — qui le dit ? dans *Cadmos* (automne 1978), pp. 35-38. Le numéro en question de cette revue genevoise est entièrement consacré à l'idéologie de la mort de l'homme.

viduel, personnel. L'idéologie de la « mort de l'homme »
célèbre la disparition prochaine — passée ? — de l'individu,
de la « personne ». Elle se réfère à la « mort de Dieu » et, au-delà
de la formule nietzschéenne bien connue, à une intuition
romantique profonde. (« Ainsi tout aurait été fait dans un but
qui n'existerait plus », remarque Benjamin Constant qui se
demande si Dieu n'est pas mort avant d'avoir fini son œuvre.)
Nous sommes ainsi les héritiers d'un ensemble de mythes qui
relatent — c'est le sentimentalisme du stoïque, du savant
désabusé — la vie de la dernière tribu, les avatars du dernier
homme (Lévi-Strauss, Soustelle). C'est ainsi qu'il y a quelques
années, un Maurice Blanchot a parlé en France de la disparition
de la littérature, du « dernier écrivain »...

ULTIMES AVATARS D'UN « RIEN »

> « *Pour l'homme supérieur, il y a aussi une grande
> jouissance à plonger une fois... tête baissée dans le col-
> lectif.* »
>   Thomas MANN, Le Docteur Faustus.

L'achèvement d'une histoire humaine éphémère et « acci-
dentelle », la démission de l'homme prométhéen — de l'homme
qui devient, en sa qualité de promoteur du Progrès, le symbole
d'un siècle et demi de modernité conquérante — voici le
premier sens de la *mort de l'homme*, idée philosophique qui
réoriente depuis quelque temps la réflexion européenne sur les
sciences humaines et qui n'a pas été, curieusement, soumise
jusqu'ici à l'analyse en profondeur qu'elle mérite. L'homme
dont on annonce la disparition, c'est l'homme-Dieu — ou
l'Homme-dieu ? — qui incarne l'optimisme du siècle des
Lumières et dont Mozart annonce le règne dans le finale de
La flûte enchantée. « La terre sera un royaume céleste/et les
mortels seront les égaux des dieux ! », chantent les trois garçons
qui veillent sur l'apprentissage « humain » de Tamino.
    C'est la fin de cette aventure humaine qu'annonce le théori-
cien de la mort de l'homme, aventure qu'il qualifie malgré sa
grandeur et son étrangeté de « perdue d'avance »[1]. « Nous

---

1. Maurice CLAVEL, *Ce que je crois*, Paris, Grasset, 1975, p. 127.

sommes si aveuglés par la récente évidence de l'homme, que nous n'avons même plus gardé dans notre souvenir le temps cependant peu reculé où existaient le monde, son ordre, les êtres humains, mais pas l'homme »[1]. L'Homme-dieu n'est pas cependant le seul à sombrer dans le naufrage de l'illusion majeure de notre temps. L'adieu à l'homme est en même temps l'adieu au grand homme et au cortège de ces prototypes de la grandeur humaine qui ont pour nom le héros (Carlyle), l'homme représentatif (Emerson), le surhomme ou son sosie décadent, le Fils de Dieu de Gobineau.

La fin de l'autonomie de l'individu, la dissolution de la personnalité érigée en univers, voici le second sens de la mort de l'homme, mort décrite par Roland Barthes comme une expérience personnelle entièrement vécue : « Une sorte de « ça » collectif se substitue à l'image que je croyais avoir de moi, et c'est moi, « ça »[2]. Cette seconde mort philosophique de l'homme a ses origines dans la démission du *moi* créateur de l'artiste telle qu'elle s'esquisse dans les réflexions flaubertiennes sur l'artiste et son œuvre (« C'est une délicieuse chose que d'écrire, que de ne plus être soi ») et qui culmine dans les fêtes de l'impersonnalité mises en scène par les peintres et poètes d'une modernité qui ont cessé d'apercevoir dans l'homme la « mesure de toutes choses » (Arp). La poésie devient une tentative d'évasion, la fuite de l'artiste devant la responsabilité d'un acte unique et irremplaçable[3]. Se libérant des « prétendues évidences du moi » (Claude Levi-Strauss), l'intellectuel occidental se met à la recherche d'une image collective, anonyme de l'homme. Cette image, il la trouve parmi les tentations qu'il a rejetées en forgeant les synthèses que nous appelons « individu » ou « personne » et qui, en se lézardant, s'ouvrent sur les possibilités qu'elles avaient auparavant écartées (et qui nous apparaissent comme son double « Oriental »). C'est ainsi que l'on se demande si l'individu, le *moi*, n'a pas toujours été une illusion, même si cette illusion fonde une civilisation et son ordre culturel, social et moral. « Souvenez-vous de l'aphorisme d'Héraclite : *Personne*

1. Michel FOUCAULT, *L'archéologie du savoir*, Paris, Gallimard, 1969, p. 332.
2. *Roland Barthes par Roland Barthes*, Paris, Le Seuil, 1975.
3. Pour une brève analyse de l'impersonnalité en matière artistique, cf. mon *Intellectuel contre l'Europe*, Paris, PUF, 1976, pp. 83-84.

ne nage jamais deux fois dans les eaux d'un même fleuve, remarque Borges. « Parce que, on le sait, les eaux, du fleuve changent, mais aussi parce que le nageur lui-même a changé; il n'est plus le même... Peut-être découvrirons-nous un jour, avec terreur et soulagement, que nous ne sommes qu'apparences, que quelqu'un d'autre est en train de nous rêver »[1].

L'idée de la mort de l'homme modifie notre perception de l'homme, de la société, de la culture et, en dernière analyse, nos souvenirs et notre espérance. Elle prive l'aventure personnelle — le mythe — de sa valeur d'exemple et braque notre attention sur les seules forces collectives. La mort de l'homme, c'est aussi la mort de la biographie, du chef-d'œuvre et de ces foyers d'affectivité que sont l'amour et l'amitié, intimement liés à la notion de l'individu.

Pour surprendre l'idée de la mort de l'homme à l'œuvre, citons brièvement l'article que Claude Mauriac consacre au premier tome de l'édition intégrale du *Journal* d'Amiel. Il s'agit d'un texte que le chroniqueur du *Monde* connaît de longue date et qu'il a aimé. Qu'est-ce qui le sépare tout à coup du monde de l'introspection dont le *Journal* est peut-être le chant du cygne ?

C'est, avant tout, le quixotisme du combat d'arrière-garde que mène Amiel en faveur de la souveraineté de l'individu, de l'univers composé d'une multitude de *centres* soucieux de préserver leurs prérogatives. N'est-il pas « attentif à lui-même. Par lui-même, par ce rien, fasciné ? »[2].

L'individu, un rien ! Amiel n'hésite pas à un moment donné d'employer le mot fatal au sujet de son *moi* dépourvu de centre et replié sur la souffrance : « Je suis fluide, négatif, indécis, infixable et, par conséquent, je ne suis rien. » Ce *rien* est cependant pour l'homme qui se juge en ces termes, un *tout*. Même endolori par ses insuffisances, vaincu et mutilé, c'est un être qui peut accéder à la plénitude. (Nous nous trouvons face à l'enseignement éternel de l'amour et de l'amitié, même déçus.) Or, Mauriac sait que tout ce que l'homme croit savoir sur sa propre nature est en contradiction avec cette vision. Il sait que nous ne sommes que des « esprits trafiqués » et des « cons-

---

1. Entretien avec Jorge Luis Borges, *Le Monde*, du 18 avril 1978.
2. Nous avons peut-être cessé de mériter Amiel, *Le Monde*, du 26 août 1977.

ciences truquées ». L'homme n'est pas doué de permanence. « On efface tout et on recommence avec ceci de nouveau et d'abominable que celui qui a été ainsi lavé ne sait pas qu'il a su. »

« Esprits trafiqués, consciences truquées » — ces termes nous renvoient aux sources de la nouvelle vision de l'homme et aux premiers théoriciens de la mort de l'homme : Marx et Freud. Marx ne présente-t-il pas l'homme enfermé dans sa particularité — sa classe — et incapable pour cela d'accéder aux vérités élémentaires sur lesquelles il pourrait fonder une existence authentique (*L'idéologie allemande*). Freud ne voit-il pas dans l'homme la proie éternelle de forces aveugles qui obligent chaque homme, chaque génération, à recommencer à zéro la quête d'une plénitude impossible ? (Son grand mérite est, aux dires de Marcuse, d'avoir sapé « l'une des forteresses les plus fortes de la culture moderne, la notion de l'individu autonome... »).

Revenons cependant à Mauriac et au texte qu'il consacre au mémorialiste attardé de la subjectivité qu'est Amiel. Un *rien* inscrit pendant un demi-siècle les « événements » d'une pseudo-vie dans son *Journal*. Une centaine d'années après sa mort, un autre *rien* — le chroniqueur d'un quotidien parisien —, en rend compte pour une multitude d'autres *riens*, les lecteurs-rien qui en prennent ainsi connaissance. L'aspect ludique de l'idéologie de la mort de l'homme nous apparaît immédiatement dans toute sa clarté. La mort de l'homme est la mort philosophique de l'individu démonétisé et privé de son auréole, cette mort étant le symbole de l'ascension — ou de la régression — de la vie vers une nouvelle forme impersonnelle. La mort de l'homme en tant que notion opératoire prolonge les théories bien connues de la *déshumanisation* et de l'*aliénation* qu'elle radicalise dans la mesure où, au-delà des maladies présumées de l'âme, elle en assume la guérison... par la mort.

LA MORT DE L'HOMME, LE BON SAUVAGE ET L'HOMME NOUVEAU

« La réalité absolue a été pour vous, Dieu puis l'homme », écrit André Malraux dans *Tentation de l'Occident*. « Mais l'homme est mort après Dieu, et vous cherchez avec angoisse celui à qui vous pourrez confier son étrange héritage. » De la même manière, Maurice Clavel lie de manière causale la mort de l'homme à la mort de Dieu. « *Cette mort de l'homme était pour moi la mort de l'homme sans Dieu* — la contre-épreuve quasiment expérimentale que sans Dieu l'homme ne peut penser, ni être »[1]. Si l'homme disparaît si peu de temps après la mort de Dieu — et ceci indépendamment de la responsabilité qu'il a dans cette affaire —, c'est qu'il ne possède pas de lumière propre. Sa lumière est une lumière réfléchie. (Mais qu'est-ce qui lui confère, pendant un bref moment, un éclat inoubliable ?)

La mort de l'homme représente-t-elle la « crise du sujet » consécutive à la crise de la religion et la laïcisation croissante des valeurs ? Dans ce cas-là, nous sommes en présence d'un phénomène cyclique, répétitif, qui perd son caractère unique dès que nous le considérons à la lumière de l'histoire des civilisations. Si la mort de l'homme est propre au déclin d'une civilisation, la mort de l'homme occidental est l'actualisation d'un modèle primordial, *la première mort de l'homme* telle qu'elle s'est accomplie *après la mort du premier Dieu*. La mort de l'homme est-elle alors une constante de l'histoire des civilisations et sa mort présente le prélude à un renouveau ?

L'homme « mort » est, somme toute, le décadent, le représentant tardif d'une culture matérialiste, esthétique, laïque. Nous ne saurions le confondre avec *l'individu* qui n'est pas le contemporain du déclin. Au contraire, il est l'homme de la plénitude, de l'équilibre créateur ; mais ses racines se trouvent déjà solidement enracinées dans la préhistoire de la cité. Il s'éclôt au sein des mythologies les plus reculées pour fournir à nos récits ce centre sans lequel l'Histoire ne serait qu'un rêve avorté. L'individu n'est pas le représentant tardif d'une ère de dissolution, mais l'agent toujours actif de son devenir.

Il serait tentant d'associer l'idéologie de la mort de l'homme avec la pensée de quelques-uns des maîtres à penser de la France contemporaine — Claude Lévi-Strauss, Michel Foucault, Jacques Lacan et Roland Barthes. Les origines en remontent cependant bien plus loin dans le temps. Sur l'arbre généalo-

---

1. Maurice CLAVEL, *op. cit.*, p. 133.

gique de l'idée, nous trouvons des « vieilles connaissances » telles que le Bon Sauvage, *l'homme nouveau* et un ancêtre né en plein XIXᵉ siècle : l'homme moyen.

Parmi les figures mythiques qui nient l'existence de l'individu autonome, l'habitant anonyme de *l'utopie* est le précurseur le mieux connu. « La théorie du progrès néglige la personne humaine; il ne se soucie que de l'avenir; pour elle, le présent, l'homme vivant n'est qu'un outil destiné à construire l'avenir. C'est ainsi qu'est faite toute utopie : son espérance ignore le monde vivant », écrit Nicolas Berdiaeff[1]. En effet, de Thomas More et de Campanella à l'abbé Morelly et à Etienne Cabet, la perfection sociale des projets utopiques se fonde sur l'intégration inconditionnelle de l'individu au sein d'une société homogène. L'identité vestimentaire des habitants de l'île de l'utopie traduit en images l'identité des mœurs et des mentalités qui règnent dans la cité idéale. Tout ce qui s'oppose à l'harmonie communautaire — l'individu, le couple, la famille, l'art — est aboli. Le travail — tout comme l'organisation des loisirs — se fait en groupe. Construites en fonction d'un même modèle — la perfection ignore la variété et la multiplicité —, les villes se ressemblent : « Celui qui en connaît une connaît toutes les autres. » C'est en vue d'un bonheur égalitaire bien réel que les fondateurs piétistes de Harmonie inventent la première maison construite à partir d'éléments préfabriqués, cette expression architecturale de la mort expiatoire de l'homme[2]. L'imagination utopique s'opposera-t-elle à l'avenir à la tendance déshumanisante qui est un de ses traits constitutifs ? C'est ce que laisse prévoir Jon Thiem dans son étude brillante sur *Le roman post-utopique et la révolte contre la dépersonnalisation*[3].

L'image du Bon Sauvage que rapporte le voyageur français ou espagnol du Nouveau Monde — et qui fournira au Philo-

---

1. Nicolas BERDIAEFF, *Christianisme, marxisme, conception chrétienne et conception marxiste de l'histoire*, sans indication du lieu de l'édition, Le Centurion, 1975, p. 31.

2. Voir pp. 191-192.

3. Cf. pp. 64-86 de ce troisième numéro de *Cadmos*. *Le meilleur des mondes* de Aldous HUXLEY et *1984* de George ORWELL organisent la révolte anti-utopique à partir d'un *dernier homme* qui se libère de l'étreinte de la société totalitaire de demain. Ni le Sauvage de Huxley, ni le héros du roman de Orwell ne possèdent le sens de la responsabilité à partir duquel la « personne » se construit.

sophe les matériaux d'une critique sociale radicale — s'oppose trait pour trait au portrait de l'Européen « civilisé ». Par opposition à l'explorateur, au commerçant, à l'intellectuel, le Bon Sauvage n'existe que par et pour la collectivité. C'est à cette dernière qu'il s'adresse pour les normes sur lesquelles il façonne sa conduite (alors que l'homme de la Renaissance crée ses propres lois et érige sa volonté arbitraire en modèle). Il ignore les tentations de la propriété et doit son bonheur à son intégration sans faille dans un corps social uniforme. L'*homme nouveau* qui, dans l'idéologie des Pères Fondateurs de l'Amérique pastorale d'abord, dans les doctrines du socialisme — et du national-socialisme — ensuite, renouvelle l'espérance de saint Paul, prolonge la mythologie du Bon Sauvage jusqu'à nos jours. L'homme nouveau est un être collectif privé de tout trait particulier et vivant en fonction des « pulsations d'un vaste cœur » (Brasillach). Il appartient corps et âme à son parti, sa nation, sa race, sans lesquels il est réduit à l'impuissance. L'homme nouveau récuse l'homme ancien — l'homme — et en assume la fin, la mort.

La notion de l'homme moyen — la réduction en une unité statistique dépourvue d'individualité — est de nos jours si généralement admise que ses rapports avec la mort de l'homme ne sont pas immédiatement perceptibles. Adolphe Quételet, qui réunit le premier, au début des années 1830, les données d'une « physique sociale » égalisatrice, établit ses théories sur l'invariance des actions individuelles. « Nous devons, avant tout, perdre de vue l'homme pris isolément, et ne le considérer que comme une fraction de l'espèce. En le *dépouillant de son individualité*, nous éliminerons tout ce qui n'est qu'accidentel, et les *particularités individuelles* qui n'ont que peu ou point d'action sur la masse *s'effaceront d'elles-mêmes*, et permettront de saisir les résultats généraux »[1]. Les prémisses anti-individualistes du matérialisme bourgeois et le collectivisme inné du matérialisme socialiste aboutissent au même résultat réducteur : la disparition de l'individu au profit d'un homme de masse anonyme et défini par une moyenne abstraite et théorique. La statistique naît du

---

1. Adolphe QUÉTELET, *Sur l'homme et le développement de ses facultés,* ou *Essai de physique sociale,* 2 vol., Paris, 1835, t. I, p. 7. Mes italiques.

nivellement croissant du milieu social et contribue à son tour à l'éradication des survivances d'une véritable tradition de la « personne ».

UTOPIE ET MORT DE L'HOMME

Le cimetière rappiste de New Harmony est peut-être le plus beau monument élevé à la « mort de l'homme ». C'est un vaste jardin où reposent sous l'herbe, sans pierre tombale ni arbre qui marquerait l'emplacement, quelque deux cents compagnons du « Père » Rapp. Ils ont gardé l'anonymat qui leur a servi d'identité durant leur vie, dans la mort. Dans cette ville dont les maisons sont conçues rigoureusement selon le même modèle — c'est ici que furent employés systématiquement, dès 1805-1806, les premiers matériaux préfabriqués, conformément aux principes égalitaires de l'architecture utopique — ce dernier vocable a une double signification. Il se réfère et à la vie tournée résolument vers la mort (celle de l'individu) et à la mort (confondue avec l'espérance).

A Amana, le dépouillement volontaire de la personnalité de ses centres « a-sociaux — » l'identité individuelle, l'amour « égoïste », l'amitié — était le principe fondamental des Règles de la vie quotidienne adoptées à l'unanimité. « Abandonne le moi avec tous ses désirs, connaissances et pouvoirs », lit-on dans le document constitutif de la communauté des Inspirationnistes. Sont bannis de la vie parfaite les sentiments du désir et du chagrin, comme sont proscrits d'ailleurs ces puissances subversives qui minent de l'intérieur l'édifice fragile de l'utopie le rire et le sourire. Toute pensée, phrase ou geste qui ne conduit pas tout droit à un but expressément prévu est à éviter. (Points V, VII, IX et XI des Règles pour Tous les Jours[1].)

La propriété, la famille, la femme et les enfants, voici les obstacles qui s'opposent à la socialisation parfaite de l'homme. D'une manière générale, les femmes ont plus de peine à se débarrasser de leurs intérêts personnels que les hommes, remarque Weitling en faisant part de son expérience à Communia. Les

---

1. Voir Charles NORDHOFF, *The Communistic Societies of the United States*, p. 50.

enfants ne font que « stimuler encore davantage leur égoïsme »[1]. « Les intérêts particuliers et les organisations familiales individuelles ont partie liée avec le système irrationnel actuel », écrit Robert Owen, à New Harmony. « Ils doivent être abandonnés avec le système. » Le mal, ce n'est pas la classe ou la caste, mais la famille. Si l'on veut passer du « système individuel » actuel au « système social » de la perfection, il faut remplacer les « familles ayant leurs intérêts individuels » par les « communautés composées de nombreuses familles ayant un seul intérêt »[2].

L'institution du « mariage complexe » à Oneida avait pour but, dans l'esprit de John Humphrey Noyes, d'extirper l'esprit d'égoïsme étroitement associé à la notion du couple, et de combattre les particularismes toujours prêts à réaffirmer leurs droits, par un « esprit communautaire » authentique. Aimer tous les autres membres de la communauté avec le même amour devient dès lors une obligation sacrée. « Ce n'est pas une femme qu'on aime, mais le bonheur qu'elle dispense », écrit Noyes pour réduire l'objet d'une attache amoureuse « unilatérale » en un partenaire sexuel anonyme, interchangeable. L'individu disparaît. Car s'il faut à tout prix « maintenir le cœur ouvert à tous ceux qui sont vrais et dignes » — c'est-à-dire tout le monde —, le cœur lui-même se ferme à sa propre potentialité pour battre selon un rythme qui n'appartient à personne.

L'ENGAGEMENT DE L'ÉCRIVAIN ET LE « ÇA »

« Je confondais mon corps et son malaise : des deux, je ne savais plus lequel était indésirable »[3]. C'est en ces termes que Jean-Paul Sartre se souvient du malaise existentiel qui préside à son option communautaire d'écrivain engagé. Il écrit, en 1974 : « J'ai toujours pensé que penser en groupe, c'est mieux que de penser séparés. Je pense qu'un individu dans le groupe, même s'il est un petit peu terrorisé *(sic !)*, c'est quand même mieux qu'un individu seul et pensant la séparation. Je ne crois pas

1. Voir Carl WITTKE, *The Utopian Communist. A Biography of Wilhelm Weitling Nineteenth-Century Reformer*, p. 248.
2. J. F. C. HARRISON, *Robert Owen and the Owenites in Britain and America. The Quest for the New Moral World*, p. 59.
3. Jean-Paul SARTRE, *Les mots*, Paris, Gallimard, 1964, p. 78.

qu'un individu seul puisse penser quoi que ce soit. » Il va jusqu'à affirmer que la pensée du groupe est par définition la voix de la vérité[1].

Le malaise du corps — la crise d'identité du moi — servent de départ aux réflexions de Roland Barthes sur la mort de l'homme. La dissolution du *moi* a pour signe avant-coureur la disjonction de la dichotomie subjectivité/objectivité. Le sujet « se prend *ailleurs* », alors que, « déconstruite, désunie, déportée, sans ancrage », la conscience du soi revient à une « autre place de la spirale. Le *moi* cesse d'être le *soi*[2]. Le corps devient diffus — « Quel corps ? nous en avons plusieurs » — et se manifeste principalement sous deux formes mineures, la migraine et la sensualité. Le moi se confond avec un *ça* « balourd, fibreux, pelucheux, effiloché », véritable « houppelande de clown »[3].

« Ce qui est intéressant, c'est *ce qui passe par moi, ce qui se sert de moi* », dit Boutros, le jeune militant communiste d'*Une femme à sa fenêtre* de Drieu La Rochelle. Ce roman ne nous intéresse pas seulement parce qu'il présente la mort de l'homme comme l'alternative collectiviste à la crise de l'individu, mais parce qu'il l'explique à partir d'un malaise existentiel réfractaire à toute thérapeutique traditionnelle. « Il ne pouvait vivre qu'en *plongeant dans l'anonyme et en laissant sur le rivage comme une tunique de Nessus sa personnalité* où il ne voulait voir qu'un *tissu tourbillonnant d'hésitations perverses...* »[4].

LE MYTHE CONTRE LA CITÉ

Si, de toutes parts, des voix s'élèvent contre la suprématie de l'individu, c'est qu'elle apparaît de plus en plus comme l'obstacle principal devant la recréation de la communauté à l'échelle communale, régionale ou nationale. L'on procède alors à sa condamnation — la mort de l'homme emprunte aux procès surréalistes leur liturgie, avec ceci de différent que l'accusé est un absent, c'est-à-dire l'individu auquel on refuse le droit

1. GAVI, SARTRE, VICTOR, *On a raison de se révolter*, Paris, Gallimard, 1974, pp. 170-171.
2. *Roland Barthes par Roland Barthes*, pp. 170-171.
3. *Ibid.*, p. 182.
4. Pierre DRIEU DE LA ROCHELLE, *Une femme à sa fenêtre*, p. 265. Mes italiques.

d'exister — en pensant qu'en l'éliminant, on fonde *ipso facto* une nouvelle existence communautaire. L'on sait pourtant — et l'expérience des pays socialistes est là pour le répéter — que là où l'homme est mort, la possibilité de recréer un *sens communautaire* disparaît à tout jamais. Car, contrairement aux thèses actuellement en cours, l'individu est le sujet par excellence — sujet multiple, entrouvert sur l'*autre* — de la société, et ainsi le principe organisateur de la cité qui, dans sa réalité dialectique, dépasse la dichotomie figée de l'individualisme et du collectivisme.

« A tous ceux qui veulent encore parler de l'homme, de son règne ou de sa libération... on ne peut qu'opposer un rire philosophique... »[1]. (Michel Foucault.)

L'homme est, pour Foucault, un *doublet empirico-transcendental* moribond. Mais, même dans sa déchéance, ne mérite-t-il pas plus d'attention que ce *simplet néo-néanderthalien* qui pourrait un jour prendre sa succession ?

Et le dernier avertissement que le philosophe adressera peut-être à ses disciples un jour : « Ne m'insultez pas en me prenant pour un homme ! »

SI C'EST LE « ÇA » QUI ÉCRIT,
QUI TOUCHE LES DROITS D'AUTEUR ?

« L'auteur — le poète, le romancier — est mort. Sa personne civile, passionnelle, biographique, a disparu; dépossédée, elle n'exerce plus sur son œuvre la formidable paternité dont l'histoire littéraire, l'enseignement, l'opinion avaient à charge d'établir et de renouveler le récit »[2]. L'auteur qui nie la vie de l'auteur — il n'y a pas selon lui de « sujet Balzac », il n'y a qu'un corps qui a « tenu sa plume » et assumé la paternité de l'ouvrage[3] — n'hésite pas à publier un livre sous le titre de *Barthes par Barthes*. La logique de la mort de l'homme militerait plutôt en faveur d'un autre titre : *Ça par ça*. Mais ceci aurait pour

1. *L'archéologie du savoir*, p. 353.
2. Roland BARTHES, *Le plaisir du texte*, Paris, Le Seuil, 1970, p. 45.
3. *Ecrire... pourquoi ? Pour qui ?* Grenoble, Presses Universitaires de Grenoble, 1974.

effet de désorganiser une industrie du livre axée sur le principe désuet du vedettariat et l'éditeur ne saurait à qui payer les droits d'auteur habituels.

ADIEU À L'HOMME ?

L'homme a passé par ici ! Je pressens ici la surprise du lecteur du XXIe siècle devant la lecture d'une biographie quelconque. L'historien agit comme si l'individu n'avait jamais manifesté sa présence parmi nous. Il fait en sorte que personne ne puisse troubler son tête-à-tête avec les forces impersonnelles qui agissent à travers les âges et qui lui communiquent, en les déchiffrant, les messages d'une Raison unique et universelle ! Imaginons que l'homme est bel et bien mort. Et poursuivons nos rêveries en nous disant que peut-être il n'a jamais existé. Pour nous demander dès lors pourquoi son souvenir — le souvenir d'une illusion — nous est plus précieux que les tentatives de démystification dont il est l'objet. La raison en est, je crois, dans le rôle qu'il a joué dans la formation de la conscience européenne. Comme le remarque E. M. Cioran dans *Histoire et utopie* : « Un vide qui nous dispense la plénitude ne contient-il pas plus de réalité que n'en possède l'histoire dans son ensemble? »

LIVRE V

héros, sauveurs
et chefs
charismatiques

remarques préliminaires

> « *Le génie de l'humanité est le vrai point de vue de l'histoire.* »
>
> EMERSON, Les hommes représentatifs.

Homme universel, « fils de Roi », homme représentatif, « Surhomme », voici les noms par lesquels on désigne au XIXᵉ siècle, face aux mythologies égalitaires à la mode, la figure moderne du héros. Pour réhabiliter le grand homme, la personnalité unique qui modifie, par son action décisive, le cours de l'histoire, Carlyle, Emerson, Burckhardt, Nietzsche, Gobineau s'appuient sur le culte romantique de l'artiste, le « législateur inconnu de l'humanité » (Shelley). La mise en place des vastes synthèses déterministes, des interprétations philosophiques et idéologiques de l'histoire fait apparaître un nouveau type d'intellectuel, le héros créateur de système. Les sciences naissantes de la société ont leur Kepler, leur Newton — les Saint-Simon, Comte, Fourier, etc. Et, dans l'interstice d'une histoire progressiste qui évolue en fonction des grandes lois impersonnelles, apparaîtront bientôt le Sauveur individuel — le chef charismatique — et son homologue collectif, l'Elite, le Parti, le Prolétariat, le « Peuple » et la Race.

Quelques remarques préliminaires s'imposent si nous voulons situer sur l'échiquier des mythologies conservatrices, éprises d'histoire, le « culte des héros » et ses variantes bâtardes.

Le héros en tant qu'artiste ou homme de lettres. — Dans l'Europe post-révolutionnaire, la figure du grand artiste s'auréole de légende. Alors qu'on assiste au déclin de l'autorité du monarque, du prêtre, celle du poète, du musicien génial, grandit. Interlocuteur privilégié du prince aux dernières heures de l'Ancien Régime, il devient à son tour prince, empereur ou titan. Une imagerie digne du sacre du roi s'empare de sa biographie. Son œuvre devient loi. Une remarque de Robert Schumann illustre admirablement la fascination qu'il exerce sur les esprits.

En 1845, toute l'Europe musicale se donne rendez-vous à Bonn pour l'inauguration d'un monument élevé à la mémoire de Beethoven. Schumann qui n'a pas assisté à la cérémonie songe à un autre monument, plus digne du souvenir du titan disparu, à ériger sur une hauteur qui domine le Rhin. « Avec cent chênes centenaires, inscrivez son nom en lettres gigantesques sur une vaste étendue. Ou sculptez un géant, tel que le saint Borromée du lac Majeur, afin que son regard puisse, comme de son vivant, s'étendre par-delà les montagnes. Et quand passeront les bateaux sur le Rhin et que les étrangers demanderont qui est ce Titan, tout enfant pourra leur répondre : « C'est Beethoven... » Et sans doute se figureront-ils que ce fut un empereur allemand »[1].

Dans le culte des héros inauguré par Carlyle en 1841, le grand artiste est assimilé aux héros traditionnels, les fondateurs des religions, des cités et des empires. Dans la vaste galerie de portraits de Carlyle, Dante et Shakespeare sont placés au même

1. Cité par Guy de POURTALÈS, *Berlioz et l'Europe romantique*, Paris, Gallimard, 1939, p. 220.

rang que Odin (le héros en tant que divinité), Mahomet, Cromwell ou Napoléon. Il ne s'agit pas certes de l'esthète, mais du poète qui est, au même titre que le prophète, l'incarnation moderne du *vates*. « Guerrier héroïque » — aujourd'hui on le qualifierait de poète engagé —, le héros en tant que poète réunit en lui les dons du politicien, du législateur, du philosophe. « Le poète qui se contente de se tenir assis et de composer des stanzas, ne saurait composer des stanzas de valeur »[1]. « Le vrai artiste a la planète pour piédestal », déclare de son côté Emerson. Shakespeare et Goethe figurent parmi les six portraits qu'il réunit dans *Les hommes représentatifs*, aux côtés de Swedenborg, Montaigne (le héros « sceptique »), Platon et Napoléon.

Dans l'esprit de Jacob Burckhardt, l'homme de la Renaissance est l'artiste qui atteint à la perfection dans toutes les branches à la fois, tout en manifestant des qualités humaines extraordinaires. Doué d'une force de volonté extraordinaire, Dante imprime ainsi sur toute son époque la marque d'une « puissante personnalité ». Pétrarque respire, quant à lui, « à pleins poumons l'encens réservé autrefois aux héros et aux saints »[2]. Il sait que c'est le « poète-philologue » qui dispense aussi bien la gloire et l'immortalité, l'indifférence et l'oubli[3]. Chez Nietzsche, enfin, Goethe apparaît comme l'artiste en devenir perpétuel qui établit la synthèse — sans jamais subordonner les composantes d'un univers en équilibre, aux exigences d'une totalité aveugle — de la raison et de la sensualité, du sentiment et de la volonté. Grâce à la discipline à laquelle il soumet sa nature prométhéenne, il atteint à « l'être intégral ». En tant qu'individu, il est libre et tolérant, « non par faiblesse, mais par force ».

Sa liberté ne se conçoit pas sans un sens particulièrement aigu de la responsabilité, ces deux faces de sa personnalité se manifestant à la fois dans sa vie et dans son œuvre conçue comme un acte créateur unique[4].

1. Thomas CARLYLE, *On Heroes, Hero-Worship, and the Heroic in History*, Londres, Oxford University Press, 1974, p. 103.
2. Jacob BURCKHARDT, *La civilisation de la Renaissance en Italie*, Paris, Gonthier, 1964, t. I, p. 111.
3. *Ibid.*, p. 115.
4. Friedrich NIETZSCHE, *Le crépuscule des idoles*, Paris, Denoël/Gonthier, 1976, pp. 122-123.

L'artiste et le pouvoir. — Quelle est la nature du pouvoir du grand artiste ? Ce dernier représente-t-il une menace réelle pour l'ordre établi ? Sa contestation a-t-elle un caractère fondamental, permanent ? Paradoxalement, ce sont les gouvernements réputés « forts » qui tiennent le clerc pour le représentant d'un pouvoir parallèle subversif; les gouvernements faibles, les démocraties libérales, ont tendance à s'accommoder du pouvoir spirituel qu'il détient.

Les grands poètes romantiques, Hugo, Lamartine, exercent un pouvoir moral et politique qui fait frémir Proudhon, théoricien libertaire de l'art et, comme nous le verrons tout à l'heure, ennemi acharné du grand homme en art et en histoire. Il hésite un moment pour savoir s'il ne faut pas le mettre, comme l'avait proposé Platon, au banc de la République. Hanté par ses méfaits et pourtant soucieux de protéger les idéaux de la justice et de la révolution contre les dangers d'une esthétisation excessive, il finit par proposer qu'on les mette « hors du gouvernement ». Plus tard, Kropotkine assortira ses appels aux artistes d'une condition préalable. Si les poètes et les peintres acceptent de mettre leur plume ou leur pinceau au service de la cause révolutionnaire, il ne doivent pas le faire en tant que « maîtres », mais en qualité de simples « camarades de lutte ». Leur tâche ne sera pas de « gouverner », mais de « faire entrer dans la vie les aspirations des masses ».

Le désengagement consécutif de l'artiste, la poursuite de valeurs avant tout esthétiques au détriment de la vie de la cité et le sacerdoce de l'anonymat qui, par un revirement dialectique à proprement parler spectaculaire, prend la relève du culte de l'artiste-héros, écarte le clerc des avenues du pouvoir. Lorsqu'il présente le grand écrivain comme un « second gouvernement » — « un grand écrivain est, dans son pays, comme un autre gouvernement », écrit-il dans le *Premier cercle* pour motiver la méfiance des gouvernements totalitaires à l'égard de toute littérature indépendante — Soljénitsyne s'adresse à une audience russe qui n'a pas oublié le rôle de premier plan joué par l'intelligentsia dans la préparation intellectuelle de la Révolution de 1917. En URSS, l'exclamation sinistre de Lénine — « à bas les surhommes de la littérature ! » — résonne encore dans toutes les oreilles. Dès 1905, le futur maître de la Russie esquisse la théorie d'une nouvelle « littérature de parti » subordonnée à une direction idéologique contraignante. Définie comme une « petite roue et une petite vis » dans le mécanisme politique conçu et manipulé par le Parti bolchevique, la littérature n'a plus de place pour les talents originaux et novateurs. Le petit traité que compose Trotzky en 1922-1923, *Littérature et révolution*, est, malgré la compréhension qu'il manifeste à l'égard de certains courants d'avant-garde de l'époque, le prélude à la mise au pas de toute activité littéraire en URSS. Dans ce livre aux allures prophétiques, Trotzky déclare sans ambages que la révolution a besoin d'artistes « capables d'un seul amour ». Il ajoute « : Les bolcheviks empêchent l'écrivain de se sentir comme un maître, parce qu'un maître doit avoir un pôle organique indiscutable; les bolcheviks ont déplacé le rôle principal »[1]. Le pôle organique dont parle l'organisateur de l'armée rouge n'est rien d'autre que le gouvernement parallèle de Soljénitsyne. Les héros du travail, de l'édification du socialisme font éclipser le héros en tant qu'homme de lettres; le héros *positif* fait basculer la *notion* du héros du côté de la cosse vide de l'héroïsme[2].

Les Newton des sciences sociales. — Les démocraties doivent être constamment sur leurs gardes contre toute personnalité capable de modifier le cours de l'histoire par une action personnelle par définition arbitraire, a-sociale voire antisociale, déclare l'historien américain — et démocrate — du héros Sydney Hook. A leurs yeux, les masses populaires, les collectivités agissant de concert, sont en histoire les seules forces créatrices. Aussi réservent-elles leur Panthéon aux héros authentiques de la pensée, les visionnaires d'une société meilleure, le grand savant et l'écrivain génial.

L'intellectuel échappe donc au soupçon que fait peser la sensibilité égalitaire de l'époque moderne sur le héros et accomplit son œuvre comme si ses projets de réforme, de perfection échappaient à la sphère où s'affrontent esprit de domi-

---

1. « Pour cette raison, aucun régime n'aime ses grands écrivains », Léon TROTZKY, *Littérature et révolution*, pp. 269-270.
2. Sur la notion de l'héroïsme, voir pp. 204-205.

nation et aspiration à la liberté. Aussi le visionnaire utopique introduit-il la figure omnisciente du grand fondateur légendaire dans le monde impersonnel de la cité idéale, sans tomber sous l'accusation dont les autres figures de « fondateur » font désormais l'objet. Campanella se voit, dans sa prison où il rédige fiévreusement la *Cité du Soleil*, comme le rédempteur inconnu de l'humanité, le Prométhée de l'avenir enchaîné au rocher du Caucase pour son humanisme collectiviste : *ego tanquam Prometheus in Caucaso detineor*[1].

Sensibilité anti-autoritaire et Sauveur collectif. — C'est à partir d'une sensibilité anti-autoritaire radicale que Proudhon entreprend ses attaques contre l'artiste romantique et l'expression artistique du créateur unique, le chef-d'œuvre. Déloger le grand homme de l'enclave de la culture artistique qui lui sert de refuge, voici la tâche qu'il s'assigne. « Un des effets du progrès dans la société homogène, démocratiquement organisée, c'est que la distance entre l'homme et l'homme va se rapprochant toujours, à mesure que la masse s'avance sur la route de la science, de l'art et du droit. Dans la pensée de la république, l'idée des grands hommes est donc un non-sens; leur disparition est un des gages de notre délivrance »[2].

Dans le projet proudhonien d'une société libertaire et fédéraliste, le héros disparaît au profit d'une communauté qui réconcilie les principes de l'égalité et de la diversité. Proudhon n'en est pas moins obligé de faire appel, en esquissant sa futurologie libératrice, à un héros collectif — le peuple prolétarien —, dont l'action est le seul garant du progrès en histoire. Les mythes révolutionnaires qu'il entretient socialisent, en leur attribuant un contenu de classe décisif, les forces du Bien et du Mal engagées dans un combat de vie et de mort, en prélude au passage dans le milleneum aux couleurs du socialisme. L'avènement du Grand Jour d'un renouveau égalitaire exemplaire est lié à l'action dramatique d'un héros au visage multiple, le prolétariat, le peuple (le moujik, le brigand, l'intellectuel

1. Voir Melvin J. LASKY, *Utopia and Revolution*, Chicago, The University of Chicago Press, 1976, p. 486.
2. Pour les théories anti-individualistes de Proudhon, voir mon *Esthétique anarchiste*, pp. 17-25.

engagé). Les mythes du Parti, du Polit-bureau « charismatique » qui agit en tant qu'héritier du leader disparu, et de l'élite nous apparaissent comme autant de variantes d'un grand mythe central, le mythe du Sauveur collectif. (Parfois, c'est un groupe plus ou moins restreint de poètes, de philosophes, de professeurs d'université qui se constituent en Sauveur charismatique. C'était le cas notamment de Stefan George et de son Cercle composé d' « éducateurs » se proposant d'initier le renouveau spirituel de l'Allemagne. Notons à ce propos la présence, à la tête de certaines avant-gardes artistiques et intellectuelles, d'un chef à proprement parler charismatique : André Breton, Sigmund Freud, etc.)

Culte des héros et pessimisme culturel. — Dans *Le crépuscule des idoles*, Nietzsche qualifie de « farce involontaire » l'interprétation héroïque de l'histoire de Carlyle. Il met en doute sa foi dans le renouveau de l'Occident et le *fortissimo* d'une vénération sans bornes pour les héros à venir qui dissimule mal son désespoir profond[1]. Si ses remarques sont d'une manière générale fort pertinentes, elles contiennent aussi une part d'injustice, car Carlyle, au lieu de masquer son pessimisme, le proclame ouvertement. Le cri « hélas ! rien ne se maintiendra ! » pourrait même servir de credo aux théories qu'il développe. Dès le xviiie siècle — « siècle sceptique » s'il en est —, le culte des héros est tombé dans l'oubli; l'homme moderne manque de respect pour les grands hommes à qui il doit pourtant les conditions essentielles de son existence. En fait, « l'héroïsme est mort à jamais ». L'humanité est entrée dans une longue période de désagrégation, d'anarchie — d'où le vœu qu'il adresse au héros à venir —, vœu que Wagner imprimera en guise de préambule en tête à son pamphlet libertaire, *L'art et la révolution* : « Abolis, ô sage héroïque à venir, dépense le sang de ton cœur pour l'abolir, le *milleneum* d'anarchies à venir[2] ». L'*homme universel* de Burckhardt et le *Surhomme* de Nietzsche appartiennent à un chapitre désormais clos de l'histoire, ou à

---

1. Friedrich NIETZSCHE, *Le crépuscule des idoles*, p. 85.
2. Thomas CARLYLE, *The History of Frederick II of Prussia called Frederick the Great*, Londres, 1865, p. xxi, i.

une période de renouveau dont l'un et l'autre aperçoivent l'aube au-delà des anticipations tragiques dont abonde leur futurologie. « J'ai cherché des grands hommes et je n'ai toujours trouvé que les singes de leur idéal », note Nietzsche au terme de sa quête du grand individu[1]. Il fait allusion, certes, à l'admiration qu'il avait éprouvée, du temps de son professorat à Bâle, pour Wagner, et à la ré-interprétation « décadentiste » de son œuvre qui s'en était suivi[2]. Nous verrons tout à l'heure l'atmosphère de déclin qui entoure les « fils de Roi » de Gobineau[3].

Le « *pseudo-héros* ». — Pendant les années du nazisme, Carlyle est considéré en Allemagne et par ses critiques antinazis, comme un précurseur de l'hitlérisme[4]. Son « héros » est présenté comme une préfiguration du « Surhomme » nietzschéen, récupéré, lui aussi, comme précurseur de l'élite hitlérienne[5]. Mais s'il est vrai que son vitalisme héroïque a été d'une importance capitale pour l'élaboration de l'idéal du leadership charismatique, le culte carlylien du héros prend le contre-pied des héros *négatifs* de l'histoire[6]. Le héros négatif — ou « pseudo-héros » — n'est pas la réplique pâle, efféminée du héros authentique des « Grands Siècles », mais l'usurpateur qui s'approprie leur culte pour promouvoir ses desseins cri-

1. Friedrich NIETZSCHE, *Le crépuscule des idoles*, p. 17.
2. Pour les rapports entre Nietzsche et Wagner, consulter brièvement la première partie de mon étude sur *Le marxisme devant la culture*, pp. 29-33.
3. Voir pp. 185-186.
4. La récupération de Carlyle dans l'Allemagne nazie est officialisée par une publication interne du Parti nazi : *Carlyle und der Nationalsozialismus*, Berlin, 1937, de Theodore DEIMEL. (Une publication parallèle a pour titre : *Nietzsche und der Nationalsozialismus* de Heinrich HAERTLE.) Selon un commentateur italien contemporain, Mario Palmieri, l'Italie fasciste a ajouté un nouveau type de héros à la typologie de Carlyle, le chef en tant que héros. Mussolini est en quelque sorte la réponse de l'Italie aux prophéties carlysliennes (voir Eric BENTLEY, *A Century of Hero-Worship*, Boston, Beacon Press, 1957, p. 256).
5. Elisabeth FOERSTER-NIETZSCHE a identifié dans un article de journal (*Der Montag*, le 7 juillet 1935) Hitler comme le Superman annoncé par son frère. De son côté, Richard OEHLER publie dans un ouvrage tendancieux, *Nietzsche und die deutsche Zukunft* (Leipzig, 1935), un portrait de Hitler devant le buste de Nietzsche. Ce portrait, souvent reproduit depuis lors, sert d'habitude à illustrer les affinités entre Nietzsche et le nazisme.
6. Nous tenons également pour grands, des hommes qui nous ont infligé des dommages importants, remarque Jacob BURCKHARDT dans ses *Considérations sur l'histoire universelle*, p. 236.

minels. « Ou bien nous en viendrons à connaître le héros, le vrai gouverneur et capitaine..., ou bien nous serons obligés de nous soumettre au faux héros. Or, si le prêtre et le prophète nous conduisent au paradis, le magicien et le charlatan nous mènent tout droit en enfer », écrit Carlyle[1]. Le monde des « valets » a le faux héros (Sham-Hero) pour maître. Pour éviter que le grand philosophe, le grand roi, n'écrasent la personnalité de leur entourage — les disciples, les fidèles —, par la simple grandeur de leur vision ou de leur créativité, Emerson aimerait voir se développer chez eux à un haut degré les qualités d' « auto-discipline ». « Le vrai génie cherche à nous défendre contre lui-même. En effet, il ne veut pas appauvrir notre vie, mais l'enrichir et la féconder par des « nouveaux sens » qu'il découvre. « Si un sage apparaissait dans notre village[2], il créerait, dans ceux qui conversent avec lui, une nouvelle conscience de richesse, en ouvrant leurs yeux sur des avantages (jusqu'ici) inobservés; il établirait un sens d'immuable égalité, nous calmerait avec l'assurance que nous ne pouvons être dupés; car chacun discernerait les freins et les garanties de sa condition. Les riches verraient leurs méprises et leur pauvreté, les pauvres leurs voies de salut et leurs ressources »[3]. Plus loin, il précise encore sa pensée en ajoutant : « Je trouve le maître plus grand quand il peut s'abolir lui-même; et tous les héros avec lui, en laissant entrer dans notre pensée cet élément de raison, qui n'a pas égard aux personnes; cette subtilisante et irrésistible force ascensionnelle destructive d'individualisme; ce pouvoir si grand que le potentat n'est rien »[4]. Malgré les sarcasmes dont il accable l'auteur des *Héros et du culte des héros*, Nietzsche partage ses craintes lorsqu'il aperçoit dans l'uniformité des Européens, le nivellement des talents et des aspirations, le terrain où s'épanouiront des « hommes d'exception de la plus dangereuse et de la plus séduisante espèce. Ravalé au rang d'un « animal de troupeau, utile... et utilisable à toutes fins », l'homme moyen

---

1. Cité par Ernst Cassirer, *The Myth of the State*, New Haven, Yale University Press, 1966, p. 194.
2. Il s'agit de Concorde, Massachusetts.
3. Ralph Waldo Emerson, *Les hommes représentatifs. (Les surhumains)*, Paris, Editions Georges Crès & Cie, 1920, pp. 20-21.
4. *Ibid.*, p. 25.

a besoin d'un chef, d'un maître. La démocratisation du continent tendra donc à produire « un type d'homme préparé le
plus |subtilement à l'*esclavage*, mais dans des cas isolés et excep-
tionnels le type de l'homme *fort* ne pourra que devenir plus
fort, plus prospère et plus riche qu'il n'a jamais été »[1]. Le
culte des héros ne favorise donc en rien l'apparition des Hitler
et des Staline, mais en dénonce prophétiquement l'avènement.

1. Friedrich Nietzsche, *Par-delà le bien et le mal*, Paris, Union générale des
Editions, 1973, pp. 234-235.

le culte des héros

> « *Devant la grandeur, nous éprouvons un sentiment
> d'une espèce impure, un besoin de soumission et d'admi-
> ration, le désir de nous griser d'une impression que nous
> croyons être la grandeur.* »
>
> Jacob BURCKHARDT, Considérations
> sur l'histoire universelle.

« Notre religion, c'est d'aimer et chérir ces patrons »,
écrit Emerson dans l'introduction des *Hommes représentatifs*.
Le héros ainsi érigé en objet de culte est un saint sécularisé
(Emerson parle de « Saint-Michel de Montaigne »; Dante et
Shakespeare sont pour Carlyle les « saints de la poésie ») ou
un condottiere qui donne forme aux aspirations de toute
une époque. Il est Dieu (Odin est selon Carlyle le héros principal du monde germanique), roi, fondateur de religion, prophète, poète ou homme de lettres. (Les héros de la culture sont
assimilés aux héros historiques dans la mesure où c'est le même
tempérament de guerrier, la même énergie créatrice qui se manifestent chez les uns et chez les autres. « J'admire les grands
hommes de toutes les classes, ceux qui tiennent pour les faits,
et ceux qui tiennent pour les pensées », déclare Emerson[1].)
Mais ce qui frappe le plus le lecteur d'aujourd'hui, qui se fami-
liarise avec le culte des héros carlylien ou emersonien, c'est sa
sociabilité. Contrairement au théoricien socialiste de la justice
distributive qui condamne le grand homme pour son attitude
a-sociale ou anti-sociale, Burckhardt observe une « secrète
coïncidence » entre l'individu exceptionnel et l'intérêt général,
la grandeur ou la gloire de la collectivité[2]. Ce qui le frappe en
étudiant le personnage d'Alberti, par exemple, c'est une vive

1. Ralph Waldo EMERSON, *Les hommes représentatifs*, p. 24.
2. Jacob BURCKHARDT, *Considérations sur l'histoire universelle*, p. 269.

participation au monde des connaissances, de ce qui est en train de s'accomplir dans le monde, mais aussi dans la volonté d'offrir en partage à ses concitoyens les fruits de ses conquêtes. « Tout ce qu'il avait, tout ce qu'il savait, il le mettait généreusement à la disposition de tous »[1]. Le héros « peut tout », « ose tout », car il ne porte sa mesure qu'en lui-même; en même temps, tout ce qu'il entreprend dépasse son horizon personnel. C'est la volonté de Dieu, d'une nation, d'une époque qu'il incarne. Il est représentatif dans la mesure où ses actes préfigurent l'attitude des générations à venir[2].

La sociabilité a pour fondement la rencontre, au sein d'une personnalité unique, de l'universel et du particulier, de la durée et du mouvement. Un Napoléon doit sa prédominance, remarque Emerson, à la fidélité avec laquelle il exprime la pensée, les croyances, les visées de tous les hommes actifs et cultivés de la France postrévolutionnaire. « Démocrate incarné, il est le représentant de la classe moyenne avec tous ses vices et toutes ses vertus »[3]. « Si Napoléon est la France, si Napoléon est l'Europe, c'est parce que les gens qu'il gouverne sont de petits Napoléons »[4]. Le lecteur bourgeois de la vie de l'empereur se délecte parce qu'il y lit en réalité sa propre histoire.

LA NATURE DU HÉROS : CARLYLE ET EMERSON

Divinité, prophète, poète, réformateur, roi ou homme de lettres, ne sont que des noms différents par lesquels on désigne le grand homme, déclare Carlyle. Messager du monde des valeurs — issu de la « réalité interne » de la terre, d'où son comportement « enfantin » à l'occasion —, c'est lui qui initie les grandes époques créatrices de l'histoire. (« L'histoire du

---

1. Jacob BURCKHARDT, *La civilisation de la Renaissance en Italie*, t. I, p. 109.
2. Kierkegaard se considère comme une sorte d' « homme expérimental » ou de « cobaye » qui vit, dans le drame d'une personne unique, l'histoire d'une génération, d'un peuple qui viendra après lui. Hermann HESSE développe cette notion de « destinée représentative » à propos des frères Karamazoff, dans un essai sur l' « homme russe », publié en 1915, *Blick ins Chaos*.
3. Ralph Waldo EMERSON, *op. cit.*, p. 252. Il ajoute : « J'appelle Napoléon l'agent ou le chargé d'affaires de la classe moyenne et de la société moderne. »
4. *Ibid.*, p. 227.

monde est... la biographie des grands hommes »[1].) Homme « originel » plein de dons sauvages[2], de feu et de lumière, il donne à la vie une intensité que l'homme ordinaire ne saurait atteindre. Il est doué d'une force de volonté et d'énergie extraordinaire. S'il est poète, il rejette avec vigueur les canons de l'esthétisme et s'engage dans l'acte créateur à la fois en politicien, en philosophe et en prophète. (Il est, au sens profond du terme, « engagé ».) Il existe un véritable Clergé Nouveau *(The Priesthood of the Writers of Books)* composé de poètes et d'hommes de lettres.) Mais par opposition à un Dante ou à un Shakespeare qui étaient les véritables « porteurs héroïques de la lumière », l'homme de lettres doit sa grandeur à l'immensité du vide qu'il découvre au cœur du projet créateur de la modernité et dont il dévoile l'attrait. Par opposition au héros conquérant de la plénitude, il n'est que l' « héroïque chercheur de lumière ».

Le grand homme est à peu près totalement dépourvu d'originalité, affirme de son côté Emerson. Ce qui le caractérise avant tout, c'est l'étendue de sa réceptivité. L'homme représentatif est grand par absorption. « Le plus grand génie est l'homme le plus endetté »[3]. Qu'est-ce qu'un grand homme sinon un « homme de grandes affinités, par qui tous les arts, toutes les sciences... sont absorbés comme nourriture »[4] ? Toute grandeur authentique réside dans la manière dont une grande idée est vécue et transformée en exemple. La réponse que le héros donne aux grandes questions de la religion, de la philosophie — « d'où ? quoi ? et où ? » —, se trouve invariablement dans une « vie » et non pas dans un « livre ». « Un drame ou un poème est une réponse approximative ou oblique »; mais Moïse ou Jésus « travaillent directement sur ce problème », sans intermédiaire ou succédané livresques[5].

1. Thomas CARLYLE, *On Heroes and Hero-Worship*, p. 17.
2. BRASILLACH note dans *Les sept couleurs*, en présentant Hitler en tant que Sauveur, le « sourire presque enfantin » de ce qu'il considère comme le plus grand héros du siècle. Une fois de plus, le héros et le pseudo-héros sont décrits en des termes similaires, *Les sept couleurs*, Paris, Plon, 1939, p. 122.
3. Ralph Waldo, EMERSON, *Les hommes représentatifs, op. cit.*, p. 192.
4. Ralph Waldo EMERSON, *Les hommes représentatifs*, p. 44.
5. *Ibid.*, pp. 96-97.

> « *Je vous enseigne le Surhomme. L'homme est
> quelque chose qui doit être surmonté. Qu'avez-vous fait
> pour le surmonter ?* »
>
> NIETZSCHE,
> Ainsi parlait Zarathoustra.

Le grand homme *(das grosse Individuum)* domine par son action notre existence, affirme Burckhardt; sans lui, nous ne saurions même pas nous représenter cette dernière. Nous lui sommes de plus redevables de tous nos avantages actuels. Il est à proprement parler unique et irremplaçable[1]. Il sert à son époque d'un « point de repère sûr » et maintient « à un niveau élevé le critère de jugement sur les choses ».

L'homme universel — l'*uomo unico* ou *singolare* — est un poète ou un condottiere qui apparaît pour la première fois en Italie à l'époque de la Renaissance. Doué d'une très grande variété de connaissances et d'aptitudes, il assimile et porte à leur plus haut point d'expression, tous les éléments d'une culture artistique, intellectuelle et civique en éclosion.

C'est parce qu'il réunit en lui-même tous les éléments créateurs de son époque que le *surhomme* est aussi un grand gaspilleur, affirme de son côté Nietzsche. « Le danger qu'il y a dans les grands hommes et dans les grandes époques est extraordinaire; l'épuisement sous toutes ses formes, la stérilité les suit pas à pas. » Le grand homme est pour cette raison une *fin.* « Le génie — en œuvre et en action — est nécessairement gaspilleur; qu'il se *gaspille* c'est là sa grandeur... Il déborde, il se répand, il se gaspille, il ne se ménage pas, fatalement, irrévocablement, involontairement, tout comme l'irruption d'un fleuve par-dessus ses rives est involontaire »[2].

Grand écrivain qui se « discipline pour atteindre à l'être

---

1. Seul l'homme « doué d'une force morale ou intellectuelle exceptionnelle et dont l'action s'étend à un domaine universel, c'est-à-dire à des peuples entiers, à des cultures entières ou même à toute l'humanité, est unique et irremplaçable », dit BURCKHARDT, *Considérations sur l'histoire universelle*, p. 238.

2. Friedrich NIETZSCHE, *Le crépuscule des idoles*, pp. 116-117.

intégral », qui se fait lui-même, Goethe apparaît dans les dernières pages du *Crépuscule des idoles* comme le surhomme en personne dans sa splendide « inutilité » : cette fin dans laquelle une époque créatrice culmine et affronte son déclin[1]. Goethe organise le chaos de ses passions et atteint à la plus grande liberté par la discipline à laquelle il se soumet tout le long de son existence. Tolérant, « non par faiblesse, mais par force », il vit pleinement ses idées, en prenant face à la vie une attitude d'affirmation, au-delà de la négation ostentatoire, criarde des « derniers hommes » d'une civilisation intérieurement affaissée. (Le poète est, une fois de plus, avec le *condottiere* (Cesare Borgia) et le conquérant universel (Napoléon) l'homme accompli, le grand homme élevé au rang d'espérance.)

LES « FILS DE DIEU »

> « *Enfin il mourut, parce qu'il passa fièrement à côté de la Médiocrité, méconnaissant que cette déesse est l'arbitre du monde et tient dans ses mains les seuls biens qui puissent être obtenus.* »
>
> GOBINEAU, Les Pléiades.

« Je pense que l'honnête homme... a plus que jamais le devoir impérieux de se replier sur lui-même, et, ne pouvant sauver les autres, de travailler à s'améliorer », s'écrie le prince Jean Théodore qui sait que sa principauté sera incorporée dans le Reich en voie de formation (Gobineau entreprend la rédaction des *Pléiades* en 1871) et qui est le dernier d'une longue lignée de princes-philosophes.

Le héros gobinien compare l'humanité au ciel étoilé où brillent étoiles, planètes, galaxies confondues dans la profondeur mystérieuse d'une totalité à la fois une et diverse. Son regard s'attache cependant exclusivement à ces quelques figures célestes qui, comme autant d' « êtres étincelants » et le front « couronné de scintillements éternels », se groupent « attirés, associés, par les lois d'une mystérieuse et irréfragable

---

1. Friedrich NIETZSCHE, *Le crépuscule des idoles*, pp. 122-123.

affinité ». Ces constellations, ces groupements fixes ou errants sont les seuls « dignes d'admiration et d'amitié »[1].

Il existe dans le monde, à la manière des Pléiades célestes dont on vient de citer la description, trois mille à trois mille cinq cents « fils de Roi » — descendants ultimes d'un âge d'Or lointain et qui ne reviendra plus jamais, dont la personnalité représente une combinaison « mystérieuse et native » d'éléments divins. Mais si les dons exemplaires de ces êtres exceptionnels proviennent à titre d'héritage de leurs ancêtres royaux, les qualités que possédaient ces derniers en qualité de guerriers, les « fils de Rois » les possèdent en qualité d'esthètes. Leurs dons les mettent à l'écart des « multitudes qui grouillent », mais ils les condamnent à une attitude essentiellement passive. Chez eux, l'amour de la beauté et la délicatesse des sentiments se substituent à la force des passions et la lecture — ou le commentaire lucide et courageux — prend figure d'acte créateur.

D'origine noble ou roturier — il ne se définit pas par ses origines sociales, le « fils de Roi » est comme ce personnage bien connu du conte arabe qui, « pauvre diable fort maltraité de la fortune » ou « naufragé mourant de faim », dévoile son identité par ces quelques mots simples et pourtant chargés de sève : « Je suis fils de Roi. » Il est doué de qualités particulières qui lui permettent de s'élever naturellement au-dessus du vulgaire. « Fils de Roi » signifie : « Je suis d'un tempérament hardi et généreux, étranger aux suggestions ordinaires des naturels communs. Mes goûts ne sont pas ceux de la mode; je sens par moi-même et n'aime ni ne hais d'après les indications du journal. L'indépendance de mon esprit, la liberté la plus absolue dans mes opinions sont des privilèges inébranlables de ma noble origine; le Ciel me les a conférés dans mon berceau... »[2].

Le théoricien moderne du héros voit dans l'histoire la succession d'un nombre somme toute limité d'hommes « représentatifs », « héroïques », dont la grandeur provient soit d'une

1. Arthur de GOBINEAU, *Les Pléiades*, texte établi par Jean MISTLER, Paris, Livre de Poche, 1960, p. 35.
2. *Ibid.*, p. 29.

« grande idée » qu'ils incarnent, soit d'une réceptivité qui les désigne pour devenir les leaders, les législateurs de leur époque. Le grand homme se propose à la société comme un vrai gouvernement, affirme Carlyle; la hiérarchie naturelle des personnalités de pointe lui apparaît comme une héros-archie *(Hero-archy)*. La participation du grand homme aux tâches du gouvernement, de l'administration des affaires publiques ne saurait pourtant devenir la règle[1], car l'apparition des grands hommes se présente comme un accident, un événement soudain et parfaitement imprévisible. Qu'il initie une époque nouvelle (avec son apparition, c'est toujours une époque nouvelle qui commence), ou qu'il mette fin à une longue période de déclin (cas auquel le nouveau apparaît comme une Renaissance), il accomplit une œuvre qu'il est le seul de son temps à pouvoir entreprendre. Les grands hommes sont nécessaires à notre existence afin que le « mouvement de l'histoire puisse périodiquement se libérer des formes de vie purement extérieures et mortes, ainsi que du bavardage ratiocinant » (Burckhardt)[2].

1. Bien que la transformation du rôle plus au moins éphémère en durée est la tâche des groupes charismatiques qui se forment autour de certains leaders (la Vieille Garde de Lénine, le cercle intime de Hitler) et de la notion de la « routinisation » ou de la « dépersonnalisation » du phénomène charismatique de Max Weber.

2. *Considérations sur l'histoire universelle*, p. 275.

sauveurs et chefs charismatiques

> « *Dans toutes les époques de l'histoire universelle,
> nous trouvons le grand homme qui a été le Sauveur
> irremplaçable de son époque...* »
>
> CARLYLE, Sur les héros
> et le culte des héros.

En répertoriant les thèmes mythiques dans la pensée de Bakounine et de Marx, nous avons brièvement fait allusion au mythe personnel qui suscite en partie le conflit qui les oppose au sein de la Première Internationale. L'identification mythique dont nous sommes les témoins — le Dieu-législateur face à l'incarnation libertaire de Satan[1] —, reste cependant sans conséquence sur la vision de la société future qu'ils élaborent dans le cadre de leurs mythes révolutionnaires respectifs. L'un et l'autre ignorent le rôle de l'individu, de la personnalité créatrice d'époque, dans l'avènement du nouvel ordre social qu'ils pressentent. Tout se passe comme s'il appartenait au héros collectif du mythe de la révolution — alliance hétéroclite du « peuple », du brigand, de l'intelligentsia, des étudiants dans le cas de Bakounine, de la classe ouvrière chez Marx —, de servir de guide aux populations asservies d'aujourd'hui sur leur chemin vers l'avenir, l'individu select devant sombrer avec la société dont il exprime l'unilatéralité. La théorie du socialisme ignore le rôle formateur de premier plan du chef de Parti, de la personnalité dominante dont Staline a établi le « culte » et dont la présence s'accuse dans tous les pays se réclamant du socialisme. Et aucune tentative n'a été faite jusqu'ici pour intégrer la réalité du phénomène charismatique dans les interprétations théoriques du socialisme vécu.

Le vide théorique que nous venons de diagnostiquer au

---

1. Voir pp. 26-28 et 106-107.

cœur des projets de renouveau socialiste est en quelque sorte comblé par Cabet et, d'une manière générale, par les écrivains utopiques présocialistes, More, Campanella, etc. Dans les récits utopiques — et dans les utopies négatives qui en prennent la relève au lendemain de la première guerre mondiale[1] —, la fondation de la cité, à vocation collectiviste, est, à peu d'exceptions près, attribuée à un héros-fondateur unique qui a défini une fois pour toutes les lois de la perfection sociale. L'Utopie, cette île fabuleuse qui permet à Thomas More de faire revivre le mythe de l'Atlantide, est à l'origine une péninsule rocheuse, de vocation continentale. C'est Utopus, héros-législateur aux pouvoirs quasi surnaturels, qui la transforme en île en faisant percer un isthme large de 15 kilomètres et qui fait de ses habitants — une véritable « horde de sauvages ignorants » —, la « nation la plus civilisée du monde ». Grand général ou *dux* (c'est l'*Alphabet utopique* de More que je cite), c'est lui qui dessine le plan de la cité idéale, en élabore la constitution et codifie les manières de penser et d'agir de ses habitants[2].

L'utopie communiste de Cabet, Icarie, porte le nom d'Icare, héros-fondateur réunissant les traits du saint, du guerrier, du militant révolutionnaire et du dictateur. « Homme du livre », il formule dans un petit livre — l'ancêtre du *Livre rouge* de Mao, — les principes d'une société égalitaire idéale. Déifié après sa mort — ici, c'est à la figure de Big Brother que nous fait penser l'utopie cabétienne —, ses statues, bustes, effigies envahissent la place publique et les maisons particulières[3]. Et Cabet d'ajouter : « Beaucoup de personnes prétendaient qu'Icare était un second Jésus-Christ et voulaient qu'on l'adorât comme un *Dieu*, invoquant, pour prouver sa divinité, les mêmes raisons

---

1. *Walden Two*, par B. F. SKINNER, paru en 1948, est un des derniers romans utopiques. Depuis *Nous autres* du russe Eugène ZAMIATINE (1934), le genre utopique se développe sous sa variante « négative », anticollectiviste.

2. D'après le préfacier d'une édition récente du *magnum opus* de MORE, Utopus est le précurseur du chef charismatique moderne; il traduit le mot *dux* en allemand par le mot de *Fuehrer* (Thomas MORE, *Utopia*, Londres, Penguin, 1965), aux pouvoirs illimités. Sa constitution a été adoptée par les habitants agissant de concert à un moment décisif de leur histoire pour adopter une manière de vivre « vraiment philosophique et communautaire ».

3. Etienne CABET, *Voyage en Icarie*, réimpression anastatique de l'édition de Paris, au Bureau populaire, 1848, Préface de Henri DESROCHES, p. 218.

qui furent invoquées, plus de dix-huit cents ans auparavant, par les premiers adorateurs du Christ[1].

« C'est l'aube, l'aube, du moins, de l'âge d'Or », s'exclame Frazier, le héros du roman utopique tardif de B. F. Skinner, *Walden Two*, pour caractériser la communauté expérimentale dont il est le leader incontesté[2]. Il ne voit aucune contradiction entre le *Führerprinzip* qu'il applique à l'administration des affaires et le « paradis terrestre » qu'il s'efforce de réaliser. Il ne se laisse pas troubler par le qualificatif de « fasciste » dont certains usent à son égard. Le parallélisme qu'on pourrait établir entre le phénomène hitlérien et l'utopie béhavioriste le laisse indifférent. D'après lui, le dictateur n'est pas soumis aux lois qu'il édicte. « Est-ce que le médecin partage la santé du malade qu'il soigne ? L'ichtyologiste doit-il nager comme un poisson ? Le fabricant de feux d'artifices doit-il voler en éclats ? », se demande-t-il ironiquement[3]. Sa position de fondateur-législateur unique éveille en lui un sentiment d'orgueil proprement démesuré. « Quand on a saisi le principe du renforcement positif (principe behavioriste qui est la clé de voûte de la perfection skinnérienne), on est saisi d'un sentiment de puissance illimitée. C'est assez pour satisfaire le tyran le plus assoiffé »[4].

Thomas More a accompagné le manuscrit de son *Utopie* d'un commentaire similaire, tempéré, il est vrai, par une ironie « humaniste » dont on ne trouverait pas la trace dans la prose monolithique de Skinner. « Tu ne peux pas savoir à quel point je me sens exalté, comment j'ai progressé en hauteur et porte ma tête plus haut; car je n'ai pas de cesse de m'imaginer dans le rôle du souverain d'Utopie », écrit-il à Erasme[5]. De la même manière, Johann Valentin Andreae se félicite d'avoir créé, en établissant les plans de Christianapolis, une cité à sa mesure

---

1. *Ibid.*, « Jésus-Christ est venu apporter une loi nouvelle, un nouveau principe social, un nouveau système d'organisation pour la société qu'il appelait le Règne ou le Royaume de Dieu, la cité nouvelle », écrit CABET dans le compte rendu qu'il consacre à la *Colonie icarienne aux Etats-Unis*, Paris, 1856, p. 26. Il identifie son projet d'utopie avec le « vrai christianisme », son évangile étant le Code des Icariens (*ibid.*, p. 28).
2. B. F. SKINNER, *Walden Two*, New York, Macmillan, 1971, p. 91.
3. *Ibid.*, p. 250.
4. B. F. SKINNER, *Walden Two*, p. 264.
5. Cité par Melvin J. LASKY, *Utopia and Revolution*, p. 12.

pour échapper aux contraintes des sociétés historiques et exercer une dictature personnelle sans entraves. (Le Bienfaiteur de *Nous autres* d'Eugène Zamiatine, l'Administrateur mondial du *Meilleur des Mondes* de Aldous Huxley ou Big Brother dans *1984* de George Orwell, sont autant de grands hommes, ou remplissant un poste qui requiert une vision personnelle s'élevant au-dessus de l'anonymat de la cité utopique.)

LES « DICTATEURS DES FORÊTS » : L'EXEMPLE AMÉRICAIN

La présence d'un chef providentiel, muni des pouvoirs quasi illimités du dictateur, mais en usant avec parcimonie, à la tête des nombreuses colonies utopistes du XIXe siècle, est de règle. Chaque communauté a son Utopus ou son Icare, qu'il s'appelle George Rapp (Harmonie, New Harmony et Economy), John Humphrey Noyes (Oneida) ou Mother Ann Lee (la communauté des Shakers à Mount Lebanon), et qui joue le rôle du Père (ou, dans le cas de Mother Ann Lee, cette Femme-Messie en chair et en os, celui de la Mère charismatique), au sein d'un peuple-enfant uni dans une adoration et une soumission pratiquement sans faille. La personnalité des chefs est de la plus grande importance dans le maintien des colonies expérimentales, écrit Charles Nordhoff qui a connu personnellement la plupart des « chefs historiques » des utopies américaines. « Elle influence de la manière la plus directe le développement de la société qu'ils dirigent. La « personnalité dominante » est invariablement un homme d'une force et d'une aptitude supérieures; elle façonne les habitudes physiques et mentales de ceux qui se trouvent sous sa responsabilité, de la même manière que le père forme le caractère de ses enfants... »[1].

George Rapp — ou Père Rapp pour les membres de la Société d'Harmonie — est peut-être l'exemple le plus caractéristique de la « personnalité dominante » dont parle Nordhoff[2].

---

1. Charles NORDHOFF, *The Communistic Societies of the United States*, nouvelle édition d'un ouvrage paru en 1875, New York, Schocken, 1965, p. 396.
2. A. E. BESTOR parle de *backwoods dictators* pour désigner le héros-fondateur des colonies utopistes, voir *Backwoods Utopias*, Philadelphia, The University of Pennsylvania Press, 1950.

Fondateur-législateur d'une communauté établie en vue de la deuxième venue du Christ, il maintient l'unité et la ferveur messianique des quelque neuf cents hommes, femmes et enfants qui ont quitté leur Wurttemberg natal pour le suivre dans le Nouveau Monde, grâce à ses qualités de héros charismatique, sans jamais assouplir la discipline de fer dont il définit les règles à Harmonie d'abord, à New Harmony et à Economy ensuite. Fondée à l'époque des guerres napoléoniennes, la colonie harmoniste ne disparaît d'ailleurs qu'à la fin du siècle, avec la mort du dernier sociétaire.

Il n'a toléré aucune opposition à ses doctrines et aux principes d'organisation qui ont présidé à l'élaboration de la constitution de la Communauté, remarque au sujet de John Humphrey Noyes, fondateur-chef de la célèbre communauté d'Oneida dans l'Etat de New York, Maren Lockwood Carden. L'inventeur de l'institution du « mariage complexe » fait endosser par les membres de la secte qu'il oriente sur le chemin patient de la perfection les principes de gouvernement théocratique qu'il élabore. « Reconnaissant que la Communauté ne devait pas être dotée d'un régime démocratique, les membres ont voté unanimement pour le règne théocratique de John Noyes »[1]. (De manière significative, l'organe théorique de Noyes s'intitule *Perfectionist and Theocratic Watchman*.) Supervisant de New York la destinée de la communauté utopique dont il a rédigé la constitution — Communia dans l'Iowa —, Wilhelm Weitling est partisan d'un leadership fort qu'il refuse cependant d'assumer à titre personnel. C'est en vain qu'il invite ses protégés à appeler à la tête de leur association un chef « industrieux, modéré, véridique et honnête ». Dans l'absence d'une telle personnalité, la commune expérimentale retombe dans l'histoire, se dissout lamentablement. — Théoricien d'un nouveau monde moral et mécène ès utopies, Robert Owen se contente de rédiger la constitution de New Harmony dans l'Indiana, mais abandonne l'édification de la société idéale à un Conseil démocratiquement élu. S'il assume pendant une année — et à contrecœur —, les pouvoirs « illimités » du « dictateur », il

1. Maren Lockwood CARDEN, *Oneida : Utopian Community to Modern Corporation*, Baltimore, The John Hopkins Press, 1969, p. 19.

préfère la persuasion aux mesures autoritaires traditionnelle-
ment associées avec la figure charismatique du fondateur.
(L'expérience utopique ne survit aux écueils qu'elle affronte dès
sa création que là où un héros-fondateur tout-puissant impose
sa volonté sur une assemblée au sein de laquelle prédominent
les habitudes héritées de l'Ancien Monde européen. Si elle doit
pousser des racines profondes dans la nature humaine, l'idéal
de la perfection exige l'adaptation de l'idéal héroïque à la nature
profondément égalitaire de l'utopie.)

Le Sauveur

> « *Notre programme tient en deux mots : Adolf
> Hitler !* »
>
> Slogan national-socialiste.

Ni le « législateur » utopique — malgré la stratégie du changement qu'on lui prête, et qui apparente l'utopie aux théories
révolutionnaires modernes —, ni le « dictateur des forêts »
américain n'évoquent dans notre esprit le *novus dux* au front
scintillant dont Giacchino da Fiore et l'Europe messianique
dont il avait éveillé les passions, attendaient l'avènement de
mille ans de bonheur et d'harmonie. Le chef charismatique
moderne, par contre, s'empare de l'auréole qui entoure la
figure prestigieuse du « Sauveur ». C'est en vrai chef providentiel que Hitler se présente en Allemagne, suivant en cela
l'exemple récent, et à ses yeux concluant, de Mussolini. Le
vocable du *Führer* — comme celui, plus naturellement messianique, du *Duce* — est l'équivalent du *dux* appelé à secourir son
peuple dans la détresse où il se trouve. Dès 1924, Hitler se
présente comme le Rédempteur de l'Allemagne, comme
« l'apôtre » qui a « reçu la révélation » et qui est « pénétré par
l'âme du peuple ». « C'est là le miracle de notre époque, que vous
m'ayez trouvé, que vous m'ayez trouvé au milieu de tant de
millions d'hommes. Et que je vous aie trouvés c'est la chance de
l'Allemagne »[1]. Ce sont encore les propos d'un Sauveur que

---

1. Cité par Jean ROUVIER, *Les grandes idées politiques de Jean-Jacques Rousseau
à nos jours*, Paris, Plon, 1978, p. 159.

rapporte Hermann Rauschning dans *Hitler m'a dit* : « La Providence m'a désigné pour être le grand libérateur de l'humanité. J'affranchis l'homme de la contrainte d'une raison qui voulait être son propre but ; je le libère d'une avilissante chimère qu'on appelle conscience ou morale, et des exigences d'une liberté individuelle que très peu d'hommes sont capables de supporter »[1]. Sauveur, chef charismatique, il porte le peuple allemand à bout de bras, ne se fiant qu'à ses propres forces. Dans l'accomplissement de ses tâches, le Parti nazi lui-même ne joue qu'un rôle de second plan. « Dans toutes les époques de l'histoire, on ne voit apparaître qu'une seule personne pour chaque mouvement ; et ce sont les personnes et non le mouvement que nomme l'histoire »[2].

Devant le Führer qu'il voit en 1935 dans le stade du Zeppelinfeld, Robert Brasillach s'interroge sur les pouvoirs énigmatiques de cet homme qui a un air de « triste fonctionnaire végétarien » et qui est pourtant un « dieu pour son pays ». N'est-il pas descendu du ciel, la Nuit des Longs Couteaux, « tel un archange de la mort, pour tuer quelques-uns de ses plus vieux compagnons, et des plus chers » ; n'a-t-il pas sacrifié à sa mission, sa paix personnelle, l'amitié, n'est-il pas prêt à immoler le bonheur de son peuple si le « mystérieux devoir » auquel il obéit le lui demandait ? Non, Hitler n'est pas un chef d'Etat ordinaire ; il est avant tout un réformateur, appelé à une mission qu'il croit divine ; à scruter son regard, on s'aperçoit qu'il en supporte le « poids terrible ». C'est parce qu'il personnifie l'âme du peuple germanique, et parce qu'il *agit* en son nom, qu'il peut, à chaque instant, « tout remettre en question »[3].

D'après le témoignage d'un ami d'adolescence qui a bien connu Hitler pendant ses années viennoises, Kubiczek, c'est après une représentation de *Rienzi* de Richard Wagner que Hitler se présenta pour la première fois, dans un état d' « extase totale », comme le futur sauveur de l'Allemagne. « Il incarnait littéralement la personnalité de Rienzi, écrit Kubiczek, sans même se référer à ce dernier comme à un modèle ou à un

---

1. Hermann RAUSCHNING, *Hitler m'a dit*, pp. 253-254.
2. Cité par Joachim FEST, *Hitler*, t. I : *Jeunesse et conquête du pouvoir*, p. 293.
3. Robert BRASILLACH, *Les sept couleurs*, p. 123.

exemple..., il divaguait comme s'il avait été choisi pour une mission particulière, comme si le peuple l'appelait pour qu'il le guidât vers la liberté... » Et c'est dans les images « grandioses et bouleversantes » qu'il exposait devant son ami son avenir et « l'avenir du peuple allemand »[1].

C'est en se présentant comme le « nouveau poète », le chantre prophétique d'une Italie renouvelée, que D'Annunzio élabore, quelques années plus tard, sa « Charte de Carnaro », ce projet d'utopie à vocation impériale. Dans sa biographie de Rienzi — *La vie de Cola di Rienzo* —, il analysera le rôle du tribun romain dans l'optique du « charisma » mussolinien. « Après tant de batailles, tant de victoires, tant de volonté et de heurts, tu as vraiment accompli ce qui, dans l'histoire des grands hommes, ne s'est presque jamais accompli », écrit-il en 1937 au Duce. « Tu as créé ton Mythe. Mais c'est en « sourcier », en « inventeur » génial de mythologies, qu'il s'adresse à un autre grand créateur de mythe. Le Mussolini qu'il honore n'est rien d'autre que le *condottiere* moderne qu'il avait déjà maintes fois décrit à travers ses figurations poétiques. Dans une lettre datée de peu de temps avant sa mort, D'Annunzio s'exclame une dernière fois : « C'est bien souvent que j'ai représenté ton mythe, dans sa pureté mystique, ce mythe qui a dessiné ton visage »[2]. Examinons maintenant la figure du Sauveur telle qu'elle se dessine dans la mythologie de Giacchino da Fiore et de l'Italie du Moyen Age.

Rienzi est, grâce à Pétrarque et, plus près de nous, à Wagner et à D'Annunzio, la mieux connue des figures eschatologiques dans lesquelles la postérité a cru reconnaître le *novus dux* prophétiquement pressenti par le bon abbé calabrais. Lui-même

---

1. Cité par Jean ROUVIER, *Op. cit.*, pp. 146-147.
2. Gabriele D'ANNUNZIO et Benito MUSSOLINI, *Correspondance*, Paris, Buchet-Chastel, 1974, pp. 223 et 225. Mussolini Sauveur, ou Surhomme ? Dans une biographie assez récente, Laura Fermi a mis l'accent sur cet aspect de la personnalité du *Duce*, prêt au moment opportun — en période de crise, de « détresse » comme c'est le cas de l'Italie en 1922 —, à braver l'impossible. Il n'hésite pas à évoquer ses dons de Sauveur, de Surhomme, sa volonté de réussir coûte que coûte, de rajeunir une vieille civilisation grâce à ses initiatives hardies (*Mussolini* Chicago, 1966, pp. 214-215). Mais on sait que les traits du héros et du pseudo-héros rendent toute identification difficile, et que le grand homme est au-delà « du bien et du mal ».

ne fait que raviver les espoirs attachés un siècle plus tôt par le personnage infiniment plus moderne, plus ambigu de Frédéric II, ce duc au visage de Sauveur qui, le premier, répond à l'attente d'un chef providentiel messianique[1].

La naissance de Frédéric a-t-elle pour l'humanité l'importance qu'a revêtue, à l'aube de notre ère, celle du Christ ? C'est ce que Frédéric semble affirmer, en comparant Jesi, sa ville natale, à Bethléem. Le chancelier impérial, Pietro della Vigna, présente l'empereur comme un véritable Sauveur cosmique. Son avènement est l'œuvre de la Providence; c'est Dieu qui l'envoie pour retarder ainsi le cataclysme final et le jour du Jugement Dernier. Il est le « seul des monarques du Moyen Age à s'être cru divin; en vertu non de sa charge, mais de sa nature même, ni plus ni moins qu'un Dieu incarné », écrit Eliade à son sujet[2].

HÉROÏSATION ET « CHARISMA »

Le chef charismatique, figure par excellence moderne dont Max Weber est le premier à cerner les traits, prolonge-t-il au cœur d'un siècle qui ignore ou minimise le rôle créateur du grand homme, l'aventure plusieurs fois millénaire du héros, du Sauveur ? Le Sauveur appartient à la branche « cosmique » d'une famille d'êtres élus dont d'autres branches réunissent les grands fondateurs de religions, les héros de la culture, et les héros-ouvriers du mythe moderne du Progrès. Il est avant tout l'homme d'une situation (crise, détresse) et représente l'ultime recours d'une société désarmée devant une crise qui la menace dans son existence; contrairement au héros traditionnel, qui se jette en quelque sorte la tête baissée dans l'aventure, le chef

---

1. Sur Frédéric, voir Norman COHN, *The Pursuit of the Milleneum*, New York, Oxford University Press, 1970, pp. 111-113, et Mircea ELIADE, *Aspects du mythe*, pp. 213-214.

2. Mircea ELIADE, *Aspects du mythe*, pp. 212-213. « Le mythe de Frédéric II n'est qu'un exemple illustre d'un phénomène beaucoup plus diffus et persistant, ajoute Eliade. Les prestiges religieux et la fonction eschatologique des rois se sont maintenus en Europe jusqu'au xviie siècle. » Depuis lors, on assiste à la sécularisation de la figure du Sauveur, le Réformateur, le Révolutionnaire ou le chef du Parti bénéficiant d'une espérance « profondément ancrée dans l'âme collective (*ibid.*, p. 213).

charismatique est pleinement conscient des fondements « matériels » du pouvoir personnel qu'il manipule en bon technicien. Il met à profit les valeurs de l'*héroïsme*, ce phénomène né — dans la mesure où sa date de naissance peut être établie avec certitude —, dans les tranchées de la première guerre mondiale et qui contribue, comme nous le verrons tout à l'heure, à démocratiser l'idéal héroïque « aristocratique » du passé. Le chef charismatique exploite l'héroïsme à des fins personnelles et idéologiques (c'est souvent le triomphe d'une doctrine politique qu'il invoque en imposant sa volonté), alors que dans l'Antiquité l'essence de l'idée du héros était consacrée par le culte des morts[1].

Le leader charismatique est, d'après une théorie sociologique en voie de formulation[2], un chef — fondateur de religion, prophète, homme politique, chef de parti, shaman ou démagogue[3] — qui incarne, en raison de dons personnels extraordinaires, l'aspiration au salut, d'un peuple, d'une nation à un moment particulièrement critique de son histoire. Il est un Sauveur moderne qui, contrairement aux leaders démocratiquement élus, se désigne en tant que tel, en fidélité à une mission dont il est le seul à déterminer la nature. Il domine l'événement qui, sans son intervention, ne se produirait pas, ou prendrait une allure fondamentalement différente. C'est ainsi que Trotzky remarque vers la fin de sa vie que, sans Lénine, la Révolution d'Octobre n'aurait probablement pas eu lieu[4].

Nous ne pourrons pas examiner ici en détail la théorie du chef charismatique, héros — ou « pseudo-héros » — affirmant son unicité au sein d'un univers social uniformisé. Nous devons limiter notre analyse à l'examen nécessairement bref de l'enterrement de deux leaders charismatiques, Lénine et Nkrumah.

1. Voir Jan HUIZINGA, *Incertitudes*, Paris, Librairie de Médicis, 1939.
2. La théorie de chef charismatique élaborée par Max Weber a été soumise à un examen critique notamment par Carl J. Friedrich et Robert R. Tucker (voir bibliographie). La polémique ne met pas en question cependant les traits « héroïques » du « chef » définie en fonction de ses qualités, inaccessibles aux dirigeants politiques dépourvus de « charisma ».
3. Max Weber tient pour « charismatique » le magicien, le démagogue; il s'agit, somme toute, de la figure profondément ambiguë du « pseudo-héros » dont Carlyle prévoit l'emprise croissante sur les sociétés modernes.
4. Leon TROTSKY, *Trotsky's Diary in Exile* : *1935*, New York, 1963, p. 46.

Selon Mircea Eliade, les héros se distinguent des humains par le fait qu'ils continuent à agir après leur mort. De plus, leurs dépouilles sont chargées de « redoutables puissances magico-religieuses. Leurs tombes, leurs reliques, leurs cénotaphes opèrent sur les vivants pendant de longs siècles. Dans un certain sens, on pourrait dire que les héros s'approchent de la condition divine grâce à leur mort : ils jouissent d'une post-existence illimitée, qui n'est ni larvaire ni purement spirituelle, mais consiste dans une survivance *suis generis*, puisqu'elle dépend des restes, des traces ou des symboles de leurs corps »[1].

Commençons par le cas de Lénine. Le fondateur de l'Etat soviétique est, au moment de sa mort, au faîte de sa puissance. Il présente 1917 comme l'an I d'un nouveau commencement et l'homme soviétique, comme le prototype d'un nouveau type d'homme. En tant que théoricien du socialisme, il est la première figure majeure depuis Marx (et couvre de sarcasmes Sorel dont l'originalité pourrait éclipser son œuvre théorique). Ses funérailles sont tout naturellement celles d'un héros. Dans l'article nécrologique qu'il compose en gare de Tiflis, Trotzky parle d' « Illitch » comme l' « unique », le « singulier » — épithètes héroïques par excellence. Il présente les membres du parti — et, avec eux, toute la classe ouvrière, comme s'ils étaient devenus tout à coup des « orphelins ». Sa mort n'a pas la même signification que la mort d'un être ordinaire, car sa méthode de travail, son exemple, et surtout sa foi et son enseignement, agiront à travers tous ceux qui l'ont suivi jusqu'ici à travers les péripéties de la Révolution et la guerre civile. « Dans chacun de nous vit une petite parcelle de Lénine, et c'est la meilleure parcelle de chacun de nous »[2]. Emerson n'avait pas plus éloquemment souligné l'exemplarité de Napoléon[3] ! L'homme qui embrassait d'un simple coup d'œil la planète tout entière — c'est le poème d'occasion de Maïakovski que je cite cette fois — *vit*,

1. Mircea ELIADE, *Histoire des croyances et des idées religieuses*, Paris, Payot, 1976, t. I, p. 300.

2. Leon TROTZKY, *On Lenin. Notes towards a Biography*, Londres, George G. Harrap, 1971, chap. 15 : « Lenin is Dead ».

3. Voir p. 182.

et de manière tout aussi efficace que de son vivant. Dans une déclaration solennelle, Zinoviev prend congé de Lénine qui appartient désormais à l'avenir grâce au mythe puissant qu'il avait créé. « Lénine continue à vivre dans le cœur de chaque bon ouvrier. Lénine continue à vivre dans le cœur de chaque paysan. Lénine continue à vivre dans des millions d'esclaves coloniaux. Lénine continue à vivre dans le camp de nos ennemis, dans leur haine du léninisme, du communisme, du socialisme »[1]. C'est Staline cependant qui, dans son oraison funèbre (« Nous te promettons, camarade Lénine... »), officialise le culte Lénine, entériné peu de temps après, par le IIe Congrès des Soviets. La capitale de Pierre de Grand est rebaptisée pour porter son nom (c'est l'Icarie devenue réalité) et sa dépouille mortelle reposera au cœur de la cité, sur la place Rouge, dans un mausolée digne d'un despote oriental[2].

Le deuxième cas a pour objet l'enterrement du Kwame Nkrumah, l'ancien leader ghanéen mort en exil à Bucarest, en 1972. Réfugié en Guinée après le coup d'Etat de 1966, c'est en effet dans la capitale roumaine que le « Lénine africain » était en traitement au moment de sa mort. Chef providentiel qui a conduit son pays à l'indépendance et qui s'est fait élever au rang de divinité, Nkrumah avait été présenté pendant quelques années au monde entier comme le « Messie » de l'Afrique occidentale en voie d'émancipation. Il était comparé à Napoléon, à Bouddha, à Mahomet et à Jésus. Il était « celui qui ne parjure jamais », le « rénovateur de toutes choses », « celui qui parle une fois pour toutes » ou encore l' « indomptable guerrier ». Des pièces de monnaie frappées à son effigie portaient l'inscription impériale : *Civitas Ghanaensis Conditor*. Ses concitoyens le désignaient par le titre de « Osagyefo », le Rédempteur, et substituaient son nom à celui du Christ dans les hymnes consa-

---

1. Voir Robert PAYNE, *The Life and Death of Lenin*, New York, Simon & Schuster, 1964, p. 610.
2. Là encore, c'est le héros disparu qui est honoré; car depuis des temps immémoriaux, le héros seul a droit à être enterré au cœur de la cité. — Rappelons ici les photographies du cerveau de Lénine qui sont très largement diffusées dès cette époque; elles doivent établir de manière éclatante la grandeur évidente de Lénine, héros intellectuel doublé d'un homme d'action, en raison de sa dimension inhabituellement grande.

crés à sa gloire. L'éditorialiste de l'officieux *Accra Evening Standard* le comparait au soleil, ou plus précisément au soleil « qui se lève désormais à l'ouest, à travers la personne de Kwame Nkrumah »[1].

Or, dès que la nouvelle de la disparition de l'« Osagyefo » est connue, la Guinée et le Ghana se disputent sa dépouille mortelle pour s'emparer des pouvoirs mystérieux qui en émanent. Nkrumah n'est pas mort, car il ne peut pas mourir, déclare Sékou Touré; il continue à agir à travers l'Afrique éternelle. « Nkrumah est l'homme qui a entendu les cris du Ghana et qui s'est offert de le sauver de ses ennemis », écrit le *Daily Graphic* d'Accra. (Tous nos grands hommes disparaissent un à un, se lamente J. Mensah Onumah sur les colonnes du même quotidien le 4 mai 1972 : Baba Yara, le meilleur centre-droit que l'équipe nationale de football a jamais eu, Robert Mensah, le meilleur gardien de but et... l'« Osagyefo »)..., ce qui montre le transfert du pouvoir magique du héros sur le champion sportif, et les grandes vedettes du cinéma, de la chanson, dans le monde entier. Le conflit qui oppose les deux gouvernements africains se termine, après trois semaines, par la décision du gouvernement guinéen de rendre le corps du leader disparu à sa nation; il n'en démontre pas moins la nature héroïque du chef charismatique moderne à travers la continuité ininterrompue du mythe. Héros, sauveurs, chefs charismatiques sont autant de noms pour désigner l'« excellence » humaine — ou son revers éclatant, le shaman, le démagogue —, en tenant compte de l'époque, des circonstances historiques et surtout de la volonté d'actualiser le culte du héros en le transformant en slogan, en programme — fait inconnu au xixᵉ siècle qui voit pourtant la fragmentation, la diversification du culte en termes politiques, culturels et littéraires. L'héroïsme est la dernière phase d'une vénération naturelle de l'homme pour ses représentants les plus éminents, et peut-être sa phase finale.

---

1. Voir les articles de Philippe Decraene dans *Le Monde* des 29 avril, 5, 13, 19 et 20 mai 1972 et l'étude de David E. Apter dans *Daedalus* (été 1968), « Nkrumah, Charisma, and the Coup ».

Pour conclure, quelques remarques sur les figures principales du mythe du héros collectif, l'élite, le parti, le peuple et
la race, abstraction faite du prolétariat et des révolutionnaires
« professionnels » dont nous avons établi la fonction eschatologique en parlant du mythe dans la pensée de Marx et de
Bakounine. (La notion sorélienne des « minorités agissantes »
s'apparente aussi bien à l' « Alliance secrète » de Bakounine qu'à
la conception léninienne de l'avant-garde politique.)

L'*élite* d'éducateurs — de fait, d'éducateurs qui agissent en
éduquant d'autres pédagogues, aux échelons inférieurs du
professorat —, qui se réunit auteur de Stefan George a pour
mission la régénération spirituelle de l'Allemagne. C'est l'exaltation du poète — le Christ-poète — qui l'unit, et la fidélité à
une « Allemagne secrète » dont il importe de ressusciter l'esprit.
George est le chef incontesté du « Kreis »; il impose à ses disciples une discipline quasi militaire, et officie le culte de Maximin,
qu'il compare à Alexandre et au Christ, au nom du double idéal
de la force et de la beauté.

Le peuple. — Il s'agit ici avant tout d'un secteur « arriéré »,
éloigné des grands centres urbains de la civilisation industrielle,
du « petit peuple », qui a gardé, grâce à son isolement, son intégrité biologique et culturelle originelle. Il existe pour Hitler,
sous la carapace d'un christianisme adopté à contrecœur, et
somme toute superficiel, un peuple allemand attaché à ses
croyances ancestrales, « comme le contenu du pot reste intact
sous la couche de suif qui le recouvre ». Parce qu'il est resté
lui-même, à l'écart des grands courants qui ont aliéné les populations urbaines, le paysan allemand est resté en communion avec
l' « Esprit de la Terre »[1].

Le mythe du Peuple développé par Michelet dans les
années 1840 est au service d'une futurologie populiste, et tend à
définir le peuple par exclusion. Appartiennent au Non-Peuple
les prêtres, les intellectuels et tous ceux qui, dans les sphères les

1. Hermann RAUSCHNING, *Hitler m'a dit*, pp. 70-71.

plus élevées de la hiérarchie sociale, entretiennent le climat de froideur qui paralyse toute créativité réelle. En nationalité, en effet, comme en géologie, la chaleur est en bas. Symbole de créativité qui résume tout ce que l'avenir tient en réserve, il est artificiellement maintenu dans les bas-fonds de la société, le Peuple-Simple. Mais les « faibles » d'aujourd'hui apporteront leur chaleur jusqu'aux sommets d'une hiérarchie sociale figée dans l'immobilité du froid. « Qui grandit ? », demande l'historien qui présente l'idée du peuple à la fois comme une doctrine et comme une légende. « L'enfant... Qui aspire et montera ? Le Peuple »[1]. Or, qui dit chaleur dit barbarie. « Notre invasion continuelle, à nous barbares, est indispensable pour réchauffer ceux qui montent dans une atmosphère plus froide, plus lumineuse peut-être, de notre féconde chaleur »[2].

Secteur particulier d'une société morcelée et qui a précisément pour mission de maintenir vivant l'idéal de l'unité, de la totalité sociales, le Peuple devient progressivement, dans l'esprit de Michelet, la clé du devenir historique, il finit par inclure aussi bien le petit peuple, le Peuple-Simple, que ses représentants uniques. Rabelais, Luther, Hoche (le Héros-Enfant), Kosciuszko sont autant d'être « irremplaçables », « irréparables » qui tiennent en eux une « généralité infinie », en dispensant la chaleur qu'ils puisent dans les couches inférieures de leur personnalité, dans l'isolement des hautes sphères de la société où ils expriment l'idéal d'un peuple réuni dans la totalité de ses aspirations originelles.

Le mythe de la *race* repose sur les principes de la sélection et de la rénovation. C'est sans doute Gobineau qui confère à l'idée de la race, confinée jusqu'alors dans les cadres d'une pensée aristocratique sans portée sociale réelle, la notion de grandeur dont elle tire sa puissance. Mais pour l'auteur du monumental *Essai sur l'inégalité des races humaines,* cette grandeur appartient à l'époque lointaine des Origines. La pureté originelle des trois races constitutives de l'humanité — l'aryenne, la jaune et la noire — a été perdue en raison d'un métissage inévitable et générateur d'un phénomène de la plus haute importance, la

---

1. Troisième leçon au Collège de France, le 30 décembre 1847. Cité par Pierre ALBOUY, *Mythes et mythologies dans la littérature française,* p. 206.
2. Voir à ce sujet le mythe du « barbare », pp. 37-38.

naissance et le développement des civilisations. Ce sont les successeurs français et allemands de Gobineau qui transformeront la pensée raciale de Gobineau en un véritable instrument de guerre en postulant la réversibilité du processus de dégradation biologique des races qui motivait en partie le pessimisme gobinien. Nous pourrions même ajouter que, sans la possibilité de redonner à la race sa pureté d'autrefois, le mythe de la race resterait dépourvu du pouvoir mobilisateur dont il a joui à partir du dernier tiers du XIXᵉ siècle.

Héros collectif par excellence, la race impose sur le plan social une vision anti-égalitaire, antidémocratique. Sur le plan international, elle tend à « spatialiser » la structure hiérarchique des races qu'elle fait valoir en matière de politique interne. Hitler a vite compris le potentiel révolutionnaire de ce mythe pour en faire la pierre de touche de sa politique de conquête. « J'ai besoin... d'une notion qui me permette de dissoudre l'ordre établi dans le monde et d'opposer à l'histoire la destruction de l'histoire. » C'est à cette fin que sert précisément la notion infiniment suggestive, plastique, de la race. « Les nations sont les matériaux visibles de notre histoire. Il faut donc que je brasse ces nations, que je les remoule dans un ordre supérieur, si je veux mettre une fin au chaos d'un passé historique devenu absurde. » La notion de la race « bouleverse les vieilles idées et ouvre des possibilités de combinaisons nouvelles ». En partant du principe de la nation, la France a pu propager sa révolution dans l'Europe entière. En s'appuyant sur celui de la race, l'Allemagne nationale-socialiste conduira sa « révolution jusqu'à l'établissement d'un ordre nouveau dans le monde »[1].

Peut-on régénérer le peuple allemand tout entier ? Ou doit-on se contenter d'enrayer le processus de déchéance raciale, en limitant le renouveau biologique et culturel du peuple allemand à une élite restreinte d' « initiés », se demande Hitler. Il conçoit la race à un moment donné dans le sens limitatif d'un

---

1. Hermann RAUSCHNING, *Hitler m'a dit*, p. 259. Pour les mythes et mythologies du national-socialisme, voir Henry HATFIELD, The Myth of Nazism, dans Henry MURRAY (édit.), *Myth and Mythmaking*, Boston, Beacon Press, 1960, pp. 199-220, et Jost HERMAND, The Distorted Vision, dans Walter D. WETZELS (édit.), *Myth and Reason. A Symposium*, Austin, University of Texas Press, 1973, pp. 103-125.

ordre, d'une confrérie de Templiers pour la garde du « Saint-Graal, du réceptacle auguste où se conserve le sang pur »[1]. Le ministre de l'Agriculture Walter Darré constitue, dès 1933, un fichier portant sur les données biologiques héréditaires de l'élite nationale-socialiste et des ss. Dans la mesure où il se limite à une « avant-garde » raciale, élitiste de l'Allemagne nationale-socialiste, le mythe de la race s'apparente au mythe de l'élite. En raison de sa plasticité, il se prête peut-être plus aisément aux techniques d'exploitation moderne que le mythe de l'élite énoncé en termes d'excellence, de « réalisations » spectaculaires.

EN GUISE DE CONCLUSION :
LA COMÉDIE DE L'HÉROÏSME

Terme provisoire du renouveau de l'idée héroïque, l'héroïsme se présente comme une morale ou comme un programme politique habilement réduit en slogans. A l'époque mussolinienne, le Parti fasciste se présentait ainsi comme le parti de l'héroïsme. La devise qu'on pouvait lire sur les affiches électorales du Parti en 1934 sont révélatrices à cet égard : « Le principe du fascisme, c'est l'héroïsme ; celui de la bourgeoisie, c'est l'égoïsme. »

La première guerre mondiale — la « guerre » — avait pour conséquence le jaillissement de l'étincelle de l'héroïsme, proclame Drieu La Rochelle dans un texte — *La comédie de Charleroi* — qui apparaît, un demi-siècle après sa parution, comme l'allégorie de la « comédie de l'héroïsme ». Le héros de cet écrit en partie autobiographique de Drieu réalise, dans les tranchées, ses rêves d'enfance où il se voyait comme un chef, un « homme libre qui commande » et qui ne risque sa vie que dans une « grande action »[2]. Il ne se contente pas de s'arracher à la médiocrité à laquelle la France bourgeoise l'avait condamnée. Il réalise que les hommes ne peuvent rien refuser à un homme qui « porte loin et haut la nature »[3]. La guerre fait justice à la « vieille hiérarchie imbécile » et ordonne la race humaine selon la hiérarchie naturelle de ses aptitudes au commandement.

1. Hermann Rauschning, *op. cit.*, p. 256.
2. Pierre Drieu La Rochelle, *La comédie de Charleroi*, Paris, Gallimard, 1934, p. 32.
3. *Ibid.*, p. 39.

Dans les tranchées, le héros découvre la « grâce et le miracle » de l'action. Tout d'un coup, quelque chose d'extraordinaire se produit en lui, le remplissant d'exaltation et d'ivresse : « ... je me connaissais, je connaissais ma vie. C'était donc moi ce fort, ce libre, ce héros. » Ce qui jaillit soudain, c'est un chef, c'est-à-dire un « homme à son plein » qui se donne et qui prend. « J'étais un chef. Je voulais m'emparer de tous ces hommes autour de moi, m'en accroître, les accroître par moi et nous lancer tous en bloc, moi en pointe, à travers l'univers »[1].

Le héros de Drieu n'est pas seul. Il y a un héros tous les vingt kilomètres[2] et... des deux côtés de la ligne qui sépare les combattants. Car dans les sacoches des soldats ennemis qui naissent, eux aussi, à leur « vraie vie », se trouve un exemplaire de *Ainsi parlait Zarathoustra*. Non pas la traduction française, bien entendu, mais l'original allemand (c'est le cas notamment d'Ernst Junger dont le nom nous vient naturellement à l'esprit. L' « Arbeiter » de Junger naît en même temps que le héros de Drieu, de l'expérience de la guerre, du choc des volontés qui s'éveillent dans une guerre génératrice d'existences héroïques. (Mais déjà à la fin du siècle dernier, n'importe quel « sot moyen » parlait du « surhomme » comme s'il « s'était agi de son grand frère », remarque Jan Huizinga[3].)

Réduit en activisme, l'héroïsme est asservi au renforcement du sentiment de discipline collective du Parti, du mouvement, du régime totalitaires. Le « nous » se substitue au « moi » orgueilleux de l'idéal héroïque. Devient alors héros l'ouvrier stakhanoviste, le héros socialiste du travail ou le militant nazi mort dans des échauffourées sans gloire : Horst Wessel, proposé en idéal à la jeunesse allemande, comme si l'héroïsme n'était pas parvenu au terme d'une longue période d'épanouissement.

1. Pierre Drieu La Rochelle, *La comédie de Charleroi*, p. 70.
2. *Ibid.*, p. 73.
3. Jan Huizinga, *Incertitudes. Essai de diagnostic du mal dont souffre notre temps*, p. 167.

conclusions

vers une théorie du mythe politique

Au mois de septembre 1793, le citoyen Claude-Henri de Saint-Simon se présente devant les autorités révolutionnaires de Péronne. Il leur demande d'être débarrassé de la souillure du péché originel, dont ses origines aristocratiques l'ont marqué, par un « baptême républicain régénérateur ». Pour exprimer en termes symboliques sa seconde naissance, il demande de pouvoir changer son nom qui rappelle de manière évidente l'inégalité sociale proscrite désormais par la Raison et dénoncée à juste titre par la nouvelle constitution de la France. C'est par cette reconnaissance mi-sincère, mi-ironique que commence, en l'an V de la Révolution, la nouvelle vie de Claude-Henri Bonhomme — car c'est le nom qu'il se fait donner — théoricien d'une nouvelle ère industrielle.

La notion de la chute recommence à hanter l'homme moderne à la recherche d'une identité sûre; et le péché originel sert de paradigme à quiconque voulant protéger ou réorienter le cours de l'histoire. C'est ainsi que Bakounine s'identifie avec la figure romantique de Satan, le « premier libre penseur » et l'ancêtre légendaire des révoltés de tous les temps. C'est ainsi que le premier « patron », le premier entrepreneur à s'approprier le travail du premier « ouvrier » — qui brise l'harmonie d'une société indivise d'avant la chute — hante les pages de *L'idéologie allemande* que le jeune Marx écrit en collaboration avec Engels. La Révolution anglaise fut faite par le peuple non pas pour « fabriquer un nouveau gouvernement », écrit Edmund Burke, mais pour sauvegarder ses lois et ses libertés « *antiques* et indiscutables »[1]. A en croire l'auteur des *Réflexions sur la Révolution française*, la liberté a ses origines dans le mythe aussi bien que l'Etat, la propriété ou la révolte. « Toutes les réformes que nous avons accomplies jusqu'à présent ont été faites en nous reportant au passé; et j'espère, que dis-je ? Je suis sûr que toutes les réformes qu'on pourra encore accomplir dans l'avenir seront soigneusement basées sur des précédents analogues, sur l'autorité, sur l'expérience »[2]. En suivant d'âge en âge la généalogie des libertés que ces ancêtres avaient conquises et transformées en héritage, Burke remonte jusqu'à la *magna carta*, document fondateur par excellence... Cette charte très ancienne ne fait cependant que renouveler une autre charte d'esprit identique et qui date du règne du roi Henry Ier. En réalité, l'une et l'autre sont une « promulgation nouvelle de lois qui existaient dans le royaume à une époque encore plus reculée »[3]. Et Burke de quitter le territoire de l'histoire pour retrouver, de charte en charte, le document fondateur originel, le *paradigme perdu* des libertés individuelles inaliénables, indestructibles. L'épisode bien connu de la vie de Saint-Simon — à

---

1. *Réflexions sur la Révolution française*, p. 49.
2. *Ibid.*, pp. 50-51. Joseph de MAISTRE tient également la liberté pour un fait originel : « Jamais il n'exista de nation libre, qui n'eût dans sa constitution naturelle des germes de liberté aussi anciens qu'elle; et jamais nation ne tenta efficacement de développer, par ses lois fondamentales écrites, d'autres droits que ceux qui existaient dans sa constitution naturelle », *Considérations sur la France*, p. 87.
3. *Ibid.*

laquelle nous avons emprunté les matériaux de notre introduction et qui nous permet de conclure nos recherches concernant les avatars modernes du mythe politique — présente la vie comme un ensemble de citations, comme autant de références conscientes ou inconscientes à un modèle primordial (connu, ou, comme c'est le cas du pluralisme burkien, perdu) et à toutes les actualisations qui en rappellent la valeur impérissable.

Définissons le mythe politique — ou, plutôt, réunissons les matériaux d'une définition — en établissant en un premier temps ces traits par lesquels les mythologies politiques modernes se distinguent des mythologies politiques d' « autrefois ».

MODERNITÉ ET MYTHOLOGIE POLITIQUE :
QUELQUES TRAITS DISTINCTIFS

> « La mythologie comprend l'histoire archétypique du monde originel ; passé, présent et futur y sont embrassés. »
>
> NOVALIS, Pollens.

Ce sont dans les archives du mythe que l'homme politique, l'homme de parti ou le théoricien, puise les récits, légendes ou « faits » historiques, qui lui permettent de fonder sa culture — la culture politique — et de donner au pouvoir qu'il détient ou auquel il aspire sa légitimité, son rayonnement et parfois sa grandeur. Comme il aborde le champ de la politique en prophète, il est condamné à fonder ses anticipations sur le pouvoir du mythe. En effet, celui qui parle de l'avenir s'astreint à raconter une histoire et les histoires sont somme toute là, toutes prêtes, inventées une fois pour toutes, en attendant le récitant qui leur donne une actualité nouvelle. S'il est conservateur, il puise dans les récits dits historiques l'événement conservé dans le moule propre à la mémoire des peuples. S'il est révolutionnaire, il remonte aux temps lointains de la création, au premier âge de perfection sociale dont la chute a détruit les fondations. Chaque époque, chaque société repense, récrit le mythe en fonction de sa sensibilité, en l'adoptant aux modes culturelles, sociales et politiques qui prédominent en son sein. Les mythologies politiques modernes se distinguent des mythologies politiques de l'Antiquité ou de l'Ancien

Régime par un certain nombre de traits décisifs, même si, dans sa modernité meurtrie, maudite, le mythe ne cesse jamais d'être mythe. Regardons brièvement quelques-uns de ces traits.

1 / La prédominance des mythes révolutionnaires sur les mythes de fondation; l'accroissement du pouvoir mobilisateur des valeurs du changement (de la rupture suivie d'un Nouveau Commencement)[1] au détriment du paradigme de la continuité historique.

Les *mythes de fondation* — ou mythes des origines — se réfèrent aux faits fondateurs de la cité, les lois édictées une fois pour toutes par un législateur aux pouvoirs surnaturels. Appartiennent à cette vaste catégorie de mythes le mythe romain de la fondation, le mythe américain des Pères Fondateurs et, en somme, toute représentation mythique d'un acte créateur initial qui continue à posséder une valeur prescriptive certaine. Les *mythes révolutionnaires* (nous rangeons dans cette famille de mythes également les mythes du progrès) sont étroitement associés à la réorientation de la sensibilité moderne depuis le xviie siècle et tiennent l'avenir — l'inconnu, la créativité prométhéenne d'un homme à venir — pour la seule transcendance réelle. L'appropriation du mythe, son actualisation, dépend du dépassement de la condition présente de l'homme. Pour le révolutionnaire français qui se donne comme tâche la restauration des vertus républicaines de Sparte et de Rome, ou pour le « réformateur » qui veut se régénérer en suivant l'exemple des premières communautés chrétiennes, la voie passe par la destruction de la société actuelle et — au-delà de l'*amorphisme* sans lequel il n'y a pas de recommencement —, la possession d'une nature humaine originelle.

Parmi les mythes de fondation qui servent de point de repère aux sociétés socialistes de l'Europe de l'Est, ce sont

---

1. Selon la mythologie des révolutions, une crise aux dimensions cataclysmiques est la condition *sine qua non* du renouveau : « Il faut d'abord laisser la crise produire des effets encore plus profonds. De nouvelles révolutions viendront », dit Mussolini à Emil Ludwig. « Ce sont elles seulement qui formeront le nouveau type de l'Européen », Emil LUDWIG, *Entretiens avec Mussolini*, Paris, Albin Michel, 1932, p. 162.

encore les mythes révolutionnaires d'hier qui dominent. Ce qui avait été représentation mythique du futur, pour Lénine et son élite de révolutionnaires professionnels, devient, dès 1917, le passé d'une nouvelle société postrévolutionnaire. L'insurrection des matelots du cuirassé *Potemkine*, l'assaut final du Palais d'Hiver sont autant de matériaux d'un mythe de fondation qui insère l'événement dans le schéma prescriptif du récit. L'année 1917 est l'an I d'une ère nouvelle. En Chine, c'est la Longue Marche qui permet de séparer l'histoire en un *avant* et un *après* radicalement hétérogènes. Dans l'Italie mussolinienne, la Marche sur Rome était le mythe d'un Empire reconstruit selon le modèle impérial romain. (« Rappelle-toi que tu es un Romain. Prends garde que tu es aussi un empereur », voici la devise de Mussolini telle qu'il l'inscrit sur les murs de la villa de Cecil Rhodes au Cap.) Et on sait que Hitler se rendait chaque année, le jour anniversaire du putsch avorté de 1923, devant la Feldherrenhalle à Munich, en commémoration d'un événement dont il datait les débuts du Troisième Reich récemment fondé.

2 / La proclamation du mythe comme fondement du pouvoir, d'une part; son intégration dans un discours abstrait, théorique, d'allure sociologique ou scientifique, d'autre part. L'Etat idéologique hitlérien (l'*Ideologiestaat*) est présenté de la façon la plus officielle comme un Etat fondé sur la pérennité du mythe : le Reich millénaire, le Troisième Reich[1]. Plus près de nous, un Samora Machel, président du Mozambique socialiste, intègre dans son programme politique la création d'un nouveau type d'homme, l'homme nouveau[2]. Dans la pensée d'un Karl Marx, par contre, les notions de la crise finale du capitalisme, l'antagonisme du bourgeois et de l'ouvrier ou la notion de la société nouvelle, font partie d'une réflexion théorique et « scientifique » sur la société capitaliste et son évolution prévisible (ou inéluctable, terme qui nous renvoie immédiatement au mythe). Les facteurs mythiques qui forment l'horizon essentiel de la philosophie marxienne et qui cimentent l'édifice du matérialisme « historique » ou « dialectique » sont isolés

1. Voir pp. 54-55.
2. Voir pp. 151-154.

du contexte originel du mythe. Comme le remarque Mircea Eliade, dans le monde moderne, le mythe est d'habitude laïcisé, fragmenté, voire dégradé. Si cette remarque s'applique dans une certaine mesure aux mythologies criardes des mouvements fascistes du siècle, elle est la clé de l'interprétation du mythe dans les doctrines socialistes post-« utopiques ».

La fragmentation du mythe en matière politique, sa dégradation — le phénomène de « dissimulation » que nous venons de mettre en lumière en analysant le mythe dans la futurologie marxienne[1] — exigent de la part de l'analyste une triple démarche : 1) la reconstruction du récit originel (ou intermédiaire); 2) l'étude des différentes étapes de la transformation du modèle initial; et 3) l'étude comparative des variantes d'un même mythe « morcelé » (par ex., la notion de l'homme nouveau dans la mythologie américaine des XVIIe et XVIIIe siècles, dans les doctrines socialistes et dans l'idéologie nationale-socialiste).

3 / La « collectivisation » du mythe. — Les grands mythes de l'époque moderne ont rarement pour héros l'individu triomphant — l'homme universel de Burckhardt — ou le « faux héros » — le chef charismatique dont les faits et gestes font l'objet d'une vénération parfaitement orchestrée; le devenir mythique des sociétés a pour héros la personnalité collective de l'élite, le parti, la classe (le prolétariat), le peuple (invariablement limité à un secteur partiel de la société) ou la race. Le mythe du progrès est, par exemple, d'essence collective, même si de la multitude de chercheurs, de savants, d'inventeurs, d'ingénieurs et de « grands capitaines de l'industrie », émergent très clairement des personnalités dominantes comme Semmelweis, Pasteur, Marconi, les frères Wright, Einstein, Rockefeller, Henry Ford, etc. L'épopée du progrès dépasse d'ailleurs le cadre étroit de la vie individuelle et englobe l'activité créatrice de plusieurs générations d'hommes, ces derniers se passant le « flambeau » à la manière des coureurs qui forment à plusieurs une équipe sportive. Ici encore, le mythe s'adapte à l'esprit démocratique, égalitaire de l'époque moderne.

1. Voir pp. 114-118.

4 / Le perfectionnement des techniques de manipulation du mythe. — Les nouveaux mythes politiques ne sont pas les produits d'une activité inconsciente, remarque Ernst Cassirer dans son étude sur le mythe de l'Etat. Ils sont autant de créations artificielles sorties des mains d'artisans habiles et rusés qui ont compris que le mythe se fabrique avec les « mêmes méthodes que n'importe quel autre instrument de guerre moderne comme la mitraillette ou l'avion »[1]. Si Cassirer met le doigt sur la manipulation savante du mythe par une nouvelle classe politique (c'est avant tout l'expérience des années trente et le pouvoir mythique des dictatures fascistes qu'il a sous ses yeux, même s'il analyse le mythe chez Hegel, Carlyle et Gobineau), il procède peut-être à des généralisations excessives. L'utilisation du mythe à des fins politiques n'appartient pas à titre exclusif aux seuls régimes totalitaires, mais fait partie d'un patrimoine politique commun non respectif des courants idéologiques qui le composent. La manipulation consciente — et nécessairement abusive — ne modifie pas les mythes politiques quant à leur fonction essentielle.

SOREL ET LE MYTHE POLITIQUE

Les hommes qui participent aux grands mouvements religieux, politiques ou sociaux se représentent leur action sous forme de « batailles assurant le triomphe de leur cause », écrit Sorel dont les réflexions serviront de point de départ à notre définition du mythe politique. Les mythes apocalyptiques du christianisme naissant, les mythes de la Réforme et de la Révolution française — ou encore la « révolution catastrophique de Marx » — ont une valeur stratégique aussi importante qu'éphémère. En effet, dès que le but vers lequel ils mobilisent les volontés est atteint, ils perdent leur raison d'être, s'étiolent, sans prise sur l'événement. Il faut « surtout se garder de comparer les faits accomplis avec les représentations qui avaient été acceptées avant l'action »[2]. Le mythe de la révolution et la révolution sont des réalités hétérogènes.

1. Ernst CASSIRER, *The Myth of the State*, New Haven, Yale University Press, p. 282.
2. Georges SOREL, *Réflexions sur la violence*, Paris, Marcel Rivière, 1972, p. 27.

Moyen « d'agir sur le présent », le mythe réunit dans un faisceau d'images « irréfutables » (d'où l' « imposture » !) et « indivisibles » — ce qui l'apparente indéniablement à la foi — capables d'évoquer « en bloc et par intuition »[1], c'est-à-dire, indépendamment de toute réflexion théorique, une cause sociale prise dans son ensemble. Le mythe de la Grève générale que Sorel propose aux syndicalistes français englobe dans sa structure dramatique « tout le socialisme », toutes les manifestations de la « guerre engagée par le socialisme contre la société moderne »[2].

Si la structure dramatique du mythe sorélien clairement polarisée autour des valeurs de la foi (païens et chrétiens), de la classe (bourgeois et prolétaires) et du devenir historique (forces du progrès et forces du déclin) correspond à la dichotomie bien connue des mythes révolutionnaires, les mythes de fondation mettent en valeur l'*unité* retrouvée du corps social ainsi que l'universalité parfaite des lois édictées par le héros-fondateur de la cité. Mais Sorel tend à ignorer les mythes qui n'ont pas le changement pour finalité.

Sorel veut avant tout englober dans un vaste mythe central la lutte ouvrière qui se décompose dans la vie réelle en d'innombrables incidents dépourvus de toute finalité éprouvée. Ce n'est que grâce au mythe de la Grève générale que les « plus minimes incidents de la vie journalière deviennent les symptômes de l'état de lutte entre les classes, où tout conflit est un incident de guerre sociale, où toute grève engendre la perspective d'une catastrophe totale. L'idée de grève générale est à ce point motrice qu'elle entraîne dans le sillage révolutionnaire tout ce qu'elle touche »[3]. Se passant de toute justification rationnelle, le mythe vole au secours de la théorie de la lutte des classes battue en brèche par la réalité de la vie quotidienne. La thèse marxienne selon laquelle la société moderne est composée

---

1. « C'est l'ensemble du mythe qui importe seul », remarque à ce propos l'auteur des *Réflexions sur la violence*; ses parties n'offrent d'intérêt que par le relief qu'ils donnent à l'idée contenue dans la construction, *ibid.*, p. 152.
2. *Ibid.*, p. 153.
3. *Ibid.*, p. 163.

en deux groupes « foncièrement opposés » a été souvent combattue au nom de l'observation, remarque ainsi Sorel; il admet d'ailleurs volontiers qu'il faut « un certain effort de l'esprit » pour justifier cette thèse dichotomique par des arguments tirés de la « vie commune ». C'est ici pourtant qu'intervient le miracle du mythe. Grâce à son pouvoir « le socialisme reste toujours jeune, les tentatives faites pour réaliser la paix sociale semblent enfantines, les désertions de camarades qui s'embourgeoisent, loin de décourager les masses, les excitent davantage à la révolte; en un mot, la scission n'est jamais en danger de disparaître ». Plus de « paix sociale possible », donc plus de « routine résignée »[1].

Accentuer les divisions d'une société décadente, fragmentée, dans un premier temps[2], pour créer les conditions d'une unité nouvelle : voici la fonction première des mythes révolutionnaires dont les étapes sont étroitement calquées sur celles des mythes eschatologiques[3]. (C'est le Sauveur, le chef providentiel qui reforge l'unité du peuple plongé dans les abîmes de l'anarchie; le slogan hitlérien bien connu — *ein Volk, ein Führer* — en représente l'abus caractéristique.)

Le mythe offre aux gouvernants un « levier de commande » à l'aide duquel ils « pèsent sur les égoïsmes individuels » pour

---

1. *Ibid.*
2. Entre le temps du fractionnement et celui de l'unité, se situe le temps intermédiaire de la polarisation.
3. Nous qualifions d'eschatologiques et d'apocalyptiques les mythes de la Fin du Monde qui parlent de la destruction du monde et postulent l'absolu d'un Nouveau Commencement au-delà du chaos qu'elle aura engendré. Les mythes révolutionnaires modernes empruntent aux mythes eschatologiques d'origine juive et chrétienne qui acquièrent, depuis la fin du XIIᵉ siècle européen, une coloration politique radicale, une structure « prévisionnelle tripartite » : 1) la polarisation des forces du Bien et du Mal; 2) la réduction du monde connu en masse amorphe; et 3) une période de renouveau « idyllique », la création d'un nouvel âge d'Or. C'est d'habitude un Sauveur, un chef providentiel de type charismatique (le *novus dux* pressenti par Giacchino da Fiore) qui conduit les forces du Bien à leur victoire ultime. « La mythologie eschatologique et millénariste a fait sa réapparition ces derniers temps en Europe », remarque à ce sujet Mircea ELIADE, et ceci dans deux mouvements politiques totalitaires. « Bien que radicalement sécularisés en apparence, le nazisme et le communisme sont chargés d'éléments eschatologiques; ils annoncent la Fin de ce monde-ci et le début d'une ère d'abondance et de béatitude », *Aspects du mythe*, p. 88. Sur les origines juives et chrétiennes des mythes révolutionnaires modernes, voir l'ouvrage capital de Norman COHN, *Les fanatiques de l'Apocalypse*, Paris, Julliard, 1962.

les associer à l'action collective[1]. Source unique du phénomène autoritaire, de l' « obéissance consentie »[2], c'est lui qui leur confère la légitimité sans laquelle leur pouvoir de fait ne deviendrait jamais un « pouvoir de droit »[3]. Ce n'est pas par hasard que dans l'Etat-nation moderne — et à plus forte raison, dans les Etats totalitaires — l'enseignement du mythe devient une affaire d'Etat. Les mythes du nationalisme sont propagés dès les premières années de l'école primaire, le nationalisme culturel associant les héros de la culture (s'ils sont les nationaux de l'Etat en question, et parfois des charlatans) au Panthéon des grands hommes transformés en objet de culte.

A l'individu, le mythe offre une vision cohérente de la société (de son passé, son présent et son avenir) et l'intégration de ses aspirations dans une finalité collective transfigurée par le « merveilleux » d'une vaste entreprise commune.

Aux gouvernants et aux gouvernés, le mythe permet d'établir la grande hiérarchie des faits — valeurs, événements; de séparer l'accidentel et le trivial du vital et de l'essentiel; de transformer en *absolus* la relativité éphémère du contingent. Car, comme le rappelle Francis Delaisi, le mythe est aussi une espérance.

MYTHE ET UTOPIE

L'utopie possède selon Alexandre Cioranescu, un vaste « arrière-pays idéologique » qu'il n'est pas possible d'ignorer. La pensée politique moderne considère d'ailleurs l'autorité des écrivains utopiques de la même manière que les Pères de l'Eglise considéraient Isaïe ou Daniel[4]. Chaque fois que la pensée idéologique stagne ou recule devant la réalité des expériences qui s'en réclament[5], elle renoue volontiers les liens avec l'univers infiniment plus rassurant de l'utopie où

1. Francis DELAISI, *Les contradictions du monde moderne*, Paris, Payot, 1925, p. 36.
2. *Ibid.*, p. 35.
3. *Ibid.*, p. 49.
4. Alexandre CIORANESCU, *Littérature et utopie*, Paris, Gallimard, 1976.
5. C'est le cas aujourd'hui avec l'utopie cambodgienne, vietnamienne ou l'utopie suicidaire de Jonestown.

la quasi-totalité du peuple s'accommode des principes autoritaires d'un collectivisme sans faille.

Qu'est-ce que l'utopie? La description littéraire d'une société imaginaire ayant réalisé depuis peu[1] la perfection sociale et dont cette perfection constitue désormais la nature profonde. C'est aussi la « Cité de l'Homme, délivré de ses angoisses, du fardeau de sa liberté »[2], et qui comporte une critique radicale des sociétés présentes « imparfaites ». Dans ce sens, il s'agit, selon les termes de Karl Mannheim, d'une « orientation qui transcende la réalité et qui, en même temps, rompt les liens avec l'ordre existant »[3].

Nous avons pu voir, dans le cadre de nos analyses du mythe de la société nouvelle[4] la présence du mythe en utopie (et notamment le rôle décisif d'un héros fondateur-législateur légendaire, le roi Utopus ou le « bon Icar »). Il importe maintenant de repérer un deuxième thème mythique au cœur des utopies constructivistes des trois derniers siècles : le mythe de l'âge d'Or.

L'âge d'Or se situe, comme nous l'avons vu, soit au départ, soit au départ *et* au terme, de l'histoire[5]. Il matérialise les rêves de bonheur, d'harmonie, en fonction d'un certain nombres de thèmes qui se trouvent de manière explicite ou implicite chez Hésiode[6],

1. Dans la plupart des récits utopiques, la création de la cité parfaite est présentée comme un événement « historique » ayant eu lieu quelques générations auparavant.

2. Jean SERVIER, *L'utopie*, Paris, PUF, 1979, p. 16, coll. « Que sais-je ? », n⁰ 1757.

3. « Je fais un roman pour exposer un système », s'écrie CABET en rédigeant *Voyage en Icarie*. Je cite un ouvrage collectif récemment paru dont le titre révèle la généralisation de l'attitude qui consiste à confondre utopie et projet de société : *Stratégies de l'utopie*, Colloque organisé au Centre Thomas-More par Pierre FURTER et Gérard RAULET, Paris, Editions Galilée, 1979.

4. Voir pp. 189-193.

5. Voir pp. 8 et 90.

6. Citons, à titre de mémoire, le célèbre passage des *Travaux et les jours* : « Les humains vivaient alors comme les dieux, le cœur libre de soucis, loin du travail et de la douleur. La triste vieillesse ne venait point les visiter, et, conservant toute leur vie la vigueur de leurs pieds et de leurs mains, ils goûtaient la joie dans les festins à l'abri de tous les maux. Ils mouraient comme on s'endort, vaincus par le sommeil. Tous les biens étaient à eux. La campagne fertile leur offrait d'elle-même une abondante nourriture, dont ils jouissaient à leur gré... » (trad. PATIN).

chez Virgile, Ovide et les autres *loci* bien connu de l'Antiquité à nos jours :

1 / L'absence de tout sentiment d'angoisse. Il ne s'agit pas d'un simple état de béatitude dû à la disparition des maladies et de la peur devant la mort, mais d'une espèce de sentiment de sécurité profondément intériorisé dans l'absence de toute interrogation « existentielle » sur le passé, l'avenir, l' « ailleurs » et surtout, sur les choix, des alternatives qui pourraient être autant de facteurs de risque. Ni aux Iles Bienheureuses, ni dans l'Icarie de Cabet, les vocables de l'inconnu, de l'aventure, n'éveillent de résonance inquiétante;

2 / L'abondance matérielle, le bien-être. Le libre accès aux produits naturels les plus variés dans les visions « naïves » du pays de Cocagne, de l'Eldorado, du Schlaraffenland, est remplacé, en utopie, par la satisfaction parfaitement organisée dans les magasins d'Etat;

3 / L'absence de propriété privée. Ce trait, relativement peu important dans l'Antiquité, acquiert une importance capitale dans les mythologies révolutionnaires du Moyen Age et de l'époque de la Réforme et domine la littérature utopique de More à nos jours[1];

4 / La suspension du temps; la fin de l'histoire. L'utopie présente invariablement un monde statique où règne « l'éternel présent, temps commun à toutes les visions paradisiaques, temps forgé par opposition à l'idée même du temps » (Cioran);

5 / La disparition de l'individu, de la « personne » au profit d'un être collectif parfaitement socialisé, incapable de prendre des initiatives, de décisions qui pourraient le distinguer d'un corps social parfaitement homogène; disparition concomitante de ce qui pourrait l'enfermer dans la solitude ou dans une unité sociale parcellaire : la culture (ressentie dans sa double dimension sociale et individuelle), la famille, le couple.

Les rêves naïfs du poète antique deviennent, dans la littérature utopique, les idées-forces, les principes d'organisation d'un projet de société collectiviste. Construction abstraite, théorique dont les aspects littéraires ou semi-littéraires s'effacent

---

1. Depuis Montaigne, l'absence du « mien » et du « tien » est un des traits dominants du mythe du Bon Sauvage.

devant la volonté programmatique, prescriptive, l'utopie ne se confond pas avec le mythe, mais en actualise, en l' « intellectualisant », le contenu le plus fécond.

MYTHE ET IDÉOLOGIE :
DÉFINITIONS ET COMPARAISONS SOMMAIRES

Nous avons déjà établi la convergence ultime du mythe et de l'idéologie dans nos analyses de la pensée politique de l'anarchisme — et de manière plus concrète, en parlant de mythe dans la pensée de Marx. Ici, nous devons comparer brièvement, en partant de leur définition juxtaposée, leurs principes organisateurs.

Le mythe : un mythe est une histoire ou une fable symbolique[1] qui éclaire un nombre illimité de situations plus ou moins analogues à partir d'un événement historique ou d'un événement qui aurait eu lieu à l'origine des temps (l'*illo tempore* de l'ordre social, du phénomène civilisateur). Ce récit, cette histoire dramatique a une valeur prescriptive, paradigmatique certaine. Sa fonction consiste à renforcer le prestige de la tradition (ou souligner la « valeur » de la volonté du changement qu'il dramatise) en traçant ses origines à un moment initial ou à un fait créateur surnaturel.

En matière politique, le mythe éclaire la nature du pouvoir, des institutions politiques et sociales sur lesquelles il s'appuie; il renforce le prestige des idées — les valeurs qui fondent la culture politique — en montrant la manière dont elles avaient été *vécues* par une première génération de fondateurs. Il définit, sous forme de « citations », les modes de comportement politique et, sur le plan des relations internationales, les rapports de domination, d'oppression ou de coopération. De plus, il forme la structure prévisionnelle des interprétations politiques et philosophiques de l'histoire et montre le caractère « inévitable » de la continuité ou de la volonté de rupture.

[1]. Cette définition est tributaire des travaux de Denis de Rougemont, Karl Kerényi, Thomas Mann, et, bien entendu, de Mircea Eliade.

L'idéologie : l'idéologie est une représentation globale, théorique et « scientifique »[1] du passé, du présent et de l'avenir des sociétés[2], en fonction d'un système d'idées, d'opinions et de croyances constructiviste. D'une manière générale, elle s'appuie sur une interprétation philosophique de l'histoire et situe le moment actuel dans une perspective déterminée par des idées politiques, sociales (par ex. l'égalité), éthiques (par ex. la justice) ou culturelles érigées en absolu. Elle comporte le projet d'une société nouvelle établi avec une netteté plus ou moins grande, et une critique d'autres sociétés moins « parfaites » avec lesquelles elle est en « compétition ». Elle définit les rapports entre l'individu et la société et leur donne une signification philosophique ou « religieuse » partisane. Totalisante, déterministe, elle éclaire l'ensemble à partir d'une « infrastructure » d'idées érigées en absolus[3].

Nous sommes en présence de deux ordres totalisants, indivisibles, qui engagent l'homme dans l'avenir et qui lui proposent des schémas de comportement contraignants; le premier, celui du mythe, est « littéraire » et « réel »; le second, celui de l'idéologie, est « théorique » et tire sa réalité d'une puissance d'évocation théorisante. Ce qui *est* doit être, proclame le premier. Ce qui *doit être* est, proclame le second. Leur convergence suscite malentendus et tensions, et peut-être pour cela, s'impose dans les moments de crise, d'incertitudes où rêves et règles se fécondent, s'interpénètrent.

CRITÈRES DE CLASSIFICATION

Se rapporte-t-il au temps lointain des origines (mythe de fondation) ou au temps prochain, voire imminent, d'un nouveau commencement (mythe révolutionnaire) ? S'enracine-t-il dans l'histoire ou dans le temps profond du mythe ? A-t-il

---

1. L'idéologue emprunte librement, c'est-à-dire de manière arbitraire, aux sciences sociales ou naturelles une série d'arguments pour les insérer dans un contexte parfaitement hétérogène.
2. Ici, les travaux de Maurice Duverger, Raymond Aron, Jean Baechler sont à mentionner.
3. Ce sont les idées qu'on ne « discute pas », ce que Edward Shils qualifie de *fundamentals*.

une valeur universelle (les héros culturels, le grand artiste ou le grand savant, par exemple) ou une valeur plus restreinte ayant pour « destinataires » une communauté particulière, une classe ou une nation (les mythes nationalistes, Guillaume Tell ou Jeanne d'Arc) ? Et finalement, mettent-ils en valeur la créativité des hommes ou celle des institutions (le mythe de l'Etat) ? Voici les critères qui permettent de classifier de manière sommaire le vaste domaine des mythes politiques anciens et modernes[1].

LA CONCLUSION DES CONCLUSIONS

Ni apologie, ni plaidoirie, cet essai a pour but d'éclairer la fonction du mythe dans l'imaginaire politique des deux derniers siècles. Le mythe politique n'appelle ni condamnation ni réhabilitation. Récit de faits qui ont eu lieu dans le temps lointain des origines — origine de l'univers, de la planète ou de sociétés historiquement fondées — il est neutre. Il favorise, selon l'heure, les forces du « déclin » ou du « progrès ». Et comme toutes choses, il se prête à des abus, des manipulations, sans pour autant se dévaloriser et cesser d'agir en fonction d'une allure préétablie.

1. Friedrich et Brzezinski emploient trois séries de critères : mythes totalitaires ou non totalitaires, le degré de « rationalité » des mythes, leur caractère pseudo-scientifique plus ou moins marqué et finalement, le degré d'universalité. Carl J. FRIEDRICH et Zbigniew K. BRZEZINSKI, *Totalitarian Dictatorship and Autocracy*, New York, Frederick A. Praeger, 1968, p. 94.

bibliographie

PRINCIPAUX OUVRAGES CONSULTÉS

ALBOUY Pierre, *Mythes et mythologies de la littérature française*, Paris, Armand Colin, 1969.
AUGUET Roland, *Le Juif errant. Genèse d'une légende*, Paris, Payot, 1977.
BAKOUNINE Michel, *Confession*, Paris, PUF, 1974.
— *De la guerre à la Commune*, textes de 1870 et de 1871 établis sur les manuscrits originaux, et présentés par Fernand RUDE, Paris, Anthropos, 1972.
BARTHES Roland, *Roland Barthes par Roland Barthes*, Paris, Le Seuil, 1975.
— *Le plaisir du texte*, Paris, Le Seuil, 1973.
BARZUN Jacques, *Race. A Study in Modern Superstition*, New York, Harcourt, Brace & Co., 1937.
BELLAMY Edward, *Looking Backward, 2000-1887*, Boston et New York, Riverside Paper Series, 1890.
BENOIST-MÉCHIN Jacques, *L'empereur Julien ou le rêve calciné (331-363)*, Paris, Librairie académique Perrin, 1977.
BENTLEY Eric, *A Century of Hero-Worship*, Boston, Beacon Press, 1957.
BERDIAEFF Nicolas, *Christianisme, marxisme. Conception chrétienne et conception marxiste de l'histoire*, Paris, Le Centurion, 1975.
— *Essai de métaphysique eschatologique*, Paris, Aubier, 1946.
— *Les sources et le sens du communisme russe*, Paris, Gallimard, 1951.
BERTH Edouard, *La fin d'une culture*, Paris, Marcel Rivière, 1927.
— *Les méfaits des intellectuels*, Paris, Marcel Rivière, 1914.
BESTOR A. E., *Backwoods Utopias*, Philadelphia, The University of Pennsylvania Press, 1950.
BRASILLACH Robert, *Les sept couleurs*, Paris, Plon, 1939.

BROMBERT Victor, *The Hero in Literature*, Greenwich, Conn, Fawcett, 1969.

BUENZOD Janine, *La formation de la pensée de Gobineau et l'Essai sur l'inégalité des races humaines*, Paris, Nizet, 1967.

BURCKHARDT Jacob, *Considérations sur l'histoire universelle*, Paris, Payot, 1971.

— *La civilisation de la Renaissance en Italie*, 2 vol., Paris, Gonthier, 1964.

BURKE Edmund, *Réflexions sur la Révolution française*, Paris, Nouvelle Librairie nationale, 1912.

BURY J. B., *The Idea of Progress*, New York, Dover, s. d.

CAILLOIS Roger, *Le mythe et l'homme*, Paris, Gallimard, 1972.

CAMPANELLA Tommaso, *La Cité du Soleil*, Introduction, édition et notes par Luigi FIRPO, Genève, Droz, 1972.

CAMPBELL Joseph, *The Hero with a Thousand Faces*, Princeton, Princeton University Press, 1968.

CARDEN Maren Lockwood, *Oneida : Utopian Community to Modern Corporation*, Baltimore, The John Hopkins Press, 1969.

CARLYLE Thomas, *The History of Frederick II of Prussia called Frederick the Great*, Londres, Chapman & Hall, 1858-1865, 6 vol.

— *On Heroes, Hero-Worship and the Heroic in History*, Londres, Oxford University Press, 1974.

CASSIRER Ernst, *The Myth of the State*, New Haven, Yale University Press, 1946.

CECIL Robert, *The Myth of the Master Race. Alfred Rosenberg and Nazi Ideology*, New York, Dodd, Mead & Co., 1972.

CHARLETY Sébastien, *Histoire du Saint-Simonisme*, Paris.

CIORAN E.-M., *Histoire et utopie*, Paris, Gallimard, 1960.

— *La tentation d'exister*, Paris, Gallimard, 1956.

— *Précis de décomposition*, Paris, Gallimard, 1977.

— *Syllogismes de l'amertume*, Paris, Gallimard, 1952.

CLAVEL Maurice, *Ce que je crois*, Paris, Grasset, 1975.

COHN Norman, *Les fanatiques de l'Apocalypse*, Paris, Julliard, 1962.

CRÈVECŒUR Michel-Guillaume-Jean de, *Letters from an American Farmer...*, Londres, 1782.

DANA Charles, *Association and its Connection with Education and Religion*, Boston, Benjamin H. Greene, 1844.

D'ANNUNZIO Gabriele et MUSSOLINI Benito, *Correspondance*, Paris, Buchet-Chastel, 1974.

DELAISI Francis, *Les contradictions du monde moderne*, Paris, Payot, 1925.

DESROCHE Henri, *Socialismes et sociologie religieuse*, Paris, Cujas, 1965.

— *Sociologie de l'espérance*, Paris, Calmann-Lévy, 1973.

DRIEU LA ROCHELLE Pierre, *La comédie de Charleroi*, Paris, Gallimard, 1934, 1970.

ELIADE Mircea, *Aspects du mythe*, Paris, Gallimard, 1973.
— *Le mythe de l'éternel retour*, Paris, Gallimard.
— *Mythes, rêves et mystères*, Paris, Gallimard, 1972.
ELLUL Jacques, *Les nouveaux possédés*, Paris, Fayard, 1973.
EMERSON Ralph Waldo, *Les hommes représentatifs (Les surhumains)*, Paris, Georges Crès & Cⁱᵉ, 1920.
FANON Frantz, *Les damnés de la terre*, Paris, Maspero, 1970.
FEST Joachim, *Hitler*, 2 vol., Paris, Gallimard, 1973.
FOUCAULT Michel, *L'archéologie du savoir*, Paris, Gallimard, 1969.
FRIEDRICH Carl J. et BRZEZINSKI Zbigniew K., *Totalitarian Dictatorship and Autocracy*, New York, Frederick A. Praeger, 1968.
GOBINEAU Arthur de, *Essai sur l'inégalité des races humaines*, Paris, Belfond, 1967.
— *Ottar Jarl*, Paris, 1879.
— *Les Pléiades*, Paris, Librairie générale française, 1960.
HARRISON J. F. C., *Robert Owen and the Owenites in Britain and America. The Quest for the New Moral World*, Londres, Routledge & Kegan, 1969.
GUEVARA Ernesto Che, *Le socialisme et l'homme*, Paris, Maspero, 1970.
HITLER Adolf, *Mon combat*, Paris, Nouvelles Editions latines, 1934.
HOOK Sidney, *The Hero in History. A Study in Limitation and Possibility*, Boston, Beacon Press, 1943.
HUIZINGA Jan, *Incertitudes. Essai de diagnostic du mal dont souffre notre temps*, Paris, Librairie des Médicis, 1939.
JUNG Carl Gustav, *Un mythe moderne. Des « signes du ciel »*, Paris, Gallimard, 1974.
— et KERENYI Karl, *Introduction à l'essence de la mythologie*, Paris, Payot, 1968.
KAUTZKY Karl, *Vorläufer des neueren Sozialismus*, Stuttgart, 1909.
KERMODE Frank, *The Sense of an Ending*, Londres, 1967.
LEDERER Michael A., *The First Duce. D'Annunzio at Fiume*. Baltimore, The John Hopkins University Press, 1977.
LASKY Melvin J., *Utopia and Revolution*, Chicago, Chicago University Press, 1976.
LEHNING Arthur, *Bakounine et les autres. Esquisses et portraits contemporains d'un révolutionnaire*, Paris, Union générale d'Editions, 1976.
LEVIN Harry, *The Myth of the Golden Age in the Renaissance*, New York, Oxford University Press, 1969.
LÖWITH Karl, *Meaning in History*, Chicago, The University of Chicago Press, 1970.
MALRAUX André, *Les chênes qu'on abat...*, Paris, Gallimard, 1971.
MAN Henri de, *Au-delà du marxisme*, Paris, Seuil, 1974.

MANUEL Frank E., *The New World of Henri de Saint-Simon*, Cambridge, Mass., Harvard University Press, 1956.

MANUEL Frank E. et MANUEL Fritzie P., Sketch for a Natural History of Paradise, *Daedalus*, hiver 1972.

MARIENSTRAS Elise, *Les mythes fondateurs de la nation américaine. Essai sur le discours idéologique aux Etats-Unis à l'époque de l'indépendance (1763-1800)*, Paris, Maspero, 1976.

MARROU Henri-Irénée, *Décadence romaine ou antiquité tardive*, Paris, Seuil, 1977.

MARX Karl, *Contribution à la critique de la philosophie du droit de Hegel*, Paris, Aubier-Montaigne, 1971.

— *Le 18 Brumaire de Louis Bonaparte*, Paris, Editions Sociales, 1976.

— et ENGELS Friedrich, *Le Manifeste communiste*, Paris, Union générale d'Editions, 1960.

— et ENGELS Friedrich, *L'idéologie allemande*, première partie, Paris, Editions Sociales, 1970.

MAZZARINO Santo, *La fin du monde antique. Avatars d'un thème historiographique*, Paris, Gallimard, 1973.

MOELLER VAN DEN BRUCK Arthur, *Le Troisième Reich*, Paris, A. Redier, 1933.

MONNEROT Jules, *Sociologie de la révolution. Mythologies politiques du XXe siècle*, Paris, Fayard, 1969.

MORE Thomas, *Utopia*, Londres, Pinguin, 1976.

MORRIS William, *News from Nowhere or an Epoch of Rest*, Londres, Routledge & Kegan Paul, 1973.

MUCCHELLI Roger, *Le mythe de la cité idéale*, Paris, PUF, 1960.

MURRAY Henry A., édit., *Myth and Mythmaking*, Boston, Beacon Press, 1960.

MUHLMANN Wilhelm E., *Messianismes révolutionnaires du Tiers Monde*, Paris, Gallimard, 1968.

NIETZSCHE Friedrich, *Ainsi parlait Zarathoustra*, Paris, Hachette, 1965.

— *Le crépuscule des idoles*, Paris, Denoël-Gonthier, 1976.

— *Le gai savoir*, Paris, Gallimard, 1950.

NOVALIS, Europe ou la chrétienté, *Œuvres complètes*, t. I, Paris, Gallimard, 1975.

OWEN Robert, *The Book of the New Moral World*, Londres, 1836.

— *The Milleneum in Practice*.

PARETO Vilfredo, *Traité de sociologie générale. Œuvres complètes*, t. XII, Genève, Droz, 1968.

PAYNE Robert, *The Life and Death of Lenin*, New York, Simon & Schuster, 1964.

PYZIUR Eugene, *The Doctrine of Anarchism of Michael A. Bakunin*, Chicago, Regnery, 1968.

Rauschning Hermann, *Hitler m'a dit*, Paris, Coopération, 1939.

Reszler André, *L'intellectuel contre l'Europe*, Paris, puf, 1976.

Rihs Charles, *Les philosophes utopistes. Le mythe de la cité communautaire en France au XVIIIe siècle*, Paris, Marcel Rivière, 1970.

Rosenberg Arthur, *Des Mythus des 20. Jahrhunderts*, Munich, Hoheneichen Verlag, 1935.

Rosenberg Harold, *The Tradition of the New*, New York, McGraw-Hill, 1965.

Rougier Louis, *Celse contre les Chrétiens. La réaction païenne sous l'Empire romain*, Paris, Copernic, 1977.

— *Les mystiques politiques contemporaines et leurs incidences internationales*, Paris, Sirey, 1935.

Rouvier Jean, *Les grandes idées politiques de Jean-Jacques Rousseau à nos jours*, Paris, Plon, 1978.

Sanford Charles L., *The Quest for Paradise*, Urbana, University of Illinois Press, 1961.

Sauvy Alfred, *Mythologie de notre temps*, Paris, Payot, 1967.

Shklar Judith, Subversive Genealogies, *Daedalus*, hiver 1972.

Scholem Gershom G., *Le messianisme juif. Essais sur la spiritualité du judaïsme*, Paris, Calmann-Lévy, 1974.

Shaw George Bernard, *The Perfect Wagnerite. A Commentary on the Nibelung's Ring*, New York, Dover, 1967.

Sorel Georges, *Les illusions du progrès*, Paris, Marcel Rivière, 1911.

— *Les ruines du monde antique : conception matérialiste de l'histoire*, Paris, Biblioth. d'Etudes socialistes, 1908.

— *Matériaux pour une théorie du prolétariat*, Paris, Marcel Rivière, 1929.

— *Réflexions sur la violence*, Paris, Rivière, 1972.

Soustelle Jacques, *Les quatre soleils*, Paris, Plon, 1967.

Speer Albert, *Au cœur du Troisième Reich*, Paris, Fayard, 1971.

Spengler Oswald, *Le déclin de l'Occident*, 2 vol., Paris, Gallimard, 1948.

Stent Gunther S., *The Coming of the Golden Age. A View of the End of Progress*, Garden City, The Natural History Press, 1969.

Trotsky Léon, *Littérature et révolution*, Paris, Union générale d'Editions, 1967.

— *On Lenin. Notes Towards a Biography*. Londres, George G. Harrap, 1971.

Tucker Robert, *The Theory of Charismatic Leadership*, *Daedalus*, été 1968.

Tudor Henry, *Political Myth*. Londres, Pall Mall, 1972.

Tuveson E. L., *Milleneum and Utopia. A Study in the Background of the Idea of Progress*, Berkeley, University of California Press.

Valery Paul, La crise de l'esprit, *Variété I*, Paris, Gallimard, 1924.

VERNE Jules, L'éternel Adam, dans *Hier et demain, Contes et nouvelles*, Paris, Hachette, 1967.
— *Le maître du monde*, Paris, Rencontres, 1965.
— *Vingt mille lieues sous les mers*, Paris, Rencontres, 1965.
WAGNER Richard, *L'or du Rhin*, Paris, Aubier-Flammarion, 1968.
— *Siegfried*, Paris, Aubier-Flammarion, 1971.
WETZELS Walter D., édit., *Myth and Reason. A Symposium*, Austin, University of Texas Press, 1973.
WITTKE Carl, *The Utopian Communist. A Biography of Wilhelm Weitling Nineteenth Century Reformer*, Baton Rouge, Louisiana State University Press, 1950.

table

Imprimé en France, à Vendôme
Imprimerie des Presses Universitaires de France
1981 — N° 27 327